Н.В

ОБСУЖДАЕМ ГЛОБАЛЬНЫЕ ПРОБЛЕМЫ, ПОВТОРЯЕМ РУССКУЮ ГРАММАТИКУ

Учебное пособие по русскому языку для иностранных учащихся

Пятое издание

РУССКИЙ ЯЗЫК
КУРСЫ

МОСКВА
2015

УДК 811.161.1
ББК 81.2 Рус-96
Б27

Р е ц е н з е н т ы: доктор филологических наук *В.И. Зимин*;
кандидат филологических наук *Г.В. Клименко*

Баско, Н.В.
Б27 **Обсуждаем глобальные проблемы, повторяем русскую грамматику**: учебное пособие по русскому языку для иностранных учащихся / Н.В. Баско. —5-е изд. — М.: Русский язык. Курсы, 2015. — 272 с.

ISBN 978-5-88337-166-9

Основная цель учебного пособия — развитие и активизация у иностранных учащихся навыков профессионального общения на актуальные, общественно значимые темы с использованием различных вариантов грамматических конструкций русского языка.

В каждом из 15 уроков пособия содержатся учебные тексты по глобальным проблемам современности, задания по лексике, грамматике, развитию речи (устной и письменной), а также обобщённый теоретический материал по наиболее трудным для иностранцев грамматическим темам и задания на его усвоение и активизацию в речи.

Подбор, содержание и организация учебного материала нацелены на формирование у иностранных учащихся предметной, страноведческой и коммуникативной компетенции на русском языке, на умение участвовать в общественной дискуссии по актуальным проблемам современности.

Пособие предназначено для иностранных студентов (бакалавров и магистрантов), аспирантов и стажёров, обучающихся на гуманитарных факультетах университетов, для иностранных специалистов гуманитарного профиля — социологов, экономистов, журналистов, политологов, философов и др.

ISBN 978-5-88337-166-9

ПРЕДИСЛОВИЕ

Учебное пособие «Обсуждаем глобальные проблемы, повторяем русскую грамматику» предназначено для иностранных студентов (бакалавров и магистрантов), аспирантов и стажёров, обучающихся на гуманитарных факультетах университетов, для иностранных специалистов гуманитарного профиля — социологов, экономистов, политологов, философов, журналистов.

Основная цель учебного пособия — развитие и активизация у иностранных учащихся навыков профессионального общения на актуальные, общественно значимые темы с использованием различных вариантов грамматических конструкций русского языка.

Содержание учебного пособия ориентировано на программу по русскому языку для иностранных учащихся гуманитарных факультетов университетов.

Пособие содержит пятнадцать уроков. Каждый урок имеет однотипную структуру и состоит из двух частей.

Первая часть каждого урока включает речевую тему, посвящённую наиболее актуальным, социально значимым проблемам, широко обсуждаемым в мировом сообществе (экология, демография, миграция населения и др.). Учебный текст и задания по лексике, грамматике и развитию речи должны способствовать формированию у иностранных учащихся не только предметной и коммуникативной компетенции, но и страноведческой, поскольку большое внимание в текстах уделяется решению глобальных проблем в России. Задача первой части урока — развитие и активизация навыков профессионального общения на материале социально значимых тем, необходимых для участия в общественной дискуссии.

Вторая часть каждого урока включает сведения справочно-обобщающего характера по грамматическим темам, вызывающим наибольшие трудности у иностранных учащихся, — типичные способы выражения основных смысловых отношений в простом и сложном предложении (определительные, целевые, причинные, временны́е и др.). Теоретические сведения сопровождаются учебными заданиями на использование различных грамматических конструкций в речи в зависимости от характера и ситуации общения (вариативность и взаимозамена). Задача второй части урока — коррекция и закрепление знаний по русской грамматике, формирование речевых навыков использования различных грамматических конструкций русского языка при общении на актуальные, общественно значимые темы.

Взаимосвязь первой и второй частей каждого урока выражается в том, что в систему лексико-грамматических заданий первой, речевой, части включено задание на усвоение грамматического материала второй, грамматической, части данного урока. В то же время языковые и речевые задания второй, грамматической, части урока основываются на лексическом и предметном материале речевой темы данного урока.

В пособии использованы научные и научно-публицистические тексты, отобранные из научных журналов, учебных пособий по специальности, российских газет и с интернет-сайтов. Учебные тексты разнообразны по форме и содержанию: это и научные ста-

3

тьи (в кратком изложении), и беседы специалистов по актуальным проблемам, и фрагменты документов, содержащих сведения официального характера.

В конце учебного пособия имеются три приложения. Первое приложение содержит перечень наиболее употребительных языковых конструкций, используемых участниками в ходе дискуссии при обсуждении различных проблем. Второе приложение включает словарь паронимов, встречающихся в текстах. Третье приложение содержит словарь активной лексики, где в алфавитном порядке представлены слова и выражения, содержащиеся во всех пятнадцати уроках пособия.

Материалы учебного пособия прошли апробацию на занятиях с учащимися-иностранцами (бакалаврами и магистрантами) в Московском государственном университете им. М.В. Ломоносова на экономическом и социологическом факультетах, в Институте стран Азии и Африки при МГУ.

Список сокращений

В. п.	— Винительный падеж
в знач.	— в значении
Д. п.	— Дательный падеж
ед.	— единственное число
ж.	— женский род
И. п.	— Именительный падеж
инф.	— инфинитив
ирон.	— ироническое
книжн.	— книжное
м.	— мужской род
мн.	— множественное число
неизм.	— неизменяемое
НСВ	— несовершенный вид
П. п.	— Предложный падеж
разг.	— разговорное
Р. п.	— Родительный падеж
СВ	— совершенный вид
сокращ.	— сокращённо
ср.	— средний род
сущ.	— существительное
Т. п.	— Творительный падеж

УРОК 1

Речевая тема. Проблемы мегаполиса
Грамматические темы. 1. Квалификация предмета
2. Классификация предмета

ПРОБЛЕМЫ МЕГАПОЛИСА

1. Прочитайте текст. Перед чтением текста ознакомьтесь с активной лексикой урока. Уточните значение незнакомых слов по словарю и запишите их перевод на родной язык. Ответьте на вопросы после текста.

АКТИВНАЯ ЛЕКСИКА УРОКА

Архите́ктор
Вла́сти, *мн.* (*чего?*) го́рода
Высо́кие техноло́гии, *мн.*
Го́род-гига́нт
Горожа́нин, горожа́нка, *ж.*
Дере́вня
• Дожива́ть/дожи́ть (*где?*) в деревне, в старом доме...
• Загрязне́ние (*чего?*) окружающей среды, воздуха, атмосферы...
Затра́ты = расхо́ды, *мн.*
Инфраструкту́ра (*чего?*) города, района, посёлка...
Карье́ра
Концентра́ция (*чего?*) населения, производства...
Криминоге́нный, -ая, -ое
Мегапо́лис = го́род-гига́нт
Мигра́ция (*куда?*) в город, в другую страну, в другой регион...
Ми́нус = отрица́тельный момент
Населе́ние
Населённый пункт
Нау́чно-техни́ческий прогре́сс

Нужда́ться (*в чём?*) в работе, в жилье, в помощи, в поддержке...
Образ жи́зни
Объекти́вный, -ая, -ое
Окружа́ющая среда́
Плани́рование
Плюс = положи́тельный момент
Посёлок
Приобрета́ть/приобрести́ черты́
Производи́тельность труда́
Промы́шленное предприя́тие
• Размеще́ние (*чего?*) производства...
Расшире́ние (*чего?*) торговли...
Реализо́вывать/реализова́ть (*что?*) план, идею; способности, возможности...
Регио́н (*чего?*) страны, планеты
Ре́йтинг
Се́льская ме́стность, *ж.*
Сти́мул
Столи́ца
Тре́бование
Цивилиза́ция
Экспе́рт

5

ЧЕЛОВЕК В МЕГАПОЛИСЕ

Всё большее влияние на развитие и образ жизни человечества оказывает концентрация людей в больших городах. Крупные города быстро растут, превращаясь в мегаполисы. По мнению учёных, к 2025 году в городах-гигантах будут жить каждые восемь из десяти горожан нашей планеты.

Термином «мегаполис» (от греч. megas — большой и polis — город), первоначально в XVIII веке употреблявшемся для обозначения столиц, называют особо крупные (с числом жителей более 10 млн) города-гиганты, образующиеся в результате слияния многочисленных населённых пунктов. В последнее время мегаполисы приобретают черты «мировых» городов, становятся центрами управления мировой экономикой, финансовыми столицами мира. Основные мегаполисы мира — это Нью-Йорк, Токио, Лондон, Франкфурт, Шанхай, Париж, Дели, Москва, Сеул и другие.

Увеличение количества мегаполисов связано с научно-техническим прогрессом. Переход к новым высоким технологиям приводит к перемещению населения к промышленным предприятиям. Миграция из деревень в города, а из городов в мегаполисы характерна для большинства регионов планеты.

Почему же люди едут в города-гиганты? Прежде всего в поисках работы. Найти работу в мегаполисе легче, чем в маленьком городе. Многие люди убеждены, что жизнь в большом городе с развитой инфраструктурой — торговлей, медицинским обслуживанием, образовательными учреждениями — намного легче и комфортнее, чем в маленьком городе или в посёлке. Для молодёжи крупные города предоставляют большие возможности: найти работу, получить образование, интересно провести свободное время, досуг. Всё это составляет положительные стороны, плюсы жизни в мегаполисе.

В России наблюдается такая же тенденция, как и во всём мире. Большинство россиян (73 % населения) живёт в городах; российские деревни и посёлки пустеют и постепенно умирают: в них доживают старики. Молодёжь стремится в большие города, где можно найти работу, реализовать свои планы и мечты, где жизнь кажется интереснее и перспективнее.

С позиции науки концентрация населения в крупных городах — это закономерное следствие развития мировой цивилизации. В мегаполисах можно эффективнее организовывать бизнес: там возникают свои внутренние рынки, удобные для торговли. Пока мы живём в мире, где научно-технический прогресс и уровень общественной производительности труда определяют успех страны на мировом рынке, количество мегаполисов будет расти.

Столица России Москва входит в число двадцати самых крупных городов мира. В Москве, по официальным данным, постоянно проживает более десяти миллионов жителей и, кроме этого, более двух миллионов мигрантов. Уровень жизни, возможности получения образования и работы, профессионального роста, карьеры, условия для досуга жителей Москвы всегда были намного выше уровня жизни и возможностей жителей любого другого российского города. Эти факторы являются важным стимулом для переезда жителей других районов страны в российский мегаполис.

Но Москва сталкивается с теми же проблемами, что и остальные мегаполисы мира: экологическими, транспортными, жилищными, криминогенными, психологическими. Они составляют негативные стороны жизни в мегаполисе. Рассмотрим их подробнее.

Прежде всего следует отметить, что стоимость жизни в мегаполисе всегда значительно выше, чем в маленьком городе или в сельской местности. Об этом свидетельствуют рейтинги самых дорогих городов мира. При этом международные эксперты, составляющие эти рейтинги, учитывают цены на товары и услуги, которыми граждане пользуются ежедневно. Например, затраты на общественный транспорт, на продукты в обычных магазинах, на одежду, на жильё и медицинские услуги. По оценке экспертов британского еженедельника «Economist», самыми дорогими городами в мире являются Лондон, Токио, Осло.

Учёные признают и экологические проблемы городской жизни. Неблагоприятная экологическая обстановка в мегаполисах связана с высокой концентрацией промышленных предприятий, загрязняющих окружающую среду, а также с большим количеством автомобильного транспорта.

Транспортная проблема связана с огромным количеством автомобилей, затрудняющих передвижение по городским улицам и образующих многокилометровые автомобильные пробки.

Жилищная проблема в городах-гигантах также стои́т очень остро. Она связана с постоянным появлением новых горожан, нуждающихся в жилье.

С приездом в крупные города мигрантов из других районов страны или из-за рубежа связана криминогенная проблема. Многие преступники едут в мегаполис: ведь в гигантском городе легче спрятаться людям, совершившим преступление.

По мнению учёных-психологов, в городах-гигантах остро стоит и психологическая проблема: жизнь в мегаполисе необратимо меняет психику человека, она противоречит его генетической природе. В гигантском городе человек одинок в большей степени, чем в маленьком городе. В обществе происходит не просто смена образа жизни, а борьба человека и городской реальности. Поэтому глав-

7

ная проблема XXI века такая — как научиться жить на Земле, чтобы природа и общество могли развиваться гармонично. Архитекторы, проектирующие мегаполисы, должны рационально планировать жилые районы и размещение производства; власти городов-гигантов должны развивать городскую инфраструктуру и дороги, расширять парки и зоны отдыха.

Жизнь в мегаполисе предъявляет особые требования и к его жителям. Поэтому важной является проблема воспитания и образования граждан, проживающих в городах-гигантах. От решения этой проблемы будет зависеть не только развитие городов-гигантов, но и будущее всего человечества.

(По материалам статьи Моисеева Н.Н. «Человек в мегаполисе»)

Вопросы к тексту.

1. Что означает термин «мегаполис»?
2. Какие мегаполисы вы знаете?
3. Какова причина роста числа мегаполисов в XXI веке?
4. Почему люди стремятся переехать жить в города-гиганты?
5. Каковы плюсы жизни в мегаполисе?
6. Где живёт большинство населения России: в больших городах или в сельской местности?
7. Каковы минусы жизни в мегаполисе?
8. Какой, по мнению учёных, является главная проблема XXI века?

2. Выделите общую часть в словах.

городской	развитие	экономика	производство
горожанин	развивать	экономист	производственный
загородный	развитый	экономить	производить
междугородный	развиваться	экономный	производиться
город	неразвитый	экономичность	перепроизводство

3. Проанализируйте сложные слова из текста. Скажите, от каких слов они образованы.

Первоначально, многочисленные (пункты), закономерное (следствие), международные (эксперты), еженедельник, многокилометровые (пробки).

4. Выделите суффиксы в словах *комфортнее, легче*. **Определите общее значение прилагательных, имеющих эти суффиксы. Скажите, от каких слов образованы эти прилагательные. С помощью этих суффиксов образуйте аналогичные слова от следующих прилагательных.**

Трудный, активный, энергичный, большой, маленький, красивый, высокий, низкий, широкий, узкий, интересный, холодный, тёплый, удобный, важный, дорогой, дешёвый, крупный, эффективный.

5. Соедините близкие по значению слова и словосочетания.

мегаполис	соединение
планета	переезд
крупный	сервис
слияние	Земля
управление	мотив
перемещение	большая часть
обслуживание	руководство
удобный	большой
стимул	комфортный
большинство	город-гигант

6. Подберите антонимы к словам, используя материал для справок.

медленно — ...

малочисленное население — ...

разъединение — ...

низкие технологии — ...

маленькие возможности — ...

старые люди — ...

жизнь труднее — ...

минус — ...

дешёвая жизнь — ...

Материал для справок:

плюс, молодые люди, дорогая жизнь, большие возможности, высокие технологии, объединение, многочисленное население, быстро, жизнь легче.

> **Обратите внимание!**
>
> **Похожие слова имеют разное значение.**
>
> *Сле́дствие* (чего?) «Результат, обстоятельство, вытекающее из какого-либо действия» (*следствие поступка, поведения, ошибки*)
> *Сле́дование* (чему?) «Поступок, подобный чему-либо» (*следование традициям, обычаям, правилу, этикету, моде*)
>
> *Образова́тельный, -ая, -ое* «Служащий для образования, содействующий получению знаний» (*образовательное учреждение, образовательный проект, образовательная система, образовательная экскурсия*)
> *Образо́ванный, -ая, -ое* «Получивший образование, имеющий разносторонние знания» (*образованный человек, студент, образованная женщина*)
>
> *Предоставля́ть/предоста́вить* (что?) «Давать в пользование кому-либо» (*предоставлять условия для работы, возможности, услуги, помещение, здание*)
> *Представля́ть/предста́вить* (кого? что?) 1. «Показывать, предъявлять, сообщать информацию» (*представлять документ, справку, сведения, доказательства*). 2. «Действовать от имени кого-либо, защищая его интересы» (*представлять государство, страну, фирму, компанию, партию*)

7. Дополните предложение подходящим по смыслу словом в правильной форме.

сле́дствие, сле́дование

1. ... традициям другого народа помогает иностранцу лучше освоиться в чужой стране.

2. Экономический кризис стал ... **неправильной** экономической политики.

образова́тельный, образо́ванный

3. Школы, университеты, институты — это ... учреждения.

4. После окончания университета его выпускники становятся специалистами и ... людьми.

предоставля́ть, представля́ть

5. На международной выставке эта компания ... российскую **автомобильную промышленность**.

6. Турфирма ... туристические услуги, осуществляет продажу авиабилетов и бронирование мест в гостиницах.

8. Употребите слова в скобках в правильной форме.

Влиять, оказывать влияние *на кого? на что?* (развитие экономики, ситуация, прогресс, природа, человек, общество);

концентрация *кого? чего?* (люди, граждане, население, объекты, здания);

управлять, управление *чем?* (экономика, политика, государство, страна, город, регион, производство, завод, фабрика, предприятие);

изменения *в чём?* (экономика, политика, государство, страна, город, регион);

реализовать *что?* (план, идея, мечта, способности, талант);

следствие *чего?* (развитие, изменение, цивилизация, прогресс, сотрудничество);

за счёт *кого? чего?* (граждане, люди, население, развитие, изменение, цивилизация, прогресс, сотрудничество);

уровень *чего?* (жизнь, развитие, образование, культура, цивилизация);

стимул *для чего?* (развитие, экономика, миграция, переезд в город, работа, учёба, получение образования);

требования *к кому? к чему?* (специалисты, архитекторы, строители, работники, рабочие, городские власти, планирование, решение, строительство)

9. Дайте объяснение предмету или явлению, используя конструкцию «являться чем» вместо конструкции «представлять собой что».

М о д е л ь :

Проезд по улицам Москвы в часы пик **представляет собой** большую проблему для автомобилистов. —

Проезд по улицам Москвы в часы пик **является** *большой проблемой для автомобилистов.*

1. Москва представляет собой огромный город с развитой инфраструктурой.

2. Рост мегаполисов представляет собой закономерный результат развития науки и техники.

3. Возможность найти работу и развитая инфраструктура представляют собой плюсы жизни в мегаполисе.

4. Экологические, транспортные, жилищные и криминогенные проблемы представляют собой минусы жизни в мегаполисе.

5. Возможность получить работу и образование представляет собой главную причину переезда молодёжи в город.

6. Нелегальная миграция представляет собой большую проблему для городских властей.

7. Дорогая жизнь в мегаполисе по сравнению с маленьким городом также представляет собой негативный фактор жизни в городе-гиганте.

8. Современные мегаполисы представляют собой центры управления мировой экономикой, финансовые столицы мира.

9. Совместное гармоничное развитие природы и общества представляет собой важную задачу современного общества.

10. Воспитание жителей мегаполисов представляет собой главную проблему, стоящую перед городскими властями.

10. Потренируйтесь в письме.

1. Используя информацию из текста, дайте определение понятию «мегаполис».

2. Перечислите и запишите мотивы, которые побуждают людей переезжать из маленького города в мегаполис. При перечислении используйте слова «во-первых», «во-вторых» и т. д.

3. Запишите в две колонки положительные и отрицательные аспекты жизни в мегаполисе.

4. Сформулируйте и запишите основной вывод, который делает автор в статье.

5. Составьте и запишите план статьи «Человек в мегаполисе».

Готовимся к дискуссии

Как выразить своё мнение

Я думаю, что ...
Я считаю, что ...
Мне кажется, что ...
Моя точка зрения такова: ...
С моей точки зрения, ...
Моё мнение заключается в следующем: ...
По моему мнению, ...
У меня есть собственный взгляд на эту проблему. Он заключается в следующем.

---

11. Примите участие в дискуссии. Используйте выражения, которые помогают высказать своё мнение при обсуждении вопросов.

1. Где проживает бо́льшая часть населения вашей страны: в крупных городах или в сельской местности? С чем связано такое распределение населения? Есть ли в вашей стране мегаполисы? Назовите их.

2. Существует ли внутренняя миграция в вашей стране: из деревень и маленьких городов в мегаполисы? Легко ли в вашей стране переехать жить в большой город официально? В чём состоит трудность такого переезда?

3. Какая возрастная группа населения (молодёжь, люди среднего возраста, пожилые люди) стремится переехать жить в большой город? Почему? Назовите главные аргументы в пользу жизни в мегаполисе.

4. Является ли мегаполисом город, из которого вы приехали? Является ли мегаполисом столица вашей страны? Какие главные проблемы жизни в мегаполисе в своей стране вы можете назвать? Дорого ли обходится проживание в этом городе для его постоянных жителей и для приезжих иностранцев?

5. Какой, на ваш взгляд, должна быть политика государства по развитию промышленного производства в разных регионах страны? Аргументируйте свой ответ.

ГРАММАТИКА

1. КВАЛИФИКАЦИЯ ПРЕДМЕТА

Квалификация предмета, понятия, лица — это его объяснение, толкование, раскрывающее его сущность. Квалификация предмета, понятия, лица обычно выражается в настоящем времени. В современном русском языке существуют различные способы выражения квалификации предмета.

1. КТО (ЧТО) (И. п.) + **это** + **КТО (ЧТО)** (И. п.).

В о п р о с ы: Кто такой... ? Что такое ... ?
П р и м е р ы: Пушкин — **это** великий русский поэт.
                 Кремль — **это** сердце российской столицы.
                 Патриотизм — **это** любовь к родине.

В данной модели квалификация предмета, понятия, лица представлена в виде описания, часто образного, или в виде объяснения в научных текстах. Данная модель стилистически нейтральна, она употребляется во всех стилях речи.

2. КТО (ЧТО) (И. п.) + **(есть)** + **КТО (ЧТО)** (И. п.).

В о п р о с ы: Кто такой... ? Что такое ... ?
П р и м е р ы: Сергей — мой лучший друг.
                 Москва — столица России.

В современном русском языке глагол-связка **есть** (форма 3-го лица единственного числа настоящего времени глагола **быть**) в настоящем времени не употребляется. Это особенно характерно для разговорной речи.

Для выражения прошедшего и будущего времени используются соответствующие формы глагола **быть (был, будет)**. Существительное после глагола-связки **быть** (в прошедшем и будущем времени) стоит в творительном падеже (Т. п.).

П р и м е р ы: Сергей — мой лучший друг.
                 Сергей **был** моим лучшим **другом**.
                 Сергей **будет** моим лучшим **другом**.

Данная модель стилистически нейтральна и употребляется во всех стилях речи.

3. ЧТО (И. п.) **+ есть + ЧТО** (И. п.).

В о п р о с ы :   Что такое ... ? Что есть ... ?
П р и м е р ы :   Талант **есть** дар природы.
Наука **есть** способ познания мира.
Прямая линия **есть** кратчайшее расстояние между двумя точ-
ками.

В современном русском языке глагол-связка **есть** (форма 3-го лица единственного числа настоящего времени глагола **быть**) употребляется в составном
предикате в тех случаях, когда даются краткие, ясные толкования-описания
предмета или явления.

Данная модель обычно употребляется в книжной речи, она характерна для научного и газетно-публицистического стилей.

4. КТО (ЧТО) (И. п.) **+ является + КЕМ (ЧЕМ)** (Т. п.).

В о п р о с ы :   Кем является ... ? Чем является ... ?
П р и м е р ы :   Чайковский **является** величайшим русским композитором.
Московский университет **является** старейшим учебным заведе-
нием России.
Хлеб **является** обязательной частью русского обеда.

Обратите внимание!

А. Глагол **являться** в качестве глагола-связки используется т о л ь к о в н а с т о я -
щ е м в р е м е н и . Для выражения прошедшего и будущего времени используются соответствующие формы глагола **быть** (**был**, **будет**). Существительное
после глагола-связки **быть** (в прошедшем и будущем времени) обычно стоит
в творительном падеже (Т. п.).

П р и м е р ы :   Анна **является лучшей студенткой** на факультете.
Анна **была лучшей студенткой** на факультете.
Анна **будет лучшей студенткой** на факультете.

Б. Глагол **являться** (*чем?*) относится к предикату, называющему более широкое
по смыслу понятие, а субъект называет более узкое по смыслу понятие.

В. Глагол **являться** (*чем?*) употребляется в предложениях, где совмещается
объяснение, толкование значения предмета, понятия, лица и его классификация.

Данная модель обычно употребляется в книжной речи, она характерна для научного, официально-делового и публицистического стилей.

5. ЧТО (КТО) (И. п.) **+ представляет собой + ЧТО** (В. п.).

В о п р о с :   Что представляет собой ... ?
П р и м е р ы :   Творчество **представляет собой** создание новых по замыслу куль-
турных и материальных ценностей.
Интернет **представляет собой** всемирную компьютерную сеть.

Миграция **представляет собой** перемещение населения из одной части страны в другую.

> **Обратите внимание!**
>
> **А.** Связка **представлять собой** (*что?*) относится к предикату, называющему более широкое по смыслу понятие, в то время как субъект называет более узкое по смыслу понятие.
>
> Пример: Мобильный телефон **представляет собой** одно из современных средств связи.
>
> **Б.** Связка **представлять собой** (*что?*) обычно не употребляется, если субъектом является имя человека. Но если предикат содержит широкое и образное описание имени человека, то употребление связки **представлять собой** возможно.
>
> Пример: Пушкин **представляет собой** весь мир русского человека с его вечным поиском истины, добра и справедливости.

Данная модель обычно употребляется в книжной речи, характерна для научного и публицистического стилей.

ЗАДАНИЯ

1. Дайте объяснение явлению, употребив слова в скобках в правильной форме.

1. Мегаполис представляет собой ... (город-гигант с десятимиллионным населением).

2. Высокие технологии являются ... (средство изменения общественных отношений).

3. Миграция представляет собой ... (переезд, перемещение людей в другое место).

4. Возникновение мегаполисов есть ... (результат развития мировой цивилизации).

5. Рост числа мегаполисов является ... (следствие развития научно-технического прогресса).

6. Для жителей посёлков и деревень мегаполис является ... (символ высокого уровня жизни).

7. Экологические, транспортные, жилищные, психологические проблемы — это ... (минусы жизни в мегаполисе).

8. Совместное развитие природы и общества является ... (важная задача общества в XXI веке).

9. Воспитание жителей мегаполисов представляет собой ... (важная проблема современности).

10. «Economist» является ... (всемирно известный британский еженедельник).

2. Дайте объяснение предмету или явлению, используя конструкцию «представлять собой что» **вместо синонимичной конструкции** «являться чем» **и конструкции со словом** это.

1. Газеты, радио, телевидение — это средства массовой информации.

2. Автомобильные пробки на улицах являются серьёзной проблемой для больших городов.

3. Концентрация людей в больших городах является результатом развития научно-технического прогресса.

4. Мегаполис — это город-гигант с числом жителей более десяти миллионов.

5. Авиакомпания «Аэрофлот» является крупнейшей транспортной компанией России.

6. Города, посёлки, деревни — это населённые пункты страны.

7. Москва является мегаполисом, в котором проживает 7 % всего российского населения.

8. Москва, Санкт-Петербург, Новосибирск, Нижний Новгород, Екатеринбург — это крупнейшие города России.

9. Турфирма «Нева» является лидирующей компанией в сфере туристического бизнеса в России.

10. Международная интеграция — это естественный процесс развития цивилизации.

3. Задайте вопросы к выделенным словам.

1. **Новосибирск** — это крупный промышленный и культурный центр Сибири.

2. **Мигрант** — это человек, который переехал из одного места страны в другое или в другую страну.

3. **Москва** — это столица Российской Федерации.

4. **Швейцария** — это высокоразвитая страна в центре Европы.

5. **Здание современного музея** представляет собой огромный стеклянный шар.

6. **Московский Кремль** является памятником мировой архитектуры.

7. **Терроризм** представляет собой политику физического насилия по политическим мотивам.

8. **Полёт космонавта Юрия Гагарина** является символом успеха СССР в науке.

9. **Академик Лихачёв** — выдающийся учёный-филолог, специалист по древнерусской литературе.

4. Дайте ответ на вопрос «Что такое … ?», **используя для объяснения информацию в скобках.**

1. Мегаполис (город-гигант, в котором проживает более 10 млн человек).

2. Миграция (перемещение, переезд с одного места на другое).

3. Рейтинг (список лиц, стран, городов, в котором определяется место объекта по определённому числу баллов).

4. Инфраструктура (система обслуживания населения, включающая сферу торговли, транспорта, медицины и образования).

5. Столица (главный город государства, в котором находится правительство).

6. Автомобильная пробка (скопление машин на дороге, которое нарушает нормальное движение транспорта).

5. Представьте людей, дав ответ на вопрос «Кто такой ... ?» Для этого объедините подходящую по смыслу информацию в двух колонках в одно предложение. Используйте конструкции, соответствующие стилю.

М о д е л ь:

Лев Толстой является выдающимся русским писателем и философом.
Аня — моя школьная подруга.

Серёжа	мой научный руководитель
Господин Иванов	великий русский писатель
Профессор Петров	мой лучший друг
Билл Гейтс	победительница мирового чемпионата
Ольга Кузнецова	владелец компании MICROSOFT
А.П. Чехов	моя одноклассница
Теннисистка Мария Шарапова	министр обороны РФ

6. Ответьте на вопросы, используя слова в скобках.

1. Что такое мегаполис? (Город-гигант с населением более 10 млн человек)

2. Что представляет собой миграция? (Перемещение, переезд людей из одного места в другое)

3. Кто такой горожанин? (Житель города)

4. Что представляет собой инфраструктура города? (Система учреждений торговли, медицины, образования, культуры, социального обслуживания)

5. Что такое досуг? (Свободное от работы время)

6. Что такое карьера? (Профессиональный рост, профессиональный успех)

7. Что такое плюсы и минусы городской жизни? (Положительные стороны и отрицательные стороны)

8. Кто такие городские власти? (Руководители города, представители городской администрации)

9. Чем является транспортная проблема для городских властей? (Трудный, неразрешимый вопрос)

10. Что представляет собой автомобильная пробка? (Скопление транспорта, блокирующее проезд по улице)

7. Дайте ответ на вопросы «Что такое ... ?», «Кто такой ... ?», используя конструкцию, характерную для официально-делового стиля.

М о д е л ь:

«Газпром» — крупнейшая российская газовая компания. —
«Газпром» является крупнейшей российской газовой компанией.

1. «SONY» — всемирно известная японская компания.

2. Билл Гейтс — владелец компании «MICROSOFT», один из самых богатых людей в мире.

3. Российский фильм «Возвращение» — выдающееся произведение современного киноискусства.

4. Аптека «36.6» — популярная в России фирма по продаже лекарств.

5. Владивосток — крупнейший город-порт на востоке России.

6. «Аэрофлот» — это самая крупная российская авиакомпания.

7. Михаил Горбачёв — это известный политик-реформатор, начавший демократические реформы в Советском Союзе.

8. «Три сестры» — популярный в российских театрах спектакль по пьесе Чехова.

9. Озеро Байкал — самое глубокое озеро в мире.

10. Московский университет — это старейший университет в России.

2. КЛАССИФИКАЦИЯ ПРЕДМЕТА

Классификация предмета, явления, лица — это отнесение его к определённой группе, категории, классу, определение его места в ряду других предметов, понятий, лиц.

Грамматические модели, которые используются для классификации предмета или явления, наиболее употребительны в книжной речи, в научном стиле, но многие из них являются стилистически нейтральными.

Для классификации предмета, для отнесения предмета к определённой категории, классу используются следующие модели:

1. ЧТО (И. п.) + **относится** + **К ЧЕМУ** (Д. п.).

Вопрос: К чему относится ...?
Пример: Газета **относится** к средствам массовой информации.

2. ЧТО (В. п.) + **относят** + **К ЧЕМУ** (Д. п.).

Вопрос: К чему относят ...?
Пример: Газету **относят** к средствам массовой информации.

При рассмотрении состава предмета, при выявлении элементов, частей в составе целого употребляются следующие модели:

3. ЧТО (И. п.) + **состоит** + **ИЗ ЧЕГО/КОГО** (Р. п.).

Вопрос: Из чего состоит ... ?
Пример: Парламент страны **состоит** из представителей различных партий.

4. ЧТО (И. п.) + **включает** + **ЧТО/КОГО** (В. п.).

Вопрос: Что/кого включает ... ?
Пример: Парламент страны **включает** представителей различных партий.

5. ЧТО (И. п.) + **объединяет** + **ЧТО/КОГО** (В. п.).

Вопрос: Что/кого объединяет ... ?
Пример: Парламент страны **объединяет** представителей различных партий.

6. ЧТО (И. п.) **+ входит + ВО ЧТО** (В. п.).

В о п р о с :   Во что (куда) входит ... ?
П р и м е р :   Представители различных партий **входят** в парламент страны.

ЗАДАНИЯ

1. Укажите на отнесённость предмета или лица к определённой категории. Используйте конструкции с глаголами *относиться, относить.*

М о д е л ь :

Физика (естественные науки)
Физика *относится* к естественным наукам.
Физику *относят* к естественным наукам.

1. Философия	(общественные науки)
2. Химия	(естественные науки)
3. Живопись	(виды изобразительного искусства)
4. Газета	(средства массовой информации)
5. Мастерская по ремонту	(предприятия малого бизнеса)
6. Кино	(массовые виды искусства)
7. Мобильный телефон	(средства связи)
8. Сказки и загадки	(виды народного творчества)
9. Фигурное катание	(виды спорта)
10. Япония	(развитые страны)
11. Мексика	(развивающиеся страны)
12. Телевидение	(средства массовой информации)

2. Охарактери́зуйте состав предмета, используя конструкцию «состоя́ть из кого/чего» **вместо синонимичной конструкции** «включа́ть что».

М о д е л ь :

Книга **включает** десять глав. — Книга **состоит из** десяти глав.

1. Город включает десять районов.

2. Фирма включает три предприятия.

3. Минусы жизни в мегаполисе включают социальные, экологические, транспортные и жилищные проблемы.

4. Журнал включает четыре тематических раздела.

5. Российская Федерация включает национальные республики и федеральные округа́.

6. План развития мегаполиса включает ряд требований к архитекторам.

7. Парламент России включает две палаты: верхнюю и нижнюю.

8. Сборная команда страны включает десять игроков.

9. Научный реферат включает четыре части.

10. Учебник включает тексты, упражнения и ключи к ним.

11. Концерт включал произведения Моцарта и Бетховена.

3. Охарактеризуйте состав предмета, используя конструкции с глаголами *состоять* **и** *объединять*.

Модель:

Университетская команда (студенты разных факультетов).
Университетская команда **состоит из** *студентов разных факультетов.*
Университетская команда **объединяет** *студентов разных факультетов.*

1. Группа   (студенты разных стран)
2. Жюри на Олимпийских играх   (судьи из разных стран мира)
3. Средства массовой информации   (газеты, журналы, радио, телевидение)
4. Российская Федерация   (национальные республики)
5. Изобразительные виды искусства (живопись, скульптура, архитектура)
6. Население Москвы   (люди разных национальностей)

4. Задайте вопросы к выделенным словам.

Модель:

Научное исследование состоит **из введения, двух глав и заключения**. —
Из чего состоит научное исследование?

1. Спортивная команда состоит **из десяти игроков**.
2. Средства массовой информации включают **телевидение, газеты, радио**.
3. Партия «зелёных» объединяет **людей разного возраста**.
4. Российский парламент состоит **из представителей разных партий**.
5. Республика Татарстан входит **в состав Российской Федерации**.
6. Университет объединяет **естественные и гуманитарные факультеты**.
7. Москва входит **в число самых дорогих городов мира**.
8. Население мегаполиса состоит **из местных жителей и приезжих**.

5. Работаем в парах. Задайте вопросы коллегам о составе их семьи, студенческой группы, клуба, который они посещают, или партии, которая им близка по взглядам.

6. Расскажите о составе какого-либо объединения людей (клубе, группе, обществе, партии) или о структуре фирмы, предприятия, учебного заведения, парламента страны. Используйте соответствующие грамматические модели классификации предмета.

УРОК 2

Речевая тема. Миграция населения
Грамматические темы. 1. Наименование предмета, явления, лица
2. Качественная характеристика предмета

МИГРАЦИЯ НАСЕЛЕНИЯ

1. **Прочитайте текст. Перед чтением текста ознакомьтесь с активной лексикой урока. Уточните значение незнакомых слов по словарю и запишите их перевод на родной язык.**

АКТИВНАЯ ЛЕКСИКА УРОКА

Ви́за
Ви́зовый режи́м
Граждани́н, гражда́нка, *ж.*
Да́нные, *мн.*, *(в знач. сущ.)* = информа́ция
Ехать/прие́хать на за́работки
Законода́тельство *(какое?)* госуда́рственное, иммиграцио́нное...
За́работная пла́та = зарпла́та *(разг.)*
Иммигра́нт *(какой?)* лега́льный, неле́гальный, зако́нный, незако́нный
Иммигра́ция *(какая?)* крупномасшта́бная
Интеллектуа́льная эмигра́ция
Ме́сто жи́тельства
Мигра́нт *(какой?)* зако́нный, незако́нный, трудово́й, транзи́тный...
Мигра́ция *(какая?)* вне́шняя, вну́тренняя
Моти́в = сти́мул
Напряжённость, *ж.*
О́трасль, *ж.* *(чего?)* эконо́мики, хозя́йства, промы́шленности...
Пограни́чный контро́ль, *м.*

После́дствия, *мн.* = результа́т *(чего?)* иммигра́ции, эмигра́ции, поли́тики... *(какие?)* положи́тельные, негати́вные, опа́сные...
Преступле́ние
Противоде́йствие *(чему?)* въе́зду, зако́ну, поли́тике...
Противоре́чие = антогони́зм
Рабо́чая си́ла
Ры́нок труда́
Сели́ться/посели́ться *(где?)* в стране́, в го́роде, в райо́не, на террито́рии...
Срок *(чего?)* пребыва́ния, нахожде́ния, регистра́ции, рабо́ты...
Стаби́льность, *ж.* *(какая?)* полити́ческая, экономи́ческая...
Стати́стика *(какая?)* официа́льная, регистри́руемая
«Уте́чка мозго́в» = «уте́чка умо́в»
Финанси́рование
Эмигра́нт
Эмигра́ция

ИММИГРАЦИЯ: УГРОЗА ИЛИ БЛАГО?

Миграция рабочей силы — это перемещение, переезд работающих людей в другой регион страны или в другую страну. В современном мире миграция стала составной частью международных экономических отношений. Любой процесс миграции представляет собой одновременно эмиграцию (выезд из страны, переселение в другие страны по политическим, экономическим, религиозным причинам) и иммиграцию (въезд в страну граждан других государств на постоянное или временное место жительства). Людей, которые выехали из своей страны, называют эмигрантами, а приезжих называют иммигрантами.

Основным фактором, влияющим на процесс миграции, является различие в заработной плате в разных странах или регионах одной страны. Миграция расширяется в связи с международным разделением труда и усилением взаимозависимости национальных экономик. В настоящее время в мире насчитывается более 45 миллионов официально зарегистрированных мигрантов.

Если для индустриально развитых государств характерна иммиграция, то развивающиеся государства являются постоянным источником эмиграционных потоков и поставщиков рабочей силы в экономически развитые страны. В последние годы наблюдается устойчивая тенденция возрастания в миграционных потоках высококвалифицированных специалистов и учёных. Наиболее высокими темпами растёт выезд квалифицированных работников из развивающихся стран. Это явление в современном мире получило название «утечки мозгов». В то же время развитые страны заинтересованы и в работниках малоквалифицированного труда, когда тяжёлые, опасные для здоровья и менее престижные для собственного населения виды работ выполняются иммигрантами.

Опыт США, увеличивших своё население с 1990 по 2000 г. на 32,7 млн человек, показывает, что численность населения страны можно увеличить за счёт крупномасштабной иммиграции.

В настоящее время процесс эмиграции из России связан с отъездом из страны талантливых учёных и высококвалифицированных специалистов.

По иммиграции же Россия занимает 2-е место в мире. Популярнее оказывается только США. Более 95% из тех людей, кто стремится в Россию, едут на заработки, в надежде найти работу. Их привлекают российский рынок труда, политическая и экономическая стабильность в стране. В основном это граждане стран, бывших республик Советского Союза – Украины, Белоруссии, Азербайджана, Молдавии и др. Для них важную роль играет свободное владение русским языком и облегчённый визовый режим, существующий между этими странами и Россией.

Но отсутствие надёжного пограничного контроля и неразработанное иммиграционное законодательство делают Россию удобной территорией для проникновения незаконных мигрантов. Среди них – трудовые мигранты и мелкие торговцы, въезжающие по туристической визе и нарушающие сроки пребывания в стране; лица, совершившие преступление в своей стране и скрывающиеся в России; транзитные мигранты, стремящиеся уехать на Запад через территорию России. Сейчас в России живёт более двух миллионов нелегальных мигрантов.

Приём большого количества мигрантов, особенно мигрантов иноязычных, связанных с другими культурными традициями, – болезненный процесс. Он вызывает противодействие значительной части общества. Эта проблема касается разных стран, куда стремятся въехать мигранты: Франции, Германии, Италии.

Иммиграция имеет как положительные, так и отрицательные последствия для страны. Позитивные последствия иммиграции для России понятны: страна остро нуждается в рабочей силе, на которой уже сейчас держатся целые отрасли экономики. Например, если запретить использовать труд иностранных (украинских, белорусских) рабочих, то в Москве остановится весь общественный транспорт, который обслуживают трудовые мигранты из этих стран. На стройках крупных российских городов успешно трудятся мигранты из Украины, Таджикистана и Киргизии. Только приток в страну иностранной рабочей силы поможет России обеспечить рост экономического производства в будущем.

К негативным последствиям миграции можно отнести напряжённость в обществе и неприязнь, которая возникает со стороны местного населения по отношению к приезжим. Это выражается в преступных и хулиганских действиях скинхедов, периодически избивающих приезжих. С другой стороны, большой процент преступлений в России совершается нелегальными мигрантами. Кроме того, работа многих нелегальных мигрантов в «теневой», или в криминальной сфере экономики ведёт к недополучению российским бюджетом значительных средств в виде налогов и усугублению криминогенной обстановки в стране.

Устранить негативные последствия иммиграции должно российское государство путём проведения эффективной социально-экономической политики, способствующей повышению уровня жизни всего населения страны. Необходима и разъяснительная работа среди местного населения через средства массовой информации (СМИ) по сглаживанию возникающих противоречий между местным населением и приезжими, по воспитанию у людей терпимости, толерантности по отношению друг к другу. Иммиграция должна регулироваться государством, оно должно управлять этим процессом.

Важно понимать, что для России, которая живёт и будет долгое время жить в условиях сокращающегося и стареющего населения, миграция – практически единственный механизм, который поможет остановить сокращение населения и обеспечить рост экономического развития страны в будущем.

(По материалам «Девятого ежегодного демографического доклада»)

Вопросы к тексту.

1. Что такое «миграция рабочей силы» и какие виды миграции существуют?

2. Что является основным фактором, влияющим на процессы миграции? Почему люди уезжают из родной страны?

3. Что такое «утечка мозгов»?

4. Опыт какой страны показал, что демографическую проблему можно успешно решить с помощью крупномасштабной иммиграции?

5. Из каких стран наблюдается иммиграция в Россию и почему именно из них?

6. Почему в Россию легко проникает большое количество нелегальных мигрантов?

7. Каковы положительные последствия иммиграции?

8. Каковы негативные последствия иммиграции?

2. Выделите общую часть в словах.

миграция	гражданин	проживание	работать
мигрировать	гражданство	жизнь	подрабатывать
эмигрант	гражданка	житель	работа
иммигрант	гражданственность	жительница	работник
иммиграционный	гражданственный	жилище	рабочий
эмиграция	сограждане	жилищный	работница

3. Проанализируйте сложные слова из текста. Скажите, от каких слов они образованы.

Крупномасштабная (иммиграция), среднегодовой (показатель), высококвалифицированные (специалисты), малоквалифицированный (труд), законодательство, противодействие.

4. Назовите глаголы, от которых образованы существительные *отъе́зд, вы́езд*. **Образуйте аналогичные отглагольные существительные от следующих глаголов движения.**

Входить, переходить, проходить, обходить, въезжать, переезжать, проезжать, перелетать, пролетать, облетать.

5. Соедините близкие по значению слова и словосочетания.

интеллектуальная эмиграция	чувство
миграция населения	отрицательный момент

ехать на заработки
ощущение
законодательство
последствия
позитивный результат
негативный момент
мотив
срок

система законов
результаты
«утечка мозгов»
положительный результат
перемещение населения
ехать искать работу
ограниченное время
стимул

6. Подберите антонимы к словам, используя материал для справок.

постоянное проживание — ...
въезд в страну — ...
иммигрант — ...
специалист низкой квалификации — ...
высокая заработная плата — ...
легальные мигранты — ...
законное перемещение — ...
отрицательные последствия — ...
отечественные рабочие — ...
молодеющее население — ...

Материал для справок:

незаконное перемещение, эмигрант, стареющее население, низкая заработная плата, выезд из страны, временное проживание, положительные последствия, специалист высокой квалификации, нелегальные мигранты, иностранные рабочие.

Обратите внимание!

Похожие слова имеют разное значение.

Экономи́ческий, -ая, -ое «Связанный с экономикой» (*экономическая политика; экономический кризис, факультет; экономическое исследование, развитие страны*)

Экономи́чный, -ая, -ое «Выгодный в хозяйственном отношении, дающий возможность сэкономить» (*экономичный способ, метод, подход; экономичное производство*)

Эконо́мный, -ая, -ое «Тот, кто бережливо использует, расходует всё; соблюдающий экономию» (*экономный человек, хозяин; экономная жена, хозяйка*)

Развито́й, -ая, -ое «Достигший высокого уровня развития» (*развитая промышленность, экономика, система транспорта; развитое сельское хозяйство*)

Развива́ющийся, -аяся, -ееся «Находящийся в процессе развития» (*развивающаяся страна, экономика, промышленность*)

Рабо́чий (в знач. сущ.) «Человек, профессионально занимающийся физическим трудом на производстве, строительстве, ремонтных работах» (*рабочий на заводе, на фабрике, на стройке; железнодорожный, строительный, сельскохозяйственный рабочий*)

24

Рабо́тник «Человек, профессионально занимающийся какой-либо работой, деятельностью» (*работник предприятия, банка, фирмы, компании, издательства; научный работник*)

7. Дополните предложение подходящим по смыслу словом в правильной форме.

экономи́ческий, экономи́чный, эконо́мный

1. Жители скандинавских стран имеют репутацию ... людей, отличающихся бережливостью и соблюдающих экономию.

2. В условиях рыночной экономики ... знания становятся необходимыми для всех граждан.

3. С развитием науки и техники появляются современные, более ... методы организации производства.

развито́й, развива́ющийся

4. Такие ... страны, как Китай, Индия и Бразилия, в ближайшее десятилетие достигнут уровня развития высокоразвитых стран мира.

5. В Европе существует ... система автомобильного и железнодорожного транспорта.

рабо́чий, рабо́тник

6. Много иностранных ... занято в России на строительстве дорог и жилых домов.

7. Торговая компания приглашает на работу ... в отдел рекламы.

8. Поставьте слова в скобках в правильной форме.

Миграция *кого? чего?* (люди, население, жители, граждане, птицы, животные);

выезд *откуда?* (страна, государство, район, регион, территория, Россия, Европа, Китай, Германия, Корея, Канада, Австралия, Италия, Франция, Голландия);

селиться/поселиться *где?* (страна, государство, район, регион, территория, Россия, Европа, Америка, Германия, Корея, Канада, Австралия, Италия, Франция, Голландия);

въезд *куда?* (страна, государство, район, регион, территория, Россия, Европа, Америка, Германия, Корея, Канада, Австралия, Италия, Франция, Голландия);

финансирование *чего?* (наука, культура, промышленность, образование, регион, город, программа, проект);

заработная плата *чья?* (*кого?*) (учёные, профессора, работники, рабочие, специалисты, сотрудники, строители, инженеры, директора́);

гражданин, гражданка *чего?* (Россия, Япония, Китай, Германия, Корея, Канада, Австралия, Италия, Франция, Голландия);

отсутствие *чего?* (контроль, законы, соглашение, договор, виза, разрешение);

нарушать/нарушить *что?* (закон, правило, традиции, обычай, порядок, права́, договор, соглашение, договорённость);

последствия *чего?* (миграция, политика, решение, действия, катастрофа).

9. Дайте характеристику предмету, используя конструкцию «кому/чему свойственно что» вместо синонимичной конструкции «для кого/чего характерно что».

М о д е л ь:

Для современного мира **характерна** миграция людей. — *Современному миру **свойственна** миграция людей.*

1. Для России характерна эмиграция учёных и высококвалифицированных специалистов.

2. Для США и стран Западной Европы характерна иммиграция рабочей силы.

3. Для высокоразвитых стран характерна эффективная миграционная политика государства.

4. Для части местного населения характерно негативное отношение к приезжим.

5. Для индустриально развитых государств характерна иммиграция.

6. Для мегаполисов мира характерен приток иностранных рабочих.

7. Для разных регионов России характерно различие в уровне заработной платы и уровне жизни населения.

8. Для учёных и специалистов характерно стремление переехать жить и работать в индустриально развитые страны.

9. Для современной России характерна иммиграция людей из бывших республик Советского Союза.

10. Для миграции характерны два процесса — эмиграция и иммиграция.

10. Потренируйтесь в письме.

1. Используя информацию из текста, дайте определение научному понятию «миграция рабочей силы».

2. Перечислите мотивы, которые побуждают иностранных граждан приезжать работать в Россию.

3. Запишите в две колонки положительные и отрицательные аспекты иммиграции.

4. Сформулируйте и запишите основной вывод, который делается в статье.

5. Составьте и запишите план статьи «Иммиграция: угроза или благо?»

Готовимся к дискуссии

Как побудить собеседника к высказыванию, выражению своей точки зрения

Не могли бы вы сказать, …
А что вы думаете о …
Интересно было бы узнать ваше мнение о …
Не могли бы вы ответить на несколько вопросов? Мне хотелось бы узнать, …
Кто хотел бы что-нибудь добавить по этому вопросу?

11. Примите участие в дискуссии. Используйте выражения, которые при обсуждении вопросов помогают побудить собеседника к высказыванию своей точки зрения.

1. Приезжают ли иммигранты в вашу страну? Если да, то из каких стран? Уезжают ли эмигранты из вашей страны? Если да, то в какие страны?

2. Каковы причины иммиграции и эмиграции в вашей стране? Готовы ли вы сами уехать из родной страны? Какие причины побудили бы вас к переезду?

3. Какие положительные и отрицательные последствия иммиграции или эмиграции наблюдаются в вашей стране?

4. Как общество в целом и различные политические силы вашей страны относятся к мигрантам? Проявляется ли неприязнь по отношению к приезжим в вашей стране?

5. Как вы оцениваете политику вашего государства в отношении иммиграции? Какие меры должно принять государство, чтобы проводить грамотную и эффективную политику в отношении мигрантов?

ГРАММАТИКА

1. НАИМЕНОВАНИЕ ПРЕДМЕТА, ЯВЛЕНИЯ, ЛИЦА

Для наименования предмета, явления или лица, для определения понятия используют следующие грамматические модели:

1. ЧТО (И. п.) + **называется** + **ЧЕМ** (Т. п.).

В о п р о с: Что называется ...?

П р и м е р ы: Улица на берегу реки или моря **называется** набережной.

Главный город государства, где находится правительство, **называется** столицей.

Город с населением более 10 млн человек **называется** мегаполисом.

Переезд в другое место **называется** миграцией.

2. КОГО/ЧТО (В. п.) + **называют** + **КЕМ/ЧЕМ** (Т. п.).

В о п р о с: Кого называют ... ? Что называют ...?

П р и м е р ы: Человека, занимающегося бизнесом, **называют** бизнесменом.

Главный город государства, где находится правительство, **называют** столицей.

Город с населением более 10 млн человек **называют** мегаполисом.

3. ЧТО (В. п.) + **получило название** + **ЧЕГО** (Р. п.).

В о п р о с: Что получило название ... ?

П р и м е р ы: Улица на берегу реки или моря **получила название** набережной.

Главный город государства, где находится правительство, **получил название** столицы.

Город с населением более 10 млн человек **получил название** мегаполиса.

Данная модель употребительна в книжной речи.

ЗАДАНИЯ

1. Дайте наименование предмету, используя конструкцию «что называется чем» **вместо синонимичной конструкции** «что получило название чего».

М о д е л ь:

Улица на берегу реки или моря **получила название** набережной. — *Улица на берегу реки или моря **называется** набережной.*

1. Районы города, в которых расположены только жилые дома и нет промышленных предприятий, получили название спальных районов.

2. Часть города, которая находится не в центре, а на краю, получила название окраины.

3. Супермаркет, занимающий огромную территорию, получил в России название гипермаркета.

4. Социальная группа граждан, имеющих стабильный и высокий доход, получила название среднего класса.

5. Автомобиль иностранного производства получил название иномарки.

6. Ремонт квартиры или дома, соответствующий высоким европейским стандартам качества, получил в России название евроремонта.

2. Ответьте на вопрос, используя конструкцию «кого называют кем» **и слова в скобках.**

М о д е л ь:

Кого называют собеседником? (Он беседует с вами.) — *Собеседником называют человека, который беседует с вами.*

1. Кого называют студентом? (Он учится в университете.)

2. Кого в школе называют отличником? (Он получает только отличные оценки.)

3. Кого называют горожанином? (Он живёт в городе.)

4. Кого называют сельским жителем? (Он живёт в сельской местности.)

5. Кого называют местным жителем? (Он долгое время живёт в этом месте.)

6. Кого называют приезжим? (Он приехал сюда из другого места.)

7. Кого называют иммигрантом? (Он приехал сюда из другой страны.)

8. Кого называют эмигрантом? (Он уехал из родной страны в другую.)

9. Кого называют россиянином? (Он является гражданином России.)

10. Кого называют москвичом? (Он является постоянным жителем Москвы.)

3. Прочитайте предложения, объясняющие значение слов. Раскройте значение этих слов, используя конструкцию «кого/что называют кем/чем».

М о д е л ь:

Безработный — это человек, не имеющий работы. — *Безработным называют человека, не имеющего работы.*

1. Толерантность — это терпимое, снисходительное отношение к другим людям.

2. Миграция — это переезд человека в другое место.

3. Высококвалифицированный специалист — это работник, имеющий высокую квалификацию в определённой профессии.

4. Виза — это официальное разрешение на въезд в страну или проезд через её территорию.

5. Трудовые мигранты – это люди, приехавшие в другую страну работать.

6. «Утечка мозгов» — это процесс интеллектуальной эмиграции из страны.

7. Гражданин государства — это человек, постоянно проживающий в данном государстве, пользующийся всеми его правами и исполняющий его обязанности.

8. Нелегальный иммигрант — это человек, который приехал в чужую страну нелегально, нарушив закон.

2. КАЧЕСТВЕННАЯ ХАРАКТЕРИСТИКА ПРЕДМЕТА

Для качественной характеристики предметов, явлений, лиц в современном русском языке используются следующие грамматические модели:

1. КТО/ЧТО (И. п.) **+ (есть) + КАКОЙ, -ая, -ое** (И. п. прилагат. в полной форме).

В о п р о с: Какой он?

П р и м е р ы: Андрей **талантливый и трудолюбивый**.

Южно-корейская фирма LG **всемирно известная**.

Данная модель с прилагательным в полной форме в роли предиката стилистически нейтральна.

2. КТО/ЧТО (И. п.) **+ (есть) + КАКОВ, -а, -о** (И. п. прилагат. в краткой форме).

В о п р о с: Каков он?

П р и м е р ы: Андрей **талантлив и трудолюбив**.

Южно-корейская фирма LG **всемирно известна**.

Модель с прилагательным в краткой форме в роли предиката более экспрессивна и категорична. Данная модель стилистически нейтральна.

> **Запомните!**
>
> В роли предиката краткая форма прилагательного более употребительна, чем полная форма. Прилагательное в полной форме более употребительно в функции согласованного определения.
>
> П р и м е р ы: **Талантливый и трудолюбивый человек** добьётся успеха.
> **Он талантлив и трудолюбив**, он добьётся успеха.

3. КОГО/ЧТО (В. п.) **+отличает/характеризует + ЧТО** (И. п.).

В о п р о с: Что отличает/характеризует его?

П р и м е р ы: Этого человека **отличает** чувство ответственности за своё дело.

Русскую природу **отличает** разнообразие и богатство красок.

Миграцию **характеризуют** два процесса — иммиграция и эмиграция.

В данной модели глаголы **отличать** и **характеризовать** сочетаются с абстрактными существительными и качественными существительными. Глагол **отличать** используется для характеристики лиц, предметов, явлений. Глагол **характеризовать** чаще используется для характеристики предметов или явлений.

Данная модель употребительна в книжной речи.

4. КТО/ЧТО (И. п.) + **отличается/характеризуется** + **ЧЕМ** (Т. п.).

В о п р о с: Чем он отличается/характеризуется?

П р и м е р ы: Этот человек **отличается** чувством ответственности за своё дело.

Русская природа **отличается** разнообразием и богатством красок.

Миграция **характеризуется** двумя процессами.

Глагол **отличаться** используется для характеристики лиц, предметов, явлений. Глагол **характеризовать** чаще используется для характеристики предметов или явлений.

Данная модель употребительна в книжной речи.

5. ДЛЯ КОГО (Р. п.) + **характерно** (-а, -ы; -ен) + **ЧТО** (И. п.).

В о п р о с: Что для него характерно?

П р и м е р ы: Для этого человека **характерно** чувство ответственности за своё дело.

Для всех людей **характерны** сомнения.

Данная модель употребительна в книжной речи.

6. КОМУ/ЧЕМУ (Д. п.) + **свойственно** (-а, -ы; -ен) + **ЧТО** (И. п.).

В о п р о с: Что ему свойственно?

П р и м е р ы: Этому человеку **свойственно** чувство ответственности за своё дело.

Миграции **свойственны** два процесса.

Молодым людям **свойствен** максимализм во всём.

Данная модель употребительна в книжной речи.

ЗАДАНИЯ

1. Охарактеризуйте предмет или явление, используя конструкцию «кто/что отличается чем» **и слова в скобках вместо синонимичной конструкции с кратким прилагательным.**

М о д е л ь:

Отношения двух стран **динамичны** и **взаимовыгодны**. (динамичность, взаимная выгода) —

Отношения двух стран **отличаются динамичностью** *и* **взаимной выгодой**.

1. Ассортимент товаров в новом супермаркете богат и разнообразен. (богатство, разнообразие)

2. Миграционное законодательство недостаточно эффективно. (эффективность)

3. Фильм правдив и историчен. (правдивость, историчность)

30

4. Позиция учёного в научном споре была принципиальна и убедительна. (принципиальность, убедительность)

5. Старшая сестра по характеру добра. (доброта)

6. В общении этот человек очень прост и открыт. (простота, открытость)

7. Процесс миграции закономерен и неизбежен. (закономерность, неизбежность)

8. Проблемы экологии остры и серьёзны. (острота и серьёзность)

9. Мегаполисы огромны и многолюдны. (огромность, многолюдность)

10. Статьи журналиста актуальны. (актуальность)

2. Охарактеризуйте предмет или явление, используя конструкцию с глаголом *отличаться* **вместо синонимичной конструкции с глаголом** *отличать*.

М о д е л ь :

Её **отличает** доброта и внимательное отношение к людям. — *Она* ***отличается*** *добротой и внимательным отношением к людям.*

1. Город Петербург отличает чёткость планировки и богатство архитектуры.

2. Исследование молодого учёного отличает глубина и убедительность доказательств.

3. Выступление этого артиста отличает яркость и талант.

4. Русский национальный характер отличает широта и максимализм в проявлении чувств.

5. Романы Достоевского отличает острый психологизм.

6. Статьи этого журналиста отличает бережное отношение к документальным материалам.

7. Мегаполисы отличает огромность размеров и многолюдность.

8. Отношения двух стран отличает взаимная выгода и добрососедство.

3. Охарактеризуйте предмет или явление, используя конструкцию со словом *свойственно* **вместо синонимичной конструкции с глаголом** *отличать*.

М о д е л ь :

Её **отличает** доброта и внимательное отношение к людям. — *Ей* ***свойственны*** *доброта и внимательное отношение к людям.*

1. Древнерусскую архитектуру отличает гармония с природой.

2. Творчество Гоголя отличает ирония и фантастика.

3. Маленьких детей отличает внимание к окружающему миру.

4. Этого спортсмена отличает высокое мастерство и смелость.

5. Человека отличает интерес к природе.

6. Поэзию Лермонтова отличает глубина чувств и тонкий лиризм.

7. Русский характер отличает широта и эмоциональность.

8. Всех матерей отличает любовь к детям и забота о семье.

9. Статьи журналиста отличает актуальность и точность фактов.

10. Проблемы миграции отличает острота и актуальность.

31

4. Задайте вопросы к выделенным словам.

Модель:

1. Он **очень умный**.
   Какой он?

2. Ему свойственны **доброта и чувство юмора**.
   Что ему свойственно?

3. Фильм интересен.
   Каков фильм?

4. Учёный отличается **принципиальностью**.
   Чем отличается учёный?

1. Человеку свойственны **сомнения и ошибки**.
2. Для лидера характерны **решительность и уверенность в своих силах**.
3. Москва **огромная и многолюдная**.
4. Познание мира **бесконечно**.
5. Поэзия Маяковского отличается **устремлённостью в будущее и силой звучания**.
6. Статьи журналиста характеризуются **точностью фактов**.
7. Учёного отличает **требовательность** к себе и к своим ученикам.
8. Решение социальных проблем **трудно и ответственно**.

5. Охарактеризуйте предмет или лицо, используя конструкции с глаголами отличаться, характеризоваться **и слова в скобках.**

Модель:

Учёный   (трудолюбие и талант)
*Учёный **отличается трудолюбием и талантом**.*

Политик   (мудрость и прагматизм)
Компания «Газпром»   (всемирная известность)
Компания «SONY»   (высокое качество продукции)
Музыкант   (талант и мастерство)
Музей   (подлинность экспонатов)
Фильмы режиссёра А. Тарковского   (профессионализм и мастерство)
Академик А. Сахаров   (принципиальность и убеждённость)
Здание   (оригинальность архитектуры)

6. Работаем в парах. Задайте вопросы коллегам о качествах известных людей, о характеристике известных фирм, городов, музеев, стран.

7. Охарактеризуйте человека, город, страну, фирму, компанию. Используйте грамматические конструкции, выражающие качественную характеристику предмета.

Речевая тема. Интеллектуальная эмиграция
Грамматическая тема. Выражение модальных значений и различных состояний человека с помощью безличных конструкций

ИНТЕЛЛЕКТУАЛЬНАЯ ЭМИГРАЦИЯ

1. **Прочитайте текст. Перед чтением текста ознакомьтесь с активной лексикой урока. Уточните значение незнакомых слов по словарю и запишите их перевод на родной язык.**

АКТИВНАЯ ЛЕКСИКА УРОКА

Вуз = высшее учебное заведение
Высококвалифицированный, -ая, -ое
Деятель, м. (*чего?*) искусства, науки
Достижение (*какое?*) научное, техническое...; (*чего?*) науки, техники...
Заработная плата = зарплата (*какая?*) низкая, высокая, маленькая, большая...
Инновации, *мн.*
Интеллектуальный, -ая, -ое
Квалификация
Квалифицированный, -ая, -ое
Квота = ограничение (*на что?*) на въезд в страну, на работу...
Конкурентоспособность, *ж.*
Наукоёмкий, -ая, -ое
Невостребованность, *ж.* (*кого?*) учёных, специалистов...
Отставание (*в чём?*) в науке, в экономике, в культуре...; (*какое?*) научное, экономическое, культурное...
Последствия, *мн.* = результаты (*какие?*) позитивные, негативные, опасные...

Потенциал (*чего?*) страны, государства, науки, экономики...
Продукция (*какая?*) промышленная, наукоёмкая, отечественная, импортная...
Профессиональный, -ая, -ое
Профессия
Развитие (*какое?*) научное, экономическое, культурное...
Ресурсы, *мн.* (*какие?*) финансовые, природные, интеллектуальные, человеческие...
Специалист (*какой?*) высококвалифицированный, малоквалифицированный...
Талантливый, -ая, -ое
Творчество
Уровень, *м.* (*какой?*) профессиональный, высокий, низкий, средний...; (*чего?*) развития, жизни, благосостояния...
«Утечка мозгов», «утечка умов»
Учёный, *м. и ж.* (*в знач. сущ.*)
Учреждение (*какое?*) науки, культуры...

ПРОБЛЕМЫ СОВРЕМЕННОЙ РОССИЙСКОЙ НАУКИ

В последнее время в мире наблюдается устойчивая тенденция возрастания в миграционных потоках высококвалифицированных специалистов и учёных. Этот процесс интеллектуальной эмиграции получил название «утечки мозгов».

Процесс эмиграции из России также в основном связан с отъездом из страны в постсоветский период талантливых учёных, высококвалифицированных специалистов и деятелей искусства.

Недостаточное государственное финансирование учреждений науки, культуры и образования в современной России и как следствие этого низкая заработная плата учёных, профессоров и деятелей искусства вынуждают самых талантливых из них искать работу в других странах — в основном в США и в Западной Европе. По данным исследования, проведённого Институтом молодёжи в 2007 году, 10 % выпускников российских вузов планируют уехать учиться за границу на время и 4 % думают о том, чтобы остаться там навсегда.

Последствия интеллектуальной эмиграции могут сказаться весьма негативно на развитии науки и экономики России в будущем. «Утечка мозгов» опасна для экономического развития страны. Сокращение интеллектуальных ресурсов — прямой путь к экономическому, научному, социальному и культурному отставанию страны. Никаких позитивных последствий у этого процесса нет. Ведь представители интеллектуальной эмиграции, на образование которых государство потратило отечественные ресурсы, работают, совершают научные открытия, изобретают, создают новые технологии, обучают молодое поколение, развивают науку и культуру не в России, а в других странах.

При наличии десятой части учёных мира Россия занимает 0,3 % доли рынка наукоёмкой продукции. Для сравнения отметим, что 39 % на этом рынке — это продукция США, 30 % — Японии, 16 % — Германии. За годы политических и социально-экономических реформ Россия снизила свою долю в мировом производстве наукоёмкой продукции в 9 раз. Инновационная активность в России очень низка — лишь 5 % предприятий применяют новейшие научные достижения, в то время как в развитых странах эта цифра составляет 80—87 %.

В российском научном сообществе негативно относятся к процессу «утечки умов», поскольку этот процесс связывается с уходом из России оригинальных творческих идей, с ослаблением потенциала научных школ и с потерей преемственности в науке. Но большинство научной и студенческой молодёжи, по данным Института экономики переходного периода, оценивает эмиграцию учёных положительно, рассматривает её как естественное явление, вызванное невостребованностью их творческих способностей и профессиональных знаний внутри страны. Трудовая миграция сегодня служит для многих учёных способом сохранения высокого профессионального уровня и квалификации.

По статистике, средний возраст человека, который выезжает из России работать за границу, а потом остаётся там жить, — около двадцати пяти лет. Уезжать же рискуют только те, кто уверен в своей конкурентоспособности, то есть самые лучшие, самые талантливые специалисты.

По подсчётам экспертов ООН, отъезд одного специалиста с высшим образованием отнимает у страны-экспортёра примерно 300 тыс. долларов. Комиссия по образованию Совета Европы полагает, что от «утечки мозгов» Россия ежегодно теряет около 50 млрд долларов.

Российские учёные эмигрируют преимущественно в страны с высокоразвитой наукой: прежде всего в США, в Западную Европу, а также в Канаду и Австралию.

Запад понял необходимость притока высококвалифицированных молодых людей уже давно, и теперь на стареющее «своё» население там уже работают многочисленные молодые и среднего возраста специалисты из других стран «остального мира». Американцы экономят на привлечении учёных-эмигрантов около 1 млрд долларов в год. В СМИ сообщалось, что Великобритания, Франция и Германия практически сняли ограничения на въезд в страну специалистов в области вычислительной техники.

Наибольшим спросом на мировом рынке научных кадров сейчас пользуются математики, программисты, медики, химики, биологи и физики, которые в основном и уезжают из России. За рубежом они находят необходимое оборудование и прекрасные условия для проведения научных исследований.

«Утечка мозгов» лишает перспектив отечественную фундаментальную науку, российские научные школы, которые всегда соответствовали высокому мировому уровню. По данным социологов, за последние десять лет число молодых учёных в России сократилось на 50 %. Но следует отметить, что резкое сокращение числа российских учёных произошло также за счёт внутренней «утечки мозгов», то есть ухода учёных из науки в другие сферы деятельности — в коммерцию, бизнес, банки, где выше уровень оплаты труда

Понимая опасность для страны интеллектуальной эмиграции, государство решило изменить эту негативную тенденцию и разработало государственную программу поддержки отечественной науки. В соответствии с этой программой в России создаются технопарки — особые зоны на территории страны, где с помощью мощной финансовой поддержки со стороны государства будет интенсивно развиваться наука, высокие технологии на базе существующих научных центров и университетов: под Москвой, в Сибири, на Урале, на Дальнем Востоке. Кроме того, в 2005 году российский президент учредил 500 ежегодных президентских грантов для государственной поддержки научных исследований молодых учёных (в возрасте до 35 лет). Такой способ финансирования науки во всём мире признан оптимальным. Принятые государственные меры помогут создать благоприятные условия для работы молодых специалистов в России, для сохранения российского научного потенциала.

Социологи констатируют, что в результате изменившегося отношения государства к большой науке к концу 2007 года массовый отъезд молодых учёных из России за границу прекратился, более того, многие молодые российские учёные возвращаются на родину.

(По материалам статей Е.В. Щепкиной, С.А. Воронина «Выпускник МГУ об "утечке мозгов" за рубеж», газета «Московский университет», и Н. Жирнова «Молодые учёные выбирают Россию», газета «Известия»)

Вопросы к тексту.

1. Какой процесс называют «утечкой мозгов»?

2. Какие факторы в современной России приводят к «утечке мозгов»?

3. Какое влияние оказывает интеллектуальная эмиграция на развитие науки и экономики России?

4. Как относятся к интеллектуальной эмиграции представители российского научного сообщества и российские студенты?

5. Каков средний возраст российских учёных, уезжающих работать за границу?

6. В какие страны эмигрируют учёные из России?

7. Какой процесс называют внутренней «утечкой мозгов»?

8. Какие меры приняло российское государство, чтобы остановить интеллектуальную эмиграцию из России?

2. Выделите общую часть в словах.

наука	исследование	творчество	студент
научный	исследователь	творческий	студенческий
научить	исследовать	творец	студенчество
учиться	исследовательский	творить	студентка
учёный	исследовательски	творение	по-студенчески

3. Проанализируйте сложные слова из текста. Скажите, от каких слов они образованы.

Высококвалифицированный (специалист), наукоёмкая (продукция), конкурентоспособность, высокоразвитая (наука), многочисленные (специалисты), благоприятные (условия).

4. Выделите приставку в словах *невостребованность, недостаточность, непрофессионализм.* **Определите общее значение слов с этой приставкой. Об-**

разуйте с помощью этой приставки аналогичные слова от следующих существительных.

Знание, понимание, удача, счастье, любовь, участие, везение, практичность, терпимость.

5. Соедините близкие по значению слова и словосочетания.

эмиграция	убыток
высококвалифицированный специалист	выделение финансов, денег
финансирование	специалист высокой квалификации
интеллектуальная эмиграция	большая часть
негативные последствия	положительный результат
позитивный результат	молодёжь
молодое поколение	каждый год
большинство	выезд, отъезд из страны
ежегодно	«утечка мозгов»
ущерб	отрицательные последствия

6. Подберите антонимы к словам, используя материал для справок.

иммиграция — ...

приезд в страну — ...

малоквалифицированный специалист — ...

высокая зарплата — ...

увеличение ресурсов — ...

опережение страны — ...

позитивные последствия — ...

старшее поколение — ...

пассивность — ...

усиление потенциала — ...

Материал для справок:

ослабление потенциала, эмиграция, молодое поколение, низкая зарплата, выезд из страны, активность, отставание, негативные последствия, высококвалифицированный специалист, уменьшение ресурсов.

Обратите внимание!

Похожие слова имеют разное значение.

Мирово́й, -ая, -ое «Международный, распространяющийся на все народы мира — земного шара, нашей планеты» (*мировая политика, экономика, война; мировой рынок, кризис*)

Ми́рный, -ая, -ое «Основанный на согласии, мире, дружбе, а не на вражде или конфликте» (*мирный народ, характер, труд, процесс; мирная жизнь, обстановка; мирное время*)

Интеллектуа́льный, -ая, -ое «Умственный, с высокоразвитым интеллектом» (*интеллектуальный уровень, человек; интеллектуальная личность; интеллектуальные запросы*)

Интеллиге́нтный, -ая, -ое «Образованный, культурный, духовно развитый; свойственный интеллигенции» (*интеллигентный человек, вид; интеллигентная девушка, семья; интеллигентное поведение*)

7. Дополните предложение подходящим по смыслу словом в правильной форме.

ми́рный, мирово́й

1. Сильное наводнение нарушило ... жизнь жителей прибрежных районов.

2. ... экономический кризис оказал негативное влияние на все страны.

интеллектуа́льный, интеллиге́нтный

3. ... уровень современных выпускников средних школ очень высок, а культурный уровень многих из них низок.

4. Академик Д.С. Лихачёв для всех россиян навсегда останется образцом ... человека, символом интеллигентности.

8. Употребите слова в скобках в правильной форме.

Процесс *чего?* (эмиграция, развитие, рост, переговоры, поиск решения);

финансирование *чего?* (программа, проект, строительство, предприятие, завод, транспортная система, город, регион);

зарплата *кого?* (учёные, инженеры, научные работники, учителя, врачи, рабочие);

уехать *куда?* (другая страна, Америка, Западная Европа, Германия, Южная Корея, Австралия, Бразилия, Мексика);

путь *к чему?* (успех, прогресс, отставание, победа, процветание, благополучие);

вкладывать/вложить во что-либо *что?* (капиталы, деньги, финансы, ресурсы, материальные средства, силы);

часть *кого? чего?* (учёные, молодёжь, научные сотрудники, специалисты, население, финансы, бюджет, материальные средства);

относиться/отнестись положительно или отрицательно *к чему?* (процесс, эмиграция, отъезд специалистов, ситуация, проблема, вопрос);

способ *чего?* (деятельность, достижение цели, решение проблемы, получение результата, достижение компромисса);

оценивать/оценить *что?* (работа, деятельность, результат, последствия, итоги).

9. Укажите на необходимость или желательность действия, используя безличные конструкции вместо синонимичных конструкций с субъектом.

Модель:

Молодёжь хочет получить образование. —
Молодёжи хочется получить образование.

Сын должен окончить школу. —
Сыну нужно (необходимо) окончить школу.

1. Талантливые учёные должны получать высокую зарплату, чтобы содержать семью.

2. Квалифицированные специалисты должны иметь хорошие условия для научной работы.

3. Молодые учёные хотят сделать научную карьеру в высокоразвитых странах.

4. Развитые страны хотят приглашать иностранных специалистов для повышения эффективности научных исследований.

5. Правительство страны должно принять меры для улучшения условий работы российских учёных.

6. Российские учёные должны иметь возможность достойно жить и трудиться в своей стране.

7. Многие учёные хотят уйти из науки в бизнес ради высокой зарплаты.

8. Государство должно принять меры для сохранения научного потенциала страны.

9. Молодые учёные хотят в полной мере реализовать свои творческие способности и профессиональные знания.

10. Уехать работать за границу хочет тот, кто уверен в своей конкурентоспособности в науке.

10. Потренируйтесь в письме.

1. Используя информацию из текста, дайте стилистически нейтральное название процессу, обозначаемому разговорным по стилю выражением «утечка мозгов».

2. Назовите и запишите причины, из-за которых молодые российские учёные и специалисты уезжают из России в другие страны.

3. Сформулируйте и запишите, с одной стороны, мнение об «утечке мозгов» российского научного сообщества в целом, а с другой — мнение об этом процессе большинства научной и студенческой молодёжи. Перечислите аргументы в пользу каждой из точек зрения, которые приводят представители двух сторон.

4. Перечислите меры, которые проводит российское государство для прекращения «утечки мозгов» за границу, для поддержки молодых российских учёных и специалистов.

5. Составьте и запишите план статьи «Проблемы современной российской науки».

Готовимся к дискуссии

Как выразить полное согласие

Я согласен с вами.
У меня такое же мнение.
Вы правы, я тоже так думаю.
Я поддерживаю вашу точку зрения.
Я разделяю эту точку зрения.
Я хотел бы присоединиться к мнению коллеги о ...
Хочу поддержать мнение коллеги.
Моя позиция по этому вопросу (полностью) совпадает с вашей.

11. Примите участие в дискуссии. Используйте выражения, которые при обсуждении помогают высказать полное согласие с другим участником дискуссии.

1. Существует ли в вашей стране «утечка мозгов» или, наоборот, в вашу страну стремятся приехать иностранные специалисты? Какие специалисты (программисты, математики, физики, биологи) уезжают из вашей страны или, наоборот, приезжают в неё?

2. Каковы, на ваш взгляд, основные причины «утечки мозгов» в мире? Почему высококвалифицированные специалисты уезжают за границу?

3. В какие страны мира уезжают учёные и специалисты? Почему именно эти страны для них наиболее привлекательны?

4. Выигрывает или проигрывает государство, если из него выезжают учёные и специалисты? Какие меры должно принять правительство страны, чтобы остановить процесс интеллектуальной эмиграции? Как вы считаете: достаточны ли меры, принимаемые правительством вашей страны, для поддержания отечественной науки? Аргументируйте свою точку зрения.

ГРАММАТИКА

ВЫРАЖЕНИЕ МОДАЛЬНЫХ ЗНАЧЕНИЙ И РАЗЛИЧНЫХ СОСТОЯНИЙ ЧЕЛОВЕКА С ПОМОЩЬЮ БЕЗЛИЧНЫХ КОНСТРУКЦИЙ

В русском языке модальные значения возможности, необходимости, запрещения, неизбежности, долженствования, желательности, побуждения и др., а также различные состояния человека могут выражаться разными способами. Например, с помощью конструкций, в которых есть грамматический субъект, действующее лицо — обычно это существительное или личное местоимение в именительном падеже.

П р и м е р ы: **Я** должна позвонить родителям.
Мужчина обязан служить в армии.
Мы можем помочь вам.
Ребёнок хочет спать.

Другой способ выражения таких значений — с помощью конструкций, в которых нет грамматического субъекта, действующего лица. Предложения с такими конструкциями называются б е з л и ч н ы м и. Рассмотрим их типы.

1. Модальные значения возможности, необходимости, неизбежности, долженствования, желательности, побуждения и др. выражаются конструкцией со словами **нужно, надо, необходимо, можно, нельзя** и др. и инфинитивом глагола. В конструкции нет грамматического субъекта в форме именительного падежа (И. п.), но имеется реальный (логический) субъект, который выражен дательным падежом (Д. п.).

40

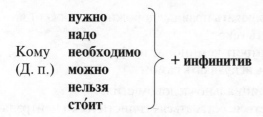

Кому (Д. п.)	нужно надо необходимо можно нельзя сто́ит	+ инфинитив

П р и м е р ы: **Вам нужно закончить** эту работу сегодня.

Анне надо помочь.

Всем **студентам необходимо сообщить** о консультации.

Денису можно не волноваться: он прошёл по конкурсу в университет.

Мне сейчас **нужно уходить**.

Антону сто́ит посмотреть этот фильм.

Если субъект мыслится обобщённо (это касается всех, распространяется на всех людей) или он понятен из ситуации, он может вообще не называться. В этом случае употребляется конструкция без субъекта в Д. п.

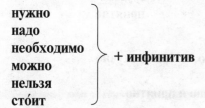

нужно надо необходимо можно нельзя сто́ит	+ инфинитив

П р и м е р ы: **Нужно быть** внимательным на улице.

Необходимо оплачивать свой проезд на транспорте.

Надо радоваться жизни.

Здесь **нельзя курить**.

В Петербурге **сто́ит побывать**.

Слово **нужно** — стилистически нейтрально, слова **надо** и **сто́ит** характерны для разговорной речи, слово **необходимо** характерно для книжной речи.

2. Модальные значения возможности, необходимости, неизбежности, долженствования, желательности, побуждения и др. выражаются конструкцией с безличными глаголами **приходиться/прийтись**, удаваться/удаться, хотеться, **оставаться/остаться** и др., которые употребляются только в форме 3-го лица, с инфинитивом глагола и логическим субъектом в дательном падеже (Д. п.).

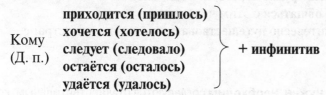

Кому (Д. п.)	приходится (пришлось) хочется (хотелось) следует (следовало) остаётся (осталось) удаётся (удалось)	+ инфинитив

П р и м е р ы: **Спортсменам приходится** много **тренироваться**.

Мне хочется поехать в Италию.

41

Водителям следует соблюдать правила дорожного движения.
Нам осталось прочитать текст.
Друзьям удалось посмотреть чемпионат по футболу.
Ошибки **мне пришлось исправлять** самому.

Глагол **следовать** употребляется в официально-деловом стиле.

Глаголы **приходиться**, **удаваться**, хотеться, **оставаться** стилистически нейтральны, они употребляются в различных стилях речи.

3. Характеристика состояния человека выражается конструкцией с наречиями холодно, жарко, хорошо, плохо, скучно, весело, грустно, удобно, тяжело, легко и др., глаголами **быть, становиться, стать** и логическим субъектом в дательном падеже (Д. п.).

	(было)	**холодно**
		жарко
Кому (Д. п.)	**(будет)**	**скучно**
Мне (ему, ей, нам, им)	**(становится)**	**весело**
Тане, Олегу, Виктору	**(стало)**	**грустно**
	(станет)	**приятно**

П р и м е р ы : **Мне холодно.**
На вечеринке **всем было весело**, а **Ирине скучно**.
На экскурсии **было интересно**.
Всем отдыхающим здесь **хорошо и приятно**.

4. Характеристика состояния человека, совершающего действие, выражается конструкцией с наречиями **трудно, легко, интересно, увлекательно, скучно, весело** и др., глаголом **быть**, логическим субъектом в дательном падеже (Д. п.) и инфинитивом глагола.

		трудно	
		легко	
Кому (Д. п.)	**(было)**	**интересно**	**+ инфинитив**
Мне (ему, ей, нам, им)	**(будет)**	**весело**	
Тане, Олегу, Виктору		**скучно**	
		приятно	

П р и м е р ы : Мне **было приятно познакомиться** с вами.
Андрею **будет трудно перевести** этот текст.
Всем **легко общаться** с этим человеком.
Туристам **интересно путешествовать** по незнакомой стране.

Запомните!

Краткие прилагательные **нужен**, **необходим** согласуются с существительным, которое обозначает необходимый предмет, в роде и числе.

42

Кому	нужен, нужна, -о, -ы	
Чему	необходим, -а, -о, -ы	} + существительное (кто, что)

Примеры: Мне **нужен твой совет**.

Мне **нужна твоя помощь**.

Больному **необходимы лекарства**.

Фирме **нужен работник**.

Нельзя смешивать конструкции:

«(кому) **нужно, необходимо + инфинитив**»,

«(кому) **нужен, -а, -о, -ы + существительное**»,

«(кому) **необходим, -а, -о, -ы + существительное**».

Примеры: Ему **нужно** много **работать**.

Ему **нужна работа**.

Родителям **необходимо помогать**.

Родителям **необходима помощь**.

Запомните!

Значение конструкции **нельзя + инфинитив** зависит от вида инфинитива.
Если нужно сообщить, что действие не разрешается, запрещается, недопустимо, не рекомендуется (запрещение по разным причинам), следует употребить инфинитив несовершенного вида (НСВ).
Если нужно сообщить, что действие невозможно, невыполнимо физически (объективная невозможность действия, физическая невозможность), употребляется инфинитив совершенного вида (СВ).

Примеры: Дверь в аудиторию **открывать нельзя**: лекция уже началась.
Дверь в аудиторию **открыть нельзя**: замок сломался.

Запомните!

В утвердительном предложении после модальных слов употребляется инфинитив глагола как совершенного, так и несовершенного вида в зависимости от ситуации.

Примеры: **Нужно (надо) помочь** другу: он сейчас в трудной ситуации.
Нужно (надо) всегда **помогать** друзьям в трудной ситуации.

В отрицательном предложении после модальных слов употребляется только инфинитив несовершенного вида.

Примеры: **Не нужно (надо) помогать** ему решать задачу, он сам решит её.
Не нужно (надо) спешить, до отправления поезда ещё много времени.

43

ЗАДАНИЯ

1. Укажите на желательность, необходимость, возможность действия, употребив местоимение или существительное в правильной форме.

М о д е л ь :

Мы попросили объяснить правило, которое было ... непонятно. —
*Мы попросили объяснить правило, которое было **нам** непонятно.*

1. Только сегодня я познакомился с этой девушкой, раньше ... не приходилось встречаться с ней.

2. ... кажется, что я вас где-то видел раньше.

3. Таня очень рада, ... удалось купить билет на концерт известного музыканта.

4. — Вы довольны экскурсией?

— Да, ... удалось посмотреть Владимир и Суздаль.

5. Отец очень переживал. После болезни ... пришлось перейти на другую работу.

6. Это слабый студент. ... будет трудно перевести этот текст.

7. Мать заболела. ... нужно вызвать врача и купить лекарство.

8. Студенческий вечер прошёл замечательно. ... было очень весело.

9. Кажется, я заболела, ... холодно, и горло болит.

10. Он хочет стать чемпионом, поэтому ... нужно много тренироваться.

11. Я так рада, ... осталось сдать только один последний экзамен.

12. У студентов идёт сессия, ... приходится много заниматься.

2. Укажите на желательность, возможность, необходимость действия, употребив глагол совершенного или несовершенного вида.

М о д е л ь :

Надо ... ему.

Не надо ... ему, он не просил о помощи. (*помогать — помочь*)

***Надо помочь** ему.*

***Не надо помогать** ему, он не просил о помощи.*

1. Вам не нужно ... пересадку на кольцевую линию.

Вам нужно ... пересадку на кольцевую линию. (*делать — сделать*)

2. — Мы опаздываем, надо ... такси.

— Не надо ... такси, уже идёт наш автобус. (*брать — взять*)

3. — Тебе нужно ... родителям, ты давно не разговаривал с ними.

— Мне не нужно им ..., вчера мама сама позвонила мне. (*звонить — позвонить*)

4. — Надо ... окно.

— Не надо ... окно, в комнате холодно. (*открывать — открыть*)

5. Нужно ... подруге такую сумку.

Ей не нужно ... такую сумку, она не подходит ей по цвету. (*дарить — подарить*)

6. Не надо ... с родителями, они желают тебе добра.

Хотелось бы ... с тобой по этому вопросу. (*спорить — поспорить*)

7. — Нам не надо ... его, мы можем опоздать из-за него сами.

— Надо ... его минут десять, а то он обидится. (*ждать — подождать*)

8. — Надо ... ему прочитать эту книгу.

— Не надо ему ничего ... , он считает себя умнее всех. (*советовать — посоветовать*)

9. — Мне так хотелось бы ... новый фильм этого режиссёра.

— Не нужно ... этот фильм, только время зря потеряешь. (*смотреть — посмотреть*)

10. — Нужно ... его, когда он будет участвовать в дискуссии.

— Не стоит ... его, он слишком самоуверен и не оценит твою поддержку. (*поддерживать — поддержать*)

3. Дополните предложения, употребив слова в скобках в правильной форме.

М о д е л ь :

Всем студентам (запрещён, -а, -о, -ы) курить в аудитории. —
*Всем студентам **запрещено** курить в аудитории.*

1. Он стар, ему (труден, трудна, -о, -ы) ходить в горы.
2. Поход в горы был (труден, трудна, -о, -ы).
3. Людям (удобен, удобна, -о, -ы) хранить деньги в государственном банке.
4. Государственные банки (удобен, удобна, -о, -ы) всем.
5. Мне (интересен, интересна, -о, -ы) работать здесь.
6. Мне (интересен, интересна, -о, -ы) эта работа.
7. Анне было (весел, -а, -о, -ы) танцевать на вечеринке.
8. На вечеринке Анна была (весел, -а, -о, -ы).
9. Всем (полезен, полезна, -о, -ы) есть овощи и фрукты.
10. Овощи и фрукты (полезен, полезна, -о, -ы) всем, в них много витаминов.
11. Студентам (нужен, нужна, -о, -ы) вернуть книги в библиотеку.
12. Билет на проезд (нужен, нужна, -о, -ы) каждому пассажиру.
13. Заниматься спортом (полезен, полезна, -о, -ы) каждому молодому человеку.
14. Спорт (полезен, полезна, -о, -ы) каждому.
15. Мне (нужен, нужна, -о, -ы) готовиться к экзамену.
16. Фирме (нужен, нужна, -о, -ы) опытные специалисты.
17. Перед зачётом (необходим, -а, -о, -ы) повторить новые слова.

4. Укажите на невозможность совершения действия. Употребите слово *нельзя* и подходящий по смыслу глагол совершенного или несовершенного вида.

М о д е л ь :

Замок сломался, поэтому нельзя ... дверь.

В школе идёт урок, поэтому нельзя ... дверь в класс. (*открывать — открыть*)

*Замок сломался, поэтому **нельзя открыть** дверь.*

*В школе идёт урок, поэтому **нельзя открывать** дверь в класс.*

1. От родителей нельзя ... правду: они прекрасно знают своих детей.

Свидетелям нельзя ... правду, когда они выступают в суде. (*скрывать — скрыть*)

2. Нельзя ... окно во время занятия: слишком шумно.

Нельзя ... окно, ручка не работает. (*открывать — открыть*)

3. Он очень убедителен в своих доказательствах, ему нельзя ...

Ты ещё слишком мал, поэтому тебе нельзя ... старшим. (*возражать — возразить*)

4. Контрольную работу нельзя ... карандашом.

Ручки нет, а карандаш сломался: нельзя ... записку. (*писать — написать*)

5. Почерк такой плохой, непонятный, что нельзя ... письмо.

Нельзя ... чужие письма, это неприлично. (*читать — прочитать*)

6. За один день нельзя ... курсовую работу: слишком мало времени.

Нельзя ... диплом, используя лишь материалы из Интернета. (*писать — написать*)

7. Лекция началась, поэтому в аудиторию ... нельзя.

У нас нет ключа от этой аудитории, поэтому нельзя в неё ... . (*входить — войти*)

8. У женщин нельзя ..., сколько им лет. Это невежливо.

Преподавателя сегодня нет в университете, поэтому у него нельзя ..., когда будет консультация. (*спрашивать — спросить*)

9. Нельзя ... улицу на красный свет светофора. Это запрещено правилами.

Здесь нельзя ... улицу, потому что идёт ремонт дороги. (*переходить — перейти*)

10. Этому человеку уже ничем нельзя ... , по мнению врачей, у него неизлечимая болезнь.

Нельзя ... бездельнику, он должен работать сам. (*помогать — помочь*)

5. Укажите на необходимость действия, употребив слова нужен, нужно, -а, -ы **и** необходим, -о, -а, -ы **в правильной форме.**

М о д е л ь:

Нам ... много работать, чтобы добиться успеха. —
*Нам **нужно** много работать, чтобы добиться успеха.*

Летом нам ... работа, чтобы заработать денег во время каникул. —
*Летом нам **нужна** работа, чтобы заработать денег во время каникул.*

1. Для успешного развития экономики ... новые технологии.

2. Тебе ... хорошо сдать единый госэкзамен, чтобы стать студентом.

3. Для здоровья всем ... заниматься спортом.

4. Тебе ... позвонить подруге, она волнуется о тебе.

5. Мне очень ... твоя помощь.

6. Чтобы развивать сотрудничество между странами, ... поддерживать культурные связи.

7. Чтобы стать лидером на мировом рынке, ... победить в конкурентной борьбе.

8. Для развития экономики страны... иностранные инвестиции.

9. ... взять такси, чтобы не опоздать в аэропорт.

10. Чтобы уменьшить число аварий на дорогах, водителям и пешеходам ... соблюдать правила дорожного движения.

6. Укажите на желательность, возможность, необходимость, обязательность действия, используя безличные предложения вместо синонимичных предложений с грамматическим субъектом.

М о д е л ь :

Я должна была закончить работу сегодня. —
Мне нужно (надо) было закончить работу сегодня.

Я хочу запомнить этот случай. —
Мне хочется запомнить этот случай.

1. Я должна позвонить родителям.
2. Они хотят отправиться в путешествие.
3. Друзья хотят отдыхать в горах.
4. Вы должны извиниться перед ней.
5. Спортсмен должен обязательно победить.
6. В субботу мы должны встретиться.
7. Студенты хотят поехать на экскурсию.
8. Школьники должны сдать экзамены до начала каникул.
9. Я хочу сделать вам подарок.
10. Вы должны быть более внимательными к родителям.

7. Работаем в парах. Задайте вопросы коллегам о возможности и желании молодёжи их страны уехать учиться или работать в другие страны на время или навсегда.

8. Расскажите о желании или нежелании, о реальной возможности или о необходимости для граждан вашей страны уехать работать или учиться за границу. Используйте соответствующие грамматические конструкции с модальными значениями.

УРОК 4

Речевая тема. Проблемы экологии
Грамматическая тема. Активные и пассивные конструкции

ПРОБЛЕМЫ ЭКОЛОГИИ

1. **Прочитайте текст. Перед чтением текста ознакомьтесь с активной лексикой урока. Уточните значение незнакомых слов по словарю и запишите их перевод на родной язык.**

АКТИВНАЯ ЛЕКСИКА УРОКА

Автотра́нспорт, *м.*

Возде́йствие = влия́ние (*какое?*) небла-гоприя́тное, опа́сное...; (*на что?*) на приро́ду, на окружа́ющую среду́...

Глоба́льный, -ая, -ое = всеми́рный, -ая, -ое

Де́ятельность, *ж.*

Загрязне́ние (*чего?*) во́здуха, окружа́ющей среды́, реки́...

Загрязня́ть/загрязни́ть (*что?*) во́здух, окружа́ющую среду́, ре́ку...

Зако́н (*какой?*) об охра́не окружа́ющей среды́

«Зелёные», *мн. (в знач. сущ.)* = уча́стники Green Peace

Исто́чник (*чего?*) разви́тия, загрязне́ния...

Ме́ры, *мн., ед.* ме́ра

Му́сор

Наруша́ть/нару́шить (*что?*) равнове́сие, зако́н, пра́вила...

Нау́чно-техни́ческий прогре́сс

Нефтепрово́д

Обору́дование

Общество

Окружа́ющая среда́

Отхо́ды, *мн.* (*какие?*) промы́шленные, му́сорные, радиоакти́вные...

Очистно́е устро́йство

Приро́да

Приро́дные ресу́рсы, *мн.*

Промы́шленная зо́на

Промы́шленное предприя́тие

Равнове́сие = гармо́ния

Радиоакти́вные отхо́ды, *мн.*

Ре́йтинг (*чего?*) городо́в, стран, компа́ний...

Ресу́рсы, *мн.* (*какие?*) приро́дные, промы́шленные...

Те́хника (*какая?*) совреме́нная, устаре́вшая...

Угро́за = опа́сность, *ж.*

Экологи́ческая обстано́вка = экологи́ческая ситуа́ция

Экологи́чность, *ж.* (*чего?*) маши́н, тра́нспорта, обору́дования...

Эколо́гия (*какая?*) социа́льная, обще́ственная...

СОЦИАЛЬНАЯ ЭКОЛОГИЯ

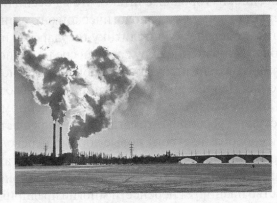

Экология как биологическая наука, исследующая отношения растений и животных с окружающей средой, возникла в середине 60-х годов XIX века. В XX веке в связи с усилившимся воздействием человека на природу учёными-экологами был сделан вывод о том, что нарушение равновесия в природе возникает в результате деятельности человека. Так экология превратилась из естественной, биологической науки в науку общественную. Социальная экология — это наука, исследующая связи между обществом и природой, а также проблемы охраны окружающей среды.

Конфликт между обществом и природой обострился начиная с 50-х годов XX века, когда быстрое развитие научно-технического прогресса вызвало необратимые изменения в природе. В наше время угроза окружающей среде приняла глобальный характер. В качестве важнейших глобальных экологических проблем в современном обществе учёные называют следующие: глобальное потепление климата, стремительный и неконтролируемый прирост населения; истощение сырьевых и энергетических источников; развитие технологических систем, загрязняющих природу.

С экологическими проблемами сталкиваются все государства. Индустриально развитые страны стремятся вывезти «грязную технологию» в другие страны. Слабо развитые страны в наибольшей степени сталкиваются с экологическими проблемами вследствие ввоза промышленных отходов из развитых стран и нерационального использования собственных природных ресурсов.

А как складывается экологическая ситуация в современной России?

Учёные-экологи провели экологический рейтинг российских городов и отметили, что за последние годы экологическая ситуация в России, особенно в крупных российских городах, ухудшилась. Источниками загрязнения окружающей среды являются автотранспорт, промышленные зоны, места переработки мусорных отходов. Одна из основных причин неблагоприятной экологической обстановки в российских городах — постоянно растущее количество автомобилей и использование устаревшего транспорта, загрязняющего воздух. Другим фактором, ухудшающим экологическую ситуацию, является наличие в городах крупных промышленных предприятий, особенно тех, на которых не сменили старое техническое оборудование на новое, современное. Эксперты, проводившие экологический рейтинг российских городов, считают, что в России необходимо принять кардинальные меры для изменения экологической ситуации. Прежде всего необходимо разработать экологическую политику государства и принять закон об увеличении штрафов за загрязнение окружающей среды. Используя европейский опыт, следует повысить экологичность автомобилей и рационально организовать дорожное движение. Например, в ряде стран Европы невозможно попасть в центр города на личном транспорте — только на общественном.

Правительство Москвы — российского мегаполиса — решает транспортную проблему несколькими способами: строит новые дороги, переводит часть городского транспорта на использование безопасного для экологии газового топлива. А как бороться с вредным воздействием промышленных предприятий? Для этого московское правительство планирует перенести многие предприятия из Москвы в область, где в ближайшее время построят специальные заводы по переработке промышленных отходов и городского мусора. Планируется также поменять устаревшее оборудование заводов на более современное, использовать высокоэффективные очистные устройства, переходить на новые, экологически чистые виды топлива. Долгое время Москву называли городом-садом. Ведь в российском мегаполисе на одного москвича приходится 18 квадратных метров зелени. В Токио, например, всего пять квадратных метров на одного жителя, а в Париже — шесть.

Чтобы человек мог целенаправленно менять окружающую среду, не нарушая гармонию общества и природы, населению необходимы экологические знания. Учитывая это, в российских средних школах в учебную программу включено изучение основных знаний по экологии. Для популяризации знаний по экологии Международный союз охраны природы создал Красную книгу, в которой содержатся сведения о редких видах животных и растений всего мира.

Экологические проблемы вызвали появление в разных странах общественно-политических движений, выступающих против загрязнения окружающей среды. Самым известным среди них является движение «зелёных» — Green Peace. В России «зелёные» выступают против ввоза в страну отработанных радиоактивных отходов с атомных станций из других стран, против строительства нефтепроводов вблизи озера Байкал и острова Сахалин. Участниками движения «зелёных» являются известные учёные, студенческая молодёжь, жители экологически неблагоприятных регионов страны и все люди, кому не безразлична родная природа и будущее нашей планеты.

(По материалам российской прессы)

Вопросы к тексту.

1. Что исследует социальная экология?

2. Когда обострился конфликт между природой и обществом, и чем он был вызван?

3. Каковы важнейшие глобальные экологические проблемы современного общества?

4. Как можно охарактеризовать экологическую ситуацию в российских городах?

5. Что является источником загрязнения окружающей среды?

6. Как решает экологические проблемы правительство Москвы?

7. Что такое Красная книга, и какие сведения содержатся в ней?

8. Какое общественно-политическое движение выступает в защиту окружающей среды, и кто участвует в этом движении?

2. Выделите общую часть в словах.

экологический	загрязнение	чистый	вредить
экология	грязь	чистить	вредный
эколог	грязный	очистка	вред
экологичность	загрязнять	очистной	вредитель

3. Проанализируйте сложные слова из текста. Скажите, от каких слов они образованы.

Равновесие, автотранспорт, высокоэффективные (устройства), целенаправленно, международный (союз), радиоактивные (отходы), нефтепровод.

4. Выделите суффикс в словах *переработка, очистка*. Скажите, от каких глаголов образованы эти существительные. С помощью этого суффикса образуйте существительные от следующих глаголов.

Обработать, переделать, построить, посадить, покупать, записать, выставить, остановить, указать.

5. Соедините близкие по значению слова и словосочетания.

окружающая среда	гармония
воздействие на природу	природа
равновесие	размер
исследовать	влияние на природу
охрана окружающей среды	защита окружающей среды
масштаб	угроза
опасность	изучать
глобальный характер	плохая ситуация
неблагоприятная ситуация	обстановка
ситуация	всемирный характер

6. Подберите антонимы к словам, используя материал для справок.

создание равновесия — ...

естественная наука — ...

рациональное использование — ...

дисгармония — ...

медленный прирост населения — ...

чистые технологии — ...

вывоз промышленных отходов — ...

улучшаться — ...

новая модель автомобиля — ...

современный транспорт — ...

Материал для справок:

старая модель автомобиля, грязные технологии, нерациональное использование, быстрый прирост населения, ввоз промышленных отходов, устаревший транспорт, общественная наука, нарушение равновесия, гармония, ухудшаться.

Обратите внимание!

Похожие слова имеют разное значение.

Окружа́ющий, -ая, -ее «Такой, который окружает кого-либо или что-либо» (*окружающий мир; окружающая среда, природа, обстановка; окружающее пространство*)

Окружно́й, -ая, -ое «Расположенный по кругу; идущий вокруг чего-либо» (*окружной путь, окружная дорога, магистраль; окружное шоссе*)

Энергети́ческий, -ая, -ое «Связанный с энергетикой — сферой экономики по использованию разных видов энергии — атомной, тепловой, ветра, воды» (*энергетические ресурсы, запасы; энергетическая система, проблема; энергетическое сотрудничество; энергетический проект, институт, факультет*)

Энерги́чный, -ая, -ое «Активный, решительный, полный энергии» (*энергичный человек, работник, студент; энергичные меры, действия*)

Очистно́й, -ая, -ое «Служащий для очистки чего-либо» (*очистное устройство; очистной механизм; очистные сооружения*)

Очи́щенный, -ая, -ое «Такой, который очистили, сделали чистым» (*очищенная дорога, улица, вода; очищенный путь, бассейн, двор, пруд*)

---

7. Дополните предложение подходящим по смыслу словом в правильной форме.

окружа́ющий, окружно́й

1. Своей деятельностью человек меняет .. среду.

2. Чтобы решить транспортную проблему, в городе построили ... дорогу.

энергети́ческий, энерги́чный

3. Россия богата ... ресурсами.

4. Это очень активный, ... человек, готовый к решительным поступкам.

очистно́й, очи́щенный

5. Водопроводы в России снабжают жилые здания ... водой, пригодной для питья.

6. На современных производственных предприятиях действуют ... сооружения.

8. Употребите слова в скобках в правильной форме.

Проблемы *чьи? (кого? чего?)* (люди, граждане, население, общество, природа, окружающая среда);

воздействовать, **воздействие** *на кого? на что?* (люди, граждане, население, общество, общественное мнение, правительство, природа, окружающая среда);

исследовать, **изучать** *что?* (связи, отношения, процессы, явления, общественная реакция, точка зрения, мнение, окружающая среда);

нарушать/нарушить *что?* (естественные процессы, окружающая среда, гармония, соотношение, баланс, договор, соглашение);

изменения *в ком? в чём?* (человек, общество, семья, отношения, страна, государство, регион, окружающая среда);

заботиться *о ком? о чём?* (человек, дети, родители, люди, население, семья, природа, окружающая среда);

бороться *за что?* (экономическое влияние, ведущее место, положение в мире, идеалы, убеждения);

сталкиваться/столкнуться *с чем?* (экологические проблемы, трудности, неразрешимая проблема, непонимание, противодействие, сопротивление);

рейтинг *кого? чего?* (государственные деятели, популярные личности, лидеры, города, государства, страны, компании, фирмы, производители);

уровень *чего?* (жизнь, доходы, заработная плата, обслуживание, потребление, развитие, инвестиции, загрязнение);

причина *чего?* (неблагоприятная экологическая обстановка, падение производства, рост экономики, повышение благосостояния, ухудшение ситуации, улучшение жизни, изменение климата).

9. Скажите о том же событии или действии иначе, заменив пассивную конструкцию активной.

М о д е л ь:

1. **Вопрос обсуждается правительством** страны. —
   Правительство страны *обсуждает вопрос*.

2. **Отходы производства были вывезены развитой страной** за границу. —
   Развитая страна вывезла отходы производства за границу.

1. Необратимые изменения в природе вызваны конфликтом между природой и обществом.

2. Учёными-экологами изучаются отношения между обществом и окружающей средой.

3. Естественные процессы в природе нарушаются нерациональным использованием природы человеком.

4. Гармония природы и современного общества нарушена людьми.

5. Важнейшими глобальными проблемами учёными-экологами называются следующие: потепление климата, неконтролируемый прирост населения, сокращение энергетических ресурсов.

6. Учёными-экологами проведён экологический рейтинг российских городов.

7. Во многих европейских странах городскими властями запрещён проезд в центр города на личном автомобиле.

8. В Красной книге учёными собрана информация о редких видах животных и растений.

9. В российских школах педагогами введён специальный курс по изучению основ экологии.

10. Решение о строительстве нефтепровода вблизи озера Байкал было отменено президентом после массовых демонстраций.

10. Потренируйтесь в письме.

1. Используя информацию из текста, дайте научное определение термину «социальная экология».

2. Перечислите и запишите важнейшие экологические проблемы человечества в современном мире.

3. Напишите список источников загрязнения окружающей среды в российских городах.

4. Составьте и запишите план статьи «Социальная экология».

Готовимся к дискуссии

Как выразить частичное согласие
В основном я согласен с вами, однако ...
С этим нельзя не согласиться, но...
Согласен, но при условии, что...
Безусловно, но есть один момент.
Моя позиция по этому вопросу совпадает с вашей лишь частично.

---

11. Примите участие в дискуссии. Используйте выражения, которые при обсуждении вопросов помогают высказать частичное согласие с другим участником дискуссии.

1. Существуют ли в вашей стране экологические проблемы? В каких формах они проявляются: 1) в быстром и неконтролируемом росте населения; 2) в производстве в интересах господствующих групп, не заботящихся об охране окружающей среды; 3) в недостатке сырьевых и энергетических ресурсов; 4) в функционировании старых технологических систем, загрязняющих природу. Приведите конкретные примеры, подтверждающие вашу точку зрения.

2. В каких районах вашей страны экологическая ситуация наиболее неблагоприятная? С чем это связано? Что является источником загрязнения: автотранспорт, промышленные зоны, городское строительство, места переработки мусорных отходов?

3. Ездят ли по улицам ваших городов машины старых моделей? Можно ли попасть в центр большого города на личном автомобиле или существуют ограничения движения личного автотранспорта? Какова скорость движения транспорта в городах в вашей стране?

4. Какие меры принимает правительство вашей страны или власти крупных городов для улучшения экологической обстановки? Существуют ли в вашей стра-

не законы об охране окружающей среды? Действует ли в вашей стране закон о плате за загрязнение окружающей среды? Изучают ли дети в школах основы экологии? Какие меры, по вашему мнению, могли бы стать наиболее эффективными? Аргументируйте свою точку зрения.

5. Есть ли в вашей стране партия «зелёных»? Является ли она реальной силой, способной влиять на политику государства по защите окружающей среды? Кто участвует в движении «зелёных» в вашей стране? Какие акции проводит партия «зелёных» в вашей стране? Что они защищают?

ГРАММАТИКА

АКТИВНЫЕ И ПАССИВНЫЕ КОНСТРУКЦИИ

В русском языке имеются активные и пассивные конструкции.

А к т и в н ы е   к о н с т р у к ц и и употребляются в тех случаях, когда говорящего интересует субъект (лицо или предмет), совершающий действие, направленное на прямой объект.

В активной конструкции в роли предиката выступает только переходный глагол, после которого стоит прямой объект, выраженный существительным в форме винительного падежа (В. п.).

Активные конструкции русские употребляют чаще, чем пассивные, особенно в устной речи.

С х е м а   а к т и в н о й   к о н с т р у к ц и и

субъект (И. п.) + **переходный глагол** + **прямой объект** (В. п.)

Студент	**изучает**	**историю.**
(субъект)	(предикат)	(прямой объект)
Кто? (И. п.)		*Что?* (В. п.)

П р и м е р ы: Режиссёр создаёт фильм.
Бизнесмен организует фирму.
Художник нарисовал картину.
Студентка сдала экзамен.

П а с с и в н ы е   к о н с т р у к ц и и употребляются в тех случаях, когда говорящего интересует объект (лицо или предмет), на который направлено и переходит действие.

Предикат в пассивной конструкции — «переходный глагол + *-ся* (несовершенный вид) или к р а т к о е   п а с с и в н о е   п р и ч а с т и е (совершенный вид)».

Реальный производитель действия обозначается формой творительного падежа (Т. п.) без предлога. Пассивные конструкции обычно употребляются в книжной речи.

Схема пассивной конструкции

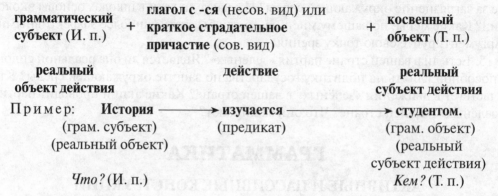

грамматический субъект (И. п.) + **глагол с -ся** (несов. вид) или **краткое страдательное причастие** (сов. вид) + **косвенный объект** (Т. п.)

реальный объект действия — действие — реальный субъект действия

Пример: **История** ⟶ **изучается** ⟶ **студентом.**
(грам. субъект) (предикат) (грам. объект)
(реальный объект) (реальный субъект действия)

Что? (И. п.) *Кем?* (Т. п.)

Субъект (*история*) не совершает, а только воспринимает действие, которое производит реальный объект (*студент*). В предложении слово *история* является грамматическим субъектом — оно стоит в именительном падеже (И. п.).

Предикат (*изучается*) — глагол несовершенного вида с частицей **-ся**, образованный от переходного глагола (*изучать — изучаться*).

Объект (*студент*) реально совершает действие (*изучает*), является реальным субъектом действия, но не грамматическим: слово *студент* стоит в творительном падеже (Т. п.).

Примеры: Фильм создаётся режиссёром.
Фирма организуется бизнесменом.
Картина нарисована художником.
Экзамен сдан студенткой.

Образование пассивных конструкций

При образовании пассивных конструкций необходимо запомнить следующее.

1. В пассивных конструкциях используются только переходные глаголы совершенного или несовершенного вида.

2. В пассивных конструкциях глаголы несовершенного вида образуются с помощью частицы -*ся*.

3. В пассивных конструкциях глаголы несовершенного вида имеют три времени — настоящее, прошедшее и будущее. Сравните:

Активная конструкция

Студент ← изучает / изучал / будет изучать ⟶ историю.

Пассивная конструкция

История ← изучается / изучалась / будет изучаться ⟶ студентом.

4. Пассивные конструкции с глаголами совершенного вида имеют три формы. Они указывают на результат действия:
а) которое было в прошлом;
б) которое было в прошлом, но его результат сохраняется в момент речи;

в) которое совершится в будущем.

5. Пассивные конструкции с глаголами совершенного вида образуются с помощью краткого пассивного причастия и глагола *быть* в прошедшем или будущем времени. Сравните:

А к т и в н а я   к о н с т р у к ц и я   П а с с и в н а я   к о н с т р у к ц и я

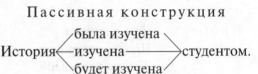

Употребление дополнения в творительном падеже (Т. п.) часто необязательно, факультативно, особенно в научном или публицистическом стилях книжной речи.

Сравните: В научном институте **учёные исследуют проблемы** экологии.

В научном институте **учёными исследуются проблемы** экологии.

В научном институте **исследуются проблемы** экологии.

Журналист напечатал в газете **статью** об экологических проблемах.

В газете была напечатана статья об экологических проблемах.

Образование кратких форм пассивных причастий

Пассивные причастия прошедшего времени имеют полную и краткую форму. Причастие в полной форме является в предложении определением: (*какая?*) **законченная** работа, (*какой?*) **построенный** дом, (*какая?*) **недавно открытая** библиотека, (*какое?*) **написанное** письмо.

Причастие в краткой форме является в предложении предикатом.

П р и м е р ы: Работа **закончена**. Дом **построен**. Библиотека **открыта**. Письмо **написано**.

Краткие пассивные причастия образуются от полных форм пассивных причастий, а полные формы причастий образуются от инфинитива глагола совершенного вида с помощью суффиксов **-нн-, -енн, -т-**.

Прочитать	прочитанный	**прочитан** (прочитана, прочитано, прочитаны)
Сделать	сделанный	**сделан** (сделана, сделано, сделаны)
Построить	построенный	**построен** (построена, построено, построены)
Получить	полученный	**получен** (получена, получено, получены)
Открыть	открытый	**открыт** (открыта, открыто, открыты)
Забыть	забытый	**забыт** (забыта, забыто, забыты)

Краткие страдательные причастия выражают результат действия в настоящем, прошедшем или будущем времени.

П р и м е р ы : Дом **построен**.　　　Выставка **открыта**.
　　　　　　　　Дом **был построен**.　　Выставка **была открыта**.
　　　　　　　　Дом **будет построен**.　Выставка **будет открыта**.

Краткие страдательные причастия согласуются с существительными в роде и числе.

П р и м е р ы : Дом **построен**.
　　　　　　　　Школа **построена**.
　　　　　　　　Здание **построено**.
　　　　　　　　Здания **построены**.

Обратите внимание на возможную замену активных конструкций пассивными и наоборот.

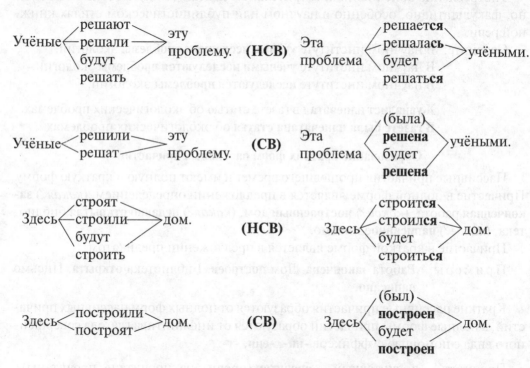

А к т и в н а я к о н с т р у к ц и я　　　　　П а с с и в н а я к о н с т р у к ц и я

Учёные ← решают / решали / будут решать → эту проблему. **(НСВ)**　Эта проблема ← решается / решалась / будет решаться → учёными.

Учёные ← решили / решат → эту проблему. **(СВ)**　Эта проблема ← (была) **решена** / будет **решена** → учёными.

Здесь ← строят / строили / будут строить → дом. **(НСВ)**　Здесь ← строится / строился / будет строиться → дом.

Здесь ← построили / построят → дом. **(СВ)**　Здесь ← (был) **построен** / будет **построен** → дом.

ЗАДАНИЯ

1. Образуйте полную и краткую формы пассивных причастий от инфинитива глагола и запишите их.

М о д е л ь :
купить — ...
купить — *купленный, куплен*

А.

написать — ...
сделать — ...
создать — ...
прочитать — ...
послать — ...
организовать — ...
показать — ...
исследовать — ...

Б.

приготовить — ...
проверить — ...
получить — ...
решить — ...
исправить — ...
изучить — ...
уменьшить - ...
увеличить - ...
снизить - ...
повысить - ...
сократить - ...

В.

откры́ть - ...
закры́ть - ...
уби́ть - ...
вы́пить - ...
развить - ...
приня́ть - ...
достигнуть - ...

2. Скажите о том же событии или действии иначе, заменив активную конструкцию пассивной.

М о д е л ь:

Здесь **построят** дом. —
Здесь будет построен дом.

1. В Доме журналистов открыли выставку фотографий.
2. Старую станцию метро закрыли на ремонт.
3. Редакция газеты опубликовала письмо читателя.
4. Все школы региона получили новые компьютеры для учащихся.
5. Власти города изменили план строительства в этом районе.
6. Активисты движения «зелёных» организовали акцию протеста.
7. Посольство России выдало въездные визы иностранным туристам.
8. Музей закрыли на реставрацию до сентября.
9. Какие страны вывозят промышленные отходы за границу?
10. Когда общество усилило воздействие на окружающую среду?

3. Задайте вопрос иначе, используя пассивную конструкцию.

М о д е л ь:

1. **Кто читает лекции** по социологии? —
   Кем читаются лекции по социологии?

2. **Какой писатель написал** этот роман? —
   Каким писателем написан этот роман?

1. Кто изучает основы экологии в школе?
2. Какая наука исследует взаимоотношения общества и природы?
3. Что создаёт угрозу окружающей среде?
4. Что нарушает естественные процессы в природе?
5. Какой государственный орган принимает меры по защите окружающей среды?
6. Кто решает транспортную проблему в Москве?
7. Какое общественное движение ведёт постоянную работу по защите природы?
8. Какие учёные проводят экологический рейтинг городов?

9. Какие страны вывозят промышленные отходы за границу?

10. Когда общество усилило воздействие на окружающую среду?

4. Дополните фразу, употребив нужный по смыслу глагол в правильной форме.

М о д е л ь :

Строители ... работу.

Работа ... строителями. (*завершать — завершаться*) —

Строители завершают работу.

Работа завершается строителями.

1. Деятельность человека ... природу.

Природа ... деятельностью людей. (*изменять — изменяться*)

2. Социальная экология ... студентами-биологами и студентами-социологами.

Студенты ... экологию в университете. (*изучать — изучаться*)

3. Сложная проблема ... учёными.

Ученик ... задачу. (*решать — решаться*)

4. Строители ... завод по новой, современной технологии.

Современные предприятия ... с использованием последних технических достижений. (*строить — строиться*)

5. Правительством Москвы ... перенести промышленные предприятия за город.

Архитекторы ... построить новую станцию метро. (*планировать — планироваться*)

6. Эксперты не ... использовать старые автомобили в центре столицы.

Экспертами ... использовать экологически чистое топливо для транспорта. (*рекомендовать — рекомендоваться*)

7. Правительством страны успешно ... экологические проблемы в крупных городах.

Руководители предприятия ... вопрос об установке новых очистных сооружений. (решать — *решаться*)

8. На международной конференции участниками ... большой интерес к современным методам решения экологических проблем.

Многие граждане страны ... заботу о родной природе. (проявлять — *проявляться*)

5. Скажите о том же событии или действии иначе, заменив активную конструкцию пассивной.

М о д е л ь :

1. Это дерево **посадил мой отец.** —

*Это дерево **посажено моим отцом.***

2. Профессор **читает лекции** по вторникам. —

*Лекции **читаются профессором** по вторникам.*

1. Студенты изучают экологию.

2. Среди важнейших экологических проблем учёные называют потепление климата и развитие технологий, загрязняющих воздух.

3. Социальная экология исследует взаимоотношения общества и природы.

4. Деятельность человека нарушает естественные процессы в природе.

5. Развитые страны вывозят промышленные отходы из своей страны за границу.

6. Эксперты проводили экологический рейтинг российских городов.

7. Правительство приняло программу защиты окружающей среды.

8. Государство использует зарубежный опыт при решении экологических проблем.

6. Скажите о том же событии иначе, заменив пассивную конструкцию активной.

М о д е л ь :

1. Скоро **будет открыта новая библиотека**. —
   *Скоро **откроют новую библиотеку**.*

2. Учёными **созданы новые методы** лечения болезни. —
   *Учёные **создали новые методы** лечения болезни.*

1. На заводе запланировано поменять старое оборудование на новое.

2. Предприятием закуплены за границей современные очистные сооружения.

3. Экспертами рекомендуется использовать в столице современные экологичные автомобили.

4. В учебную программу российских школ включено изучение основ экологии.

5. Появление общественного движения «зелёных» вызвано остротой экологических проблем.

6. Окружающая среда ухудшается работой промышленных предприятий с устаревшим оборудованием.

7. Правительством Москвы планируется перенести большинство промышленных предприятий за город.

8. Благодаря протестам «зелёных» новый нефтепровод строится на безопасном расстоянии от озера Байкал.

9. Законом охраняются редкие животные и растения.

10. Гармония между современным обществом и природой нарушена людьми.

7. Работаем в парах. Задайте вопросы коллегам об экологических проблемах в их стране, используя активные и пассивные конструкции.

8. Расскажите об экологических проблемах в вашей стране и о способах их решения правительством, о роли общественных организаций в деятельности по защите окружающей среды. Используйте активные и пассивные конструкции.

УРОК 5

Речевая тема.   Проблемы демографии
Грамматическая тема.   Выражение определительных
                            отношений

ПРОБЛЕМЫ ДЕМОГРАФИИ

1. Прочитайте текст. Перед чтением текста ознакомьтесь с активной лексикой урока. Уточните значение незнакомых слов по словарю и запишите их перевод на родной язык.

АКТИВНАЯ ЛЕКСИКА УРОКА

Благоприя́тный, -ая, -ое = хоро́ший, положи́тельный, позити́вный
Демографи́ческая ситуа́ция
Демографи́ческие проце́ссы, *мн.*
Демогра́фия
Дина́мика разви́тия
Зако́н
Закономе́рность, *ж.*
Льго́ты, *мн.* (*какие?*) социа́льные, де́нежные, материа́льные...
Материа́льный, -ая, -ое = фина́нсовый, де́нежный
Матери́нство
Ме́ра
Мигра́нт
Мигра́ция (*какая?*) вне́шняя, вну́тренняя, интеллектуа́льная
Многоде́тная семья́
Населе́ние
Национа́льная угро́за
Пе́репись, *ж.* (*чего?*) населе́ния
Переселе́ние

Пополне́ние (*чего?*) населе́ния, семьи́...
Посо́бие (*какое?*) де́нежное, де́тское...
Прогно́з
Продолжи́тельность, *ж.* (*чего?*) жи́зни
Рожда́емость, *ж.*
Рожда́ться/роди́ться
Сме́ртность, *ж.*
Сокраще́ние (*чего?*) населе́ния
Стаби́льность, *ж.* (*какая?*) полити́ческая, экономи́ческая
Стати́стика
Статисти́ческие да́нные = информа́ция
Убыль, *ж.* = уменьше́ние, сниже́ние чи́сленности
Увеличе́ние = рост (*чего?*) населе́ния
Умира́ть/умере́ть
У́ровень жи́зни (*кого?*) населе́ния, наро́да, гра́ждан
Чи́сленность, *ж.* = коли́чество (*чего?*) населе́ния
Экспе́рт
Эксперти́за

ПРОБЛЕМЫ ДЕМОГРАФИИ

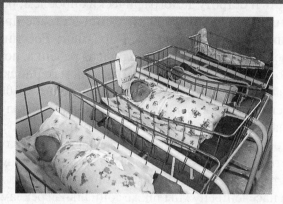

Демография — это наука о населении и закономерностях его развития.

Эксперты ООН (Организация Объединённых Наций) подсчитали, сколько человек будет жить на Земле к 2300 году. Оказалось, что через 300 лет население планеты составит 9 млрд, а сейчас оно составляет 6,3 млрд человек. Численность населения в большинстве стран мира уменьшается, но в некоторых странах, например в Индии, Китае и Бразилии, отмечается устойчивый высокий рост населения. На демографическую ситуацию в стране влияют три важнейших процесса: рождаемость, смертность и миграция.

Экономический рост и благополучие граждан любого государства во многом связаны с демографической ситуацией в стране, поэтому правительства всех стран стремятся контролировать динамику развития населения страны и проводить эффективную демографическую политику. Для того чтобы иметь полную и объективную информацию о населении страны, государство периодически (примерно 1 раз в 20 лет) одновременно на всей территории страны проводит перепись населения — специально организованный сбор статистической информации. Целью переписи населения страны является получение демографических, социальных и экономических сведений о жителях страны или отдельных территорий.

В России последняя перепись населения проводилась в 2002 году. По данным последней Всероссийской переписи населения в стране проживало 145,2 млн человек.

Демографическая ситуация в России в последние десятилетия остаётся неблагоприятной. Ни один из главных демографических процессов (рождаемость, смертность, миграция) не показывает устойчивой положительной динамики. Из года в год наблюдается одна тенденция: численность населения страны сокращается. Главная причина этого — высокая смертность и низкая рождаемость. Средняя продолжительность жизни мужчин в России снизилась по сравнению с семидесятыми-восьмидесятыми годами XX века и составляет меньше 70 лет.

Большинство российских семей — около 70 процентов — имеют только одного ребёнка. Но при проведении социологического опроса на вопрос: «Сколько детей должно быть в идеальной семье?» — большинство опрошенных ответило:

«Двое». Главная причина, по которой молодая российская семья не имеет второго ребёнка, — экономическая: в семье не хватает денег на достойную жизнь и, главное, на покупку квартиры.

Понимая серьёзность и остроту демографических проблем, российское государство для улучшения демографической ситуации в стране приняло ряд мер, способствующих увеличению рождаемости. Парламент России принял закон, по которому каждая российская женщина, родившая ребёнка, получает право на финансовую помощь от государства — так называемый материнский капитал (его сумма составляет 250 000 рублей, что соответствует примерно $10 000 США). Более чем в восемь раз повысились пособия по уходу за ребёнком до полутора лет. И ещё российские семьи начали получать от государства компенсацию расходов за детский сад. По мнению российского правительства, значительная государственная поддержка семей с детьми должна стимулировать рождаемость в России.

Для поднятия престижа многодетной семьи, повышения рождаемости и увеличения численности населения нужны также социальная реклама семьи и такая политика государства, которая бы рассматривала семью и материнство как почётное и уважаемое в обществе дело. На это должна быть направлена работа российских средств массовой информации: газет, журналов, телевидения и радио.

Как отмечают эксперты, численность населения России не сокращается слишком резко в основном благодаря иммигрантам, которые приезжают в Россию, чтобы получить работу. В связи с этим правительству России необходимо проводить эффективную миграционную политику.

Увеличение населения за счёт иммиграции и поддержание таким образом стабильной демографической ситуации — обычная практика промышленно развитых стран, для которых характерно превышение смертности над рождаемостью. Этот положительный опыт развитых стран может быть полезным и для России при решении демографических проблем.

(По материалам газеты «Известия»)

Вопросы к тексту.

1. Что изучает наука демография?

2. Какие три процесса влияют на демографическую ситуацию в стране?

3. Что такое «перепись населения» и как часто государство проводит перепись населения?

4. Какую цель ставит государство, когда проводит перепись населения страны?

5. Какая тенденция в демографической ситуации наблюдается в России в настоящее время?

6. Почему в большинстве российских семей только один ребёнок, хотя родители мечтают иметь двоих детей?

7. Какие меры приняло правительство России, чтобы стимулировать рождаемость в стране?

8. Благодаря какому демографическому процессу численность населения России не сокращается слишком резко?

2. Выделите общую часть в словах.

население	численность	перепись	рождаемость
поселиться	причислить	писать	родиться
посёлок	число	письмо	родители
село	численный	писатель	рождение
сельский	перечисление	переписывать	род
переселение	отчислить	переписка	родственники

3. Проанализируйте сложные слова из текста. От каких слов они образованы?

Закономерность, благополучие, всероссийская (перепись населения), одновременно, законодательные (меры), многодетная (семья).

4. Выделите приставку в глаголах *опросить, осмотреть.* **Определите общее значение глаголов с этой приставкой. Образуйте с помощью этой приставки глаголы совершенного вида от следующих глаголов несовершенного вида.**

Ценить, учить, лететь, идти, ехать, возить, искать.

5. Соедините близкие по значению слова и словосочетания.

угроза	обстановка
численность населения	покинуть страну
ситуация	отрицательный
сокращение численности	перемещение населения
статистическая информация	система законов
миграция населения	движение
уехать из страны	опасность
динамика	уменьшение численности
законодательство	количество населения
негативный	статистические данные

6. Подберите слова с противоположным значением, используя материал для справок.

создание равновесия — ...

низкий рост — ...

смертность — ...

благоприятная ситуация — ...

рост численности — ...

люди умерли — ...

ровно, точно — ...

отменить закон — ...

уменьшение пособий — ...

Материал для справок:

неблагоприятная ситуация, увеличение пособий, люди родились, падение численности, приблизительно, нарушение равновесия, рождаемость, высокий рост, принять закон.

Похожие слова имеют разное значение.

Населе́ние «Все жители, люди, проживающие на определённой территории» (*население города, страны, региона, посёлка, государства*)

Населённость «Количество населения на определённой территории» (*большая, малая, средняя населённость*)

Пе́репись «Официально производимый государством полный массовый учёт людей или предметов» (*перепись населения, жителей, документов, предприятий, объектов*)

Перепи́ска «Обмен письмами» (*переписка с друзьями, с родителями, с деловыми партнёрами*)

Рожде́ние «Появление человека на свет» (*рождение ребёнка, человека, сына, дочери*)

Рожда́емость «Количество рождений за определённый период времени» (*высокая, низкая рождаемость; рост, падение рождаемости*)

7. Дополните предложение подходящим по смыслу словом в правильной форме.

населе́ние, населённость

1. ... европейских стран сокращается.

2. ... разных территорий различна: в горах низкая ..., по берегам рек и морей — высокая.

пе́репись, перепи́ска

3. ... великих писателей читать так же интересно, как и написанные ими художественные произведения.

4. ... населения даёт информацию о демографической и социальной ситуации в стране.

рожде́ние, рожда́емость

5. Повышение уровня жизни в стране стимулирует рост ...

6. ... ребёнка является радостным событием в семье.

8. Употребите слова в скобках в правильной форме.

Наука *о чём?* (общество, природа, человек, население, экономика, политика, язык, культура);

согласно *чему?* (данные, информация, сведения, факты, теория);

большинство *чего?* (страны, народы, государства, города, территория);

влиять, влияние *на что?* (ситуация, развитие, миграция, политика, экономика, общество);

благополучие *чего?* (государство, страна, семья, народ, граждане, жители);

контролировать *что?* (развитие, общество, ситуация, миграция, процессы);

контроль *за чем?* (развитие, общество, ситуация, миграция, процессы);

население *чего?* (страна, государство, город, село, регион, район, территория);

цель *чего?* (перепись, миграция, контроль, регулирование, исследование, деятельность, работа);

численность *чего?* (население, граждане, мигранты, горожане, сельские жители).

9.

А. Укажите на признаки, свойства, качества предмета или явления, используя конструкции с согласованными определениями вместо синонимичных конструкций с несогласованными определениями.

Модель:

Дело без пользы — *бесполезное дело*.

1. Ситуация в демографии — ...
2. Данные статистики — ...
3. Население Индии — ...
4. Рост экономики — ...
5. Политика в сфере миграции — ...
6. Информация статистики — ...
7. Перепись во всей России — ...
8. Процессы в сфере демографии — ...
9. Семьи россиян — ...
10. Опрос социологов — ...
11. Проблемы демографии — ...
12. Политика государства — ...

Б. Укажите на признаки, свойства, качества предмета в сложном предложении, используя слово *который* вместо союзов *где, куда, откуда*.

Модель:

Россия стремится стать страной, **где** будут решены проблемы демографии. — *Россия стремится стать страной, **в которой** будут решены проблемы демографии.*

1. Существует ряд стран, где отмечается устойчивый рост населения.

2. Население растёт в странах, где наблюдается высокая рождаемость.

3. Информацию о населении дают социологические центры, откуда в правительство страны поступают результаты социологических опросов.

4. Все результаты опросов включаются в общую перепись населения, куда собирается вся статистическая информация о населении страны.

5. Учёных-социологов беспокоит низкая рождаемость в России, где большинство семей имеет только одного ребёнка.

6. Российский парламент, где принимают законы государства, принял закон о поддержке молодых семей.

7. Население России не сокращается благодаря мигрантам из других стран, откуда эти люди приезжают в Россию.

8. Рост населения за счёт иммиграции — обычная практика промышленно развитых стран, куда люди приезжают в поисках работы.

10. Потренируйтесь в письме.

1. Предложите вариант названия текста и запишите его в тетрадь. Сравните свой вариант названия с вариантами названия коллег.

2. Используя информацию из текста, дайте научное определение терминам «демография» и «перепись населения».

3. Запишите список мер, которые приняло российское государство для улучшения демографической ситуации в стране.

4. Составьте и запишите план текста.

Готовимся к дискуссии

Как выразить несогласие

Я (абсолютно, категорически) не согласен с этой точкой зрения/с вами.
У меня другое (иное) мнение по этому вопросу.
Я не разделяю эту точку зрения.
У меня есть возражение.
Вы не правы.
Вы ошибаетесь.
Это не так.

---

11. **Примите участие в дискуссии. Используйте выражения, которые при обсуждении вопросов помогают высказать несогласие с мнением другого участника дискуссии.**

1. Какова демографическая ситуация в вашей стране: численность населения вашей страны растёт или падает?

2. Какой из трёх факторов (рождаемость, смертность, миграция) является важнейшим, определяющим для положительной демографической динамики в вашей стране?

3. Какова средняя продолжительность жизни мужчин и женщин в вашей стране? Как этот показатель изменился за последнее время?

4. Сколько детей имеет средняя семья в вашей стране? Каково, на ваш взгляд, оптимальное количество детей в семье? Аргументируйте свою точку зрения.

5. Существует ли в вашей стране социальная поддержка семьи? Получают ли льготы многодетные семьи? Получает ли семья денежное пособие при рождении ребёнка? Есть ли в вашей стране государственная жилищная программа по обеспечению жильём молодых семей?

6. Как вы оцениваете политику вашего государства по поддержанию стабильной демографической ситуации в стране? Какие меры вы предложили бы для улучшения демографической ситуации в стране, если бы стали членом правительства?

ГРАММАТИКА

1. ВЫРАЖЕНИЕ ОПРЕДЕЛИТЕЛЬНЫХ ОТНОШЕНИЙ
(в простом предложении)

Определительные отношения обозначают признаки, свойства, качества предмета или лица, его характеристику. Определительные отношения выражаются в русском языке в простом и в сложном (сложноподчинённом) предложении.

Определительные отношения выражаются в простом предложении различными способами.

1. С помощью согласованных определений. Это наиболее употребительный способ выражения определительных отношений в простом предложении. Определения согласуются с определяемым словом в роде, числе и падеже. Согласованное определение грамматически может быть выражено:

а) **прилагательным** (включая прилагательные в превосходной степени).

Примеры: Студенты изучают **русский** язык.

Ученик решил **самую трудную** задачу.

б) **притяжательным, указательным, определительным и неопределённым местоимением.**

Примеры: Девушка позвонила **своим** родителям.

Я живу на **этой** улице.

Он прочитал **всю** книгу.

Я услышал об этом в **какой-то** телепередаче.

в) **порядковым числительным**.

Примеры: Я учусь на **третьем** курсе университета.

Наша квартира находится на **восьмом** этаже.

г) **действительным и страдательным причастиями.**

Примеры: Я прочитал статью, **написанную** известным журналистом.

Журналист, **получивший** международную премию, написал книгу.

2. С помощью несогласованных определений. Несогласованное определение грамматически может быть выражено существительным в определённом падеже или предложно-падежным словосочетанием:

а) **Р. п. существительных без предлога после существительных.**

Обозначает признак предмета или лица по его принадлежности другому предмету или лицу, по отношению к группе предметов, по внешнему признаку.

Примеры: В клубе **университета** был вечер.

Стихи **поэта** опубликованы в журнале.

Студенты **нашей группы** были на экскурсии.

Это был человек **высокого роста**.

У дома остановилась машина **серого цвета**.

Права **человека** были нарушены.

Это плащ **брата**, а это пальто **сестры**.

Вот машина **родителей**.

б) Предлог **С** + **Т. п.** существительного.

Обозначает наличие признака, свойства, качества у лица, предмета.

П р и м е р ы: Он специалист **с высшим образованием**.

               Это человек **с трудным характером**.

               Я люблю чай **с лимоном**.

               Дети любят книги **с картинками**.

               Наша квартира **с балконом** очень удобная.

в) Предлог **БЕЗ** + **Р. п.** существительного.

Обозначает отсутствие признака, свойства, качества у лица, предмета.

П р и м е р ы: Этот работник **без диплома**.

               Он **без чувства юмора**.

               Я люблю чай **без сахара**.

               Жизнь **без праздников** скучна.

г) Предлог **ИЗ** + **Р. п.** существительного.

Обозначает, из какого материала сделан предмет или каков он по составу.

П р и м е р ы: Салат **из овощей** очень полезен.

               На столе стояла ваза **из стекла**.

               Торт **из мороженого** оказался очень вкусным.

               Квартира **из трёх комнат** мала для этой семьи.

д) Предлог **ПО** + **Д. п.** существительного.

Обозначает признак, характеризующий область науки и культуры и дающий информацию о содержании определяемого понятия.

П р и м е р ы: Все студенты сдали экзамен **по истории**.

               Я с интересом прослушал лекцию **по политике**.

               Выставка **по** древнерусскому **искусству** прошла в столице.

               Чемпионат **по футболу** прошёл в Германии.

е) Предлог **О** + **П. п.** существительного.

Раскрывает содержание определяемого понятия.

П р и м е р ы: Я люблю книги **о путешествиях**.

               Рассказы **о животных** интересны детям.

               Фильмы **о войне** не оставляют людей равнодушными.

ж) Предлог **В** + **В. п.** существительного.

Обозначает внешний признак предмета.

П р и м е р ы: Платье было из ткани **в полоску**.

               Тетрадь **в клетку** лежала на столе.

               В центре посёлка стояло здание **в четыре этажа**.

з) Предлог **В** + **П. п.** существительного.

Обозначает внешний вид человека или предмета.

П р и м е р ы: Человек **в плаще** вышел из машины.

               Гости принесли подарок **в большой коробке**.

и) Предлог **К** + **Д. п.** существительного.

Обозначает качество предмета по назначению.

П р и м е р ы : Пора покупать подарки **к празднику**.

Это соус **к мясу**.

к) Предлог **ДЛЯ** + **Р. п.** существительного.

Обозначает качество предмета по назначению.

П р и м е р ы : В университете есть столовая **для студентов**.

Комната **для детей** самая светлая в доме.

ЗАДАНИЯ

1. Дополните предложение, употребив слова в скобках в правильной форме.

1. Эти студенты приехали в Москву из ... (Китайская Народная) Республики.

2. ... компания успешно вышла на ... рынок (российский, мировой).

3. Государство должно регулировать ... политику и контролировать ... ситуацию в стране (миграционный, демографический).

4. ... (Олимпийский) игры 2008 года прошли в Пекине.

5. Отец давно работает в ... (этот, известный) компании.

6. Студенты ... курса успешно сдали ... экзамены (второй, трудный).

7. Страны с ... экономикой контролируют ... потоки (развитый, миграционный).

8. ... показатели ... года не изменили ... тенденцию падения численности населения (статистический, прошлый, негативный).

9. В ... странах наблюдается ... рост экономики (арабский, быстрый).

10. В ... (две тысячи восьмой) году население Индии значительно увеличилось.

2. Дополните предложение, употребив причастия в скобках в правильной форме.

1. Демография — это наука, ... (изучающий) население и законы его развития.

2. Эксперты ООН подсчитали, что количество людей, ... (живущий) на земле, достигнет девяти миллиардов человек.

3. Есть три процесса, ... (влияющий) на демографическую ситуацию в стране, — рождаемость, смертность и миграция.

4. Целью переписи населения, ... (проводимый) государством, является получение информации о жителях страны.

5. Главные причины ... (продолжающийся) сокращения населения России — это высокая смертность и низкая рождаемость.

6. Семья, ... (имеющий) одного ребёнка, часто мечтает о втором.

7. Правительство России приняло меры, ... (способствующий) увеличению рождаемости в стране.

8. Общество должно относиться к материнству как к ... (уважаемый) делу.

3. Укажите на признаки, свойства, качества предмета или явления, используя конструкции с согласованными определениями вместо синонимичных конструкций с несогласованными определениями.

М о д е л ь :

Сад для детей — *детский сад*

71

1. Общежитие для студентов — ...
2. Правительство России — ...
3. Политика в сфере демографии — ...
4. Аудитория номер двадцать два — ...
5. Команда университета — ...
6. Подруга Тани — ...
7. Авиакомпания России — ...
8. Здание правительства — ...
9. Чемпионат по футболу - ...
10. Блюдо из рыбы — ...
11. Человек с образованием — ...
12. Репортаж о войне — ...

4. Укажите на признаки, свойства, качества предмета или явления, используя конструкции с несогласованными определениями «с + Т. п. сущ.» или «без + Р. п. сущ.» вместо конструкций с согласованными определениями.

М о д е л ь:

Овощной суп — *суп с овощами*
Безвизовый проезд — *проезд без визы*

1. Бесполезное дело — ...
2. Амбициозный человек — ...
3. Бессмысленный спор — ...
4. Безответная любовь — ...
5. Голубоглазая девушка — ...
6. Безопасное движение — ...
7. Поздравительная открытка — ...
8. Безоблачное небо — ...
9. Бездетная семья — ...
10. Образованный человек — ...

5. Укажите на признаки, свойства, качества предмета, используя конструкции с согласованными определениями вместо синонимичных конструкций с несогласованными определениями.

М о д е л ь:

Литература для детей — *детская литература*

1. Квартира из двух комнат — ...
2. Соревнования по теннису — ...
3. Кабинет для работы — ...
4. Комната для детей — ...
5. Передача о спорте — ...
6. Ткань в полоску — ...
7. Подарок к празднику — ...
8. Покупки к Рождеству — ...

72

9. Рассказы о войне — ...

10. Столовая для студентов — ...

2. ВЫРАЖЕНИЕ ОПРЕДЕЛИТЕЛЬНЫХ ОТНОШЕНИЙ
(в сложном предложении)

Зависимая часть сложного предложения, которая содержит характеристику лица, предмета или раскрывает их признаки, свойства, качества, называется определительным предложением. Оно относится к существительному или местоимению в главной части предложения. Зависимая часть в общем виде отвечает на вопрос *какой?* Зависимая часть всегда стоит после слова, которое она определяет.

Зависимая часть присоединяется к главной при помощи союзных слов: **который**, **какой**, **чей**, **где**, **куда**, **откуда**, **когда**.

1. Союзное слово **КОТОРЫЙ** — наиболее употребительное в сложных предложениях. Слово **который** согласуется в роде и числе с тем словом главного предложения, которое определяется зависимым предложением. Сложное предложение с этим словом обозначает отличительный признак предмета или лица.

Примеры: Вчера я встретил друга, **которого** не видел много лет.

Он достиг цели, **к которой** стремился всю жизнь.

Запомните!

Падежная форма слова **который** зависит от того, каким членом зависимого предложения оно является и какую синтаксическую роль оно выполняет в этом предложении. Если оно является субъектом, то ставится в форме именительного падежа (И. п.). Если оно является другим членом, то употребляется в форме других падежей с предлогом или без предлога.

Если слово **который** является в зависимом предложении субъектом или членом предложения, который зависит от глагола, то оно всегда ставится в начале зависимого предложения.

П р и м е р ы :   Я увидел девушку, **которая** разговаривала по телефону. (субъект)
В комнату вошёл человек, **которого** никто **не ожидал**. (зависит от глагола)

Если слово **который** зависит от существительного или прилагательного (обычно в сравнительной степени), то оно ставится после главного слова словосочетания, в состав которого входит.

П р и м е р ы :   Я учился на факультете, **деканом которого** был известный учёный. (зависит от существительного)
Это была женщина, **красивее которой** я не встречал никогда. (зависит от прилагательного в сравнительной степени)

---

2. Союзное слово **КАКОЙ** употребляется, когда в определительное значение зависимого предложения необходимо внести дополнительный оттенок уподобления. Слово **какой** согласуется в роде и числе с тем словом главного предложения, которое определяется зависимым предложением.

П р и м е р ы : Поднялся сильный ветер, **какой** обычно бывает перед грозой.

Они были такими верными друзьями, **каких** не встретишь в наши дни.

Только в старости он построил себе дом, **о каком** мечтал всю жизнь.

Правила употребления форм рода, числа и падежа союзного слова **какой** такие же, что и для слова **который**. Слово **какой** всегда ставится в начале зависимого предложения.

3. Союзное слово **ЧЕЙ** согласуется в роде, числе и падеже с существительным зависимого предложения, которое обозначает предмет, принадлежащий лицу, о котором говорится в главном предложении.

Сложные предложения со словом **чей** используются в книжной речи для обозначения отношений принадлежности.

Слово **чей** всегда ставится перед существительным, с которым оно согласовано, и вместе с этим существительным ставится в начале зависимого предложения.

П р и м е р ы : Мы увидели человека, **чей** дом стоял на вершине горы.

Я с благодарностью вспоминаю бабушку, **чьи** советы так помогли мне в жизни.

Людям, **чья** жизнь прошла в деревне, трудно привыкнуть к городу.

4. Союзные слова **ГДЕ, КУДА, ОТКУДА** указывают на связь зависимого предложения со словом с пространственным значением (место, страна, город, район, улица, дом и т. д.) в главном предложении. Союзные слова **где, куда, откуда** всегда ставятся в начале зависимого предложения, которое определяет слово в главном предложении, называющее место действия или место, к которому или от которого направлено движение.

П р и м е р ы : Я хорошо помню место в городе, **где** мы впервые встретились.

Туристы поднялись на вершину горы, **откуда** открылся прекрасный вид.

После школы он отправился в столицу, **куда** стремилась вся молодёжь.

5. Союзное слово **КОГДА** указывает на связь зависимого предложения со словом с временны́м значением (время, момент, год, месяц, день, утро, вечер и т. д.) в главном предложении. В сложных предложениях со словом **когда** определительные отношения дополняются временны́м значением. Союзное слово **когда** всегда ставится в начале зависимого предложения.

П р и м е р ы : Это было в то время, **когда** я учился в школе.

Телефонный звонок раздался в тот момент, **когда** я входил в дом.

В главном предложении к определяемому слову могут добавляться слова **тот**, **такой**, когда нужно указать, к какому слову относится зависимое определительное, или когда нужно подчеркнуть, что определение относится именно к данному предмету из числа однородных. Часто слова **тот**, **такой** сопровождаются усилительными частицами **же**, **даже**, **только** и др.

Примеры: У него была **такая** внешность, **какой** сразу доверяет каждый человек.

Он остался **тем же** добрым человеком, **каким** мы его запомнили.

ЗАДАНИЯ

1. Укажите на признаки, свойства, качества предмета или лица в сложном предложении, используя слово *который* **вместо союза** *чей*.

Модель:

Я знаком с журналистом, **чья** статья напечатана в журнале. —

Я знаком с журналистом, статья которого напечатана в журнале.

1. Политики, чьи интересы совпадают, всегда договорятся.

2. Михаил Горбачёв — политик, чья деятельность пользуется уважением во всем мире.

3. Меня заинтересовал участник дискуссии, чьи аргументы были очень убедительными.

4. Члены партии «зелёных», чьи действия направлены на защиту природы, получают поддержку большинства россиян.

5. Первый космонавт Юрий Гагарин, чьё имя знает весь мир, прославил Россию на века.

6. Туристы посетили музей Льва Толстого, чьи книги внесли огромный вклад в русскую и мировую литературу.

7. Я хорошо знаю художника, чей талант высоко оценен современниками.

8. В газетах много пишут о молодёжи, чья роль в современном обществе возрастает.

2. Укажите на признаки, свойства, качества предмета или лица в сложном предложении, используя слово *который* **вместо союзов** *где, куда, откуда*.

Модель:

Россия стремится стать страной, **где** будет развитая демократия. —

Россия стремится стать страной, в которой будет развитая демократия.

1. Студенты посетили Третьяковскую галерею, куда стремятся попасть туристы всех стран.

2. Студент Джон приехал в Россию из Англии, откуда приехала и студентка Лиза.

3. Я купил этот учебник в Доме книги, где представлен большой выбор учебной и художественной литературы.

4. «Золотое кольцо» — так называется туристический маршрут, где расположены древнерусские города и старинные монастыри.

5. Усадьба Ясная Поляна — это место, где великий писатель Лев Толстой прожил последние годы жизни.

6. Чемпионат по футболу состоится в Германии, куда стремятся попасть все любители этой спортивной игры.

7. В России после политических реформ открылись исторические архивы, откуда учёные могут брать материалы для исследования.

8. На юге Франции, в Каннах, традиционно проходит Международный кинофестиваль, куда стремятся приехать киноартисты и кинорежиссёры со всего мира.

3. Укажите на признаки, свойства, качества предмета или лица, используя сложное предложение со словом *который* **вместо причастного оборота.**

М о д е л ь :

Человек, **поздоровавшийся со мной**, живёт в соседнем доме. —
Человек, который поздоровался со мной, живёт в соседнем доме.

1. Проблемы миграции, наиболее остро стоящие в больших городах, требуют особого внимания государства.

2. Закон о поддержке молодых семей, принятый парламентом России, начал действовать с 2007 года.

3. Человек, совершивший преступление, должен быть наказан по закону.

4. Законы, принятые парламентом страны, должны выполняться.

5. Все студенты, поступившие в университеты России, начнут заниматься 1 сентября.

6. Перепись, проведённая в 2002 г., дала информацию о населении страны.

7. Статья, рассказывающая о проблемах демографии, вызвала интерес у читателей газеты.

8. Экономические реформы, проведённые в России в 90-е годы, по-разному оцениваются населением страны.

9. Президентские выборы, состоявшиеся в стране, подтвердили доверие большинства граждан президенту.

10. Семьи, имеющие много детей, получают льготы.

4. Дополните фразу, употребив слово *который* **в правильной форме.**

М о д е л ь :

Существуют правила дорожного движения, соблюдение ... обязательно для всех водителей. —
Существуют правила дорожного движения, соблюдение которых обязательно для всех водителей.

1. Визит президента России в Китай, в ходе ... были подписаны важные документы, показал перспективы сотрудничества между двумя странами.

2. Урегулирование кризиса на Ближнем Востоке, является важной проблемой, решение ... помогло бы установить мир в этом регионе.

3. Это очень интересный человек, беседа с ... обогатит вас новыми знаниями.

4. Важнейшие принципы, на ... основывается деятельность ООН, записаны в Уставе этой организации.

5. В мире есть террористические организации, деятельность ... запрещена.

6. При прохождении паспортного контроля в аэропорту нужно знать правила, ... определены законом.

7. Много лет этот профессор работал в Московском университете, ректором ... он стал в пятьдесят лет.

8. В России принят закон о поддержке семьи, ... должен стимулировать рождаемость.

5. Укажите на признаки, свойства, качества предмета, используя сложное предложение со словом *который* **вместо двух простых предложений.**

М о д е л ь :

Я не рад встрече с этим человеком. Он обманул меня когда-то. —
Я не рад встрече с этим человеком, **который** *обманул меня когда-то.*

1. ООН расследует любой конфликт. Он может возникнуть между странами.

2. Правительством разработаны проекты развития государства. По ним страна будет развиваться в ближайшие пять лет.

3. Новый закон был внесён на обсуждение в парламент страны. Он принял закон на своём заседании.

4. Укрепляются позиции ведущих российских компаний. Они усиливают своё влияние на экономику страны.

5. Увеличивается население Китая. Он усиливает свою роль в мировой экономике.

6. Президент России говорил о демографической ситуации. Она неблагоприятна для развития государства.

7. Международная политика основывается на принципах. Они уважают независимость и права государств.

8. Растёт уровень жизни населения столицы. Она становится привлекательной для инвесторов.

6. Дополните фразу, употребив в главной части предложения указательные местоимения *тот, такой* **в правильной форме.**

М о д е л ь :

Необходимо ... решение проблемы, которое даст максимальный результат. —
Необходимо **такое** *решение проблемы, которое даст максимальный результат.*

Государство должно помогать ... людям, кто воспитывает много детей. —
Государство должно помогать **тем** *людям, кто воспитывает много детей.*

1. Следует принять ... меры, которые улучшат демографическую ситуацию.

2. Это один из ... кандидатов на пост мэра столицы, кто имеет большой опыт организационной работы.

3. ... важные реформы, которые предстоит провести в социальной сфере, требуют больших финансовых средств.

4. В любом государстве существуют ... проблемы, которые невозможно решить за короткий срок.

5. Выступающий обратился к ... людям, кто поддерживает принятие нового закона.

6. В своём докладе выступающий привёл ... аргументы, которые убедили всех присутствующих.

7. Народ любой страны хочет иметь ... власть, которая работает в интересах своих граждан.

8. Я хочу иметь ... семью, в которой было бы трое детей.

9. Мой друг относится к ... людям, кто всегда готов прийти на помощь.

10. Это было именно ... решение правительства, которое многие ждали.

7. Работаем в парах. Задайте вопросы коллегам о различных народах, населяющих их страну, и о демографической ситуации в их стране.

8. Расскажите о населении вашей страны, о населении столицы вашего государства, о населении вашего родного города. Используйте грамматические конструкции, обозначающие признаки и свойства предмета.

УРОК 6

Речевая тема. Проблемы глобализации
Грамматические темы. 1. Выражение изъяснительных отношений
2. Прямая и косвенная речь

ПРОБЛЕМЫ ГЛОБАЛИЗАЦИИ

1. Прочитайте текст. Перед чтением текста ознакомьтесь с активной лексикой урока. Уточните значение незнакомых слов по словарю и запишите их перевод на родной язык.

АКТИВНАЯ ЛЕКСИКА УРОКА

Антиглобализа́ция

Вы́года

Вы́годный, -ая, -ое

Глобализа́ция

Глоба́льный, -ая, -ое

Импорт (*чего?*) проду́кции, това́ров...

Импорти́ровать (*что?*) проду́кцию, това́ры...

Интегра́ция

Ка́мень преткнове́ния (фразеологический оборот) = неразрешимая проблема

Компью́терные техноло́гии, *мн.*

Конкуре́нция

Крах (*чего?*) поли́тики, страны́...

Однора́дность, *ж.* = однообразие

Протекциони́зм = защи́та

Проявле́ние (*чего?*) глобализа́ции, интегра́ции, проце́сса...

Разнора́дность, *ж.*

Регионализа́ция, *ж.*

Реструктури́ровать (*что?*) эконо́мику, систе́му...

Ресу́рс (*чего?*) разви́тия, эконо́мики...

Ры́нок

Си́мвол (*чего?*) успе́ха, страны́...

Сопротивля́ться (*чему?*) проце́ссу, глобализа́ции, интегра́ции...

Спад (*чего?*) разви́тия, эконо́мики...

Ста́дия

Станда́рты, *мн.* (*чего?*) потребле́ния, ка́чества проду́кции...

Страда́ть/пострада́ть (*от чего?*) от войны́, от рефо́рм, от глобализа́ции...

Техноло́гия

Транснациона́льные корпора́ции, *мн.*

Угро́за = опа́сность, *ж.*

Унифика́ция = однообра́зие

Фина́нсы, *мн.*

Формирова́ние (*чего?*) ры́нка, созна́ния, идеоло́гии...

Экспорт (*чего?*) проду́кции, това́ров...

Экспорти́ровать (*что?*) проду́кцию, това́ры...

О ГЛОБАЛИЗАЦИИ

Краткая запись беседы с научным руководителем Института проблем глобализации, доктором экономических наук М. Делягиным журналиста радиостанции «Эхо Москвы».

ЖУРНАЛИСТ: В чём состоит сущность глобализации?

ДЕЛЯГИН: Сущность глобализации состоит в формировании единого экономического, финансового и информационного пространства на базе новых компьютерных технологий. Это высшая стадия интеграции. Глобализация качественно отличается от интеграции тем, что впервые технологии стали самым выгодным бизнесом и средством массового формирования человеческого сознания. В конце 80-х — начале 90-х годов XX века изменилась форма развития человечества. До этого человечество преобразовывало окружающую среду, теперь технологии (глобальное телевидение, компьютеры, Интернет) стали изменять общественные отношения людей. С экономической точки зрения глобализация — это свободное движение товаров, финансов и информации, а также людей.

ЖУРНАЛИСТ: Скажите, глобализация — это процесс естественный, стихийный или он управляется людьми?

ДЕЛЯГИН: Это стихийный процесс, связанный с развитием технологий, но, безусловно, он ускоряется людьми, которые всё время хотят сделать что-то новое. Глобализация — это процесс, который усиливает сильных в глобальной мировой конкуренции и ослабляет слабых. Поэтому сильные участники мировой конкуренции: и наиболее развитые страны, и крупнейшие транснациональные корпорации — заинтересованы в ускорении глобализации, а более слабые — в её торможении. Причём в этом оказываются заинтересованы не только слабые страны, но и слабые социальные группы в развитых странах. Например, удивителен союз антиглобалистов: французских фермеров, которые не хотят, чтобы в их страну импортировалось продовольствие, и южнокорейских крестьян, которые хотят экспортировать своё продовольствие во Францию. Они вместе выступают против глобализации.

ЖУРНАЛИСТ: В чём, на ваш взгляд, состоит опасность глобализации для общества?

ДЕЛЯГИН: Одна из опасностей глобализации — это унификация, однообразие. Ведь одновременно со свободным распространением финансов и информации выравниваются и элементы культуры. Таким образом исчезает разнообразие, то есть источник развития. Другая опасность экономическая. В неразвитых странах возникает реальная угроза закрытия неконкурентоспособного завода, фабрики и потеря рынков. Поэтому все развитые страны осуществляют политику протекционизма, защиты своих производителей и рынков.

ЖУРНАЛИСТ: На Западе и в США отношение населения к глобализации исследуется очень активно. Ученые Ельского университета вынесли на обсуждение следующий вопрос: «Как Вы оцениваете рост международной торговли и интеграции бизнеса по отношению к своей стране — позитивно или негативно?» Оказалось, что только 28 % жителей США и Западной Европы одобряют этот процесс, меньше, чем в развивающихся странах Азии, где его одобряют 37 %, и в Центральной Африке, где этот процесс одобряют 56 %. Чем вы объясните эти цифры?

ДЕЛЯГИН: В развивающихся странах существует естественное стремление к Западу как к символу высоких стандартов потребления. Когда их спрашивают о перспективе глобализации, они отвечают всеобщим одобрением. Развивающиеся страны воспринимают процесс глобализации не как разрушение, возникающее вследствие конкуренции производств, а как возможность окунуться в «голливудскую» жизнь.

ЖУРНАЛИСТ: Каковы последствия глобализации для разных стран? И есть ли смысл сопротивляться глобалистским реформам?

ДЕЛЯГИН: Глобализация — это естественный процесс. Но одни умеют пользоваться его выгодами, а другие — нет. Выгоды от глобализации имеет, например, Швеция и граждане этой страны. Но самый яркий пример — это Финляндия, которая пострадала от распада Советского Союза. В 1991 году в Финляндии и Швеции спад валового внутреннего продукта (ВВП) составлял 25 %, но они сумели реструктурировать свою экономику. Глобализация усиливает негативные последствия неэффективного руководства страной и позитивные последствия эффективного руководства.

ЖУРНАЛИСТ: Вы говорили о разнообразии как источнике развития и об унификации. Является ли это камнем преткновения, неразрешимой проблемой, главным противоречием между глобалистами и антиглобалистами?

ДЕЛЯГИН: Антиглобалистское движение очень разнородное. Оно включает в себя движение производителей развитых стран против растущей конкуренции, протест развивающихся государств, направленный на ликвидацию конкуренции со стороны транснациональных корпораций. Оно включает и антиамериканизм, в котором существует очень сильное левое движение. После краха идей коммунизма левое движение стало развиваться в двух направлениях. Одни сторонники левой идеи пошли в ислам — в религию, которая несёт огромную социальную функцию. А другие стали антиглобалистами, считая, что борьба за справедливость — это борьба против чрезмерной глобальной конкуренции. Унификация, однородность — это тупик, невозможность развиваться. Движение антиглобалистов, антиглобализация выражает сопротивление социальной однородности.

ЖУРНАЛИСТ: Возможно ли равновесие между процессом глобализации и общественным сопротивлением?

ДЕЛЯГИН: Да, на мой взгляд, это возможно. Например, с помощью продолжающегося уже несколько лет процесса регионализации. Самый яркий пример этого — возникновение Европейского союза. Другой пример — укрепление интеграции в рамках Азиатско-Тихоокеанского региона. Ещё недавно между Китаем и Индией существовали противоречия, но они сгладились, потому что необходимо было объединять рынки не в масштабах всего мира, а в масштабах региона. Это дало больше возможностей для разнообразия и для успешного развития стран.

ЖУРНАЛИСТ: Как, по вашему мнению, через 100 лет изменится мир в результате стремления людей к единому экономическому и информационному пространству?

ДЕЛЯГИН: Я думаю, что мир переживёт серьезные катаклизмы, но человечество останется единым и одновременно разным и будет развиваться дальше.

(По материалам беседы с научным руководителем Института проблем глобализации М. Делягиным. Интернет-сайт: www.echo.msk.ru)

Вопросы к тексту.

1. В чём состоит сущность глобализации?

2. В какой исторический период начала активно развиваться глобализация?

3. Является ли глобализация процессом естественным или она управляется людьми?

4. Кто выигрывает и кто проигрывает в глобальной мировой конкуренции?

5. Какую опасность представляет глобализация для разных народов?

6. Как оценивают результаты процесса глобализации жители США и Центральной Африки?

7. Как политика руководства страны влияет на последствия глобализации?

8. В каких двух направлениях стало развиваться левое движение после краха коммунистической идеи?

2. Выделите общую часть в словах.

интеграция	глобальный	финансовый	информация
интегрироваться	глобализация	финансы	информационный
интеграционный	антиглобалист	финансист	информировать
интегрировать	глобалист	финансировать	информатор
дезинтеграция	антиглобализация	финансирование	дезинформация

3. Проанализируйте сложные слова из текста. Скажите, от каких слов они образованы.

Транснациональные (корпорации), южнокорейские (крестьяне), однообразие, разнообразие, международная (торговля), одновременно.

4. Выделите суффикс в словах *глобализация, корпорация, интеграция*. **Скажите, какое значение имеет этот суффикс: лица, предмета, процесса или признака. С помощью этого суффикса образуйте слова от следующих глаголов.**

Демонстрировать, информировать, унифицировать, оперировать, регистрировать, девальвировать, транслировать, эмигрировать, деградировать, эвакуировать, специализироваться.

5. Соедините близкие по значению слова и словосочетания.

высшая стадия	защита
преобразовывать природу	результаты
естественный процесс	столкновение, спор
конфликт	высшая ступень
последствия	однообразие
импортировать	изменять природу
унификация	опасность
протекционизм	стихийный процесс
угроза	ввозить в свою страну из другой

6. Подберите антонимы к словам, используя материал для справок.

управляемый процесс — ...

ослаблять — ...

торможение — ...

экспортировать — ...

выступать «за» — ...

разнообразие — ...

отечественные товары — ...

дорогие товары — ...

отрицательная оценка — ...

подъём экономики — ...

М а т е р и а л   д л я   с п р а в о к:

импортные товары, стихийный процесс, спад экономики, дешёвые товары, ускорение, выступать «против», однообразие, усиливать, положительная оценка, импортировать.

Обратите внимание!

Похожие слова имеют разное значение.

Глоба́льный, -ая, -ое «Распространяющийся на весь мир, на весь земной шар» (*глобальная конкуренция, проблема; глобальный масштаб, подход; глобальное потепление климата*)

Глобали́стский, -ая, -ое «Связанный с движением глобалистов — сторонников глобализации» (*глобалистские идеи; глобалистское движение*)

Те́хника, только ед. «Средства труда, машины, устройства, которые используются для создания материальных ценностей» (*современная, строительная, противопожарная, снегоуборочная техника*)

Техноло́гия «Методы и процессы, которые применяются в производстве» (*передовая, современная, отсталая, устаревшая технология*)

Конкуре́нция «Соперничество, борьба за первенство, лидерство» (*конкуренция компаний, фирм, товаропроизводителей, стран*) **Вне конкуренции** (*фраз.*) «Выше всякого сравнения»

Конкурентоспосо́бность «Способность товаров, продукции, услуг конкурировать на рынке» (*высокая, низкая конкурентоспособность*)

7. Дополните предложение подходящим по смыслу словом в правильной форме.
глоба́льный, глобали́стский

1. ... идеи основываются на том, что глобализация — это объективный процесс и остановить её невозможно.

2. Главными участниками ... конкуренции являются транснациональные корпорации.

те́хника, техноло́гия

3. Управлять современной ... может только квалифицированный специалист.

4. При производстве компьютеров используются современные ...

конкуре́нция, конкурентоспосо́бность

5. На мировом рынке автомобилей наиболее сильная ... наблюдается между германскими и японскими компаниями.

6. Чтобы стать лидером на мировом рынке, необходимо повышать ... своей продукции.

8. Употребите слова в скобках в правильной форме.

Формирование *чего?* (единое пространство, мировой рынок, мировая экономика, общество, организация, движение, руководство, правительство);

стадия *чего?* (развитие, процесс, объединение, интеграция, глобализация, объединение);

преобразовывать, изменять *что?* (окружающая среда, общественные отношения, страна, система, экономика, мировой рынок);

участник *чего?* (мировая конкуренция, интеграция, глобализация, организация, объединение, движение, мировой рынок);

распространение *чего?* (финансы, информация, научные открытия, технические достижения, изобретения);

источник *чего?* (развитие, движение, прогресс, информация, вдохновение);

последствия, результаты *чего?* (развитие, процесс, объединение, интеграция, глобализация);

пользоваться *чем?* (выгода, результат, последствия, плоды, успехи, достижения, научные открытия, технические изобретения);

выгода *от чего?* (объединение, интеграция, глобализация, объединение, мировая конкуренция, мировой рынок);

противоречия *между кем? между чем?* (конкуренты, партнёры, глобалисты и антиглобалисты, страны, государства, Китай и Индия, Россия и Япония, Израиль и Палестина).

9. Сообщите о вопросе, просьбе, реальном действии, побуждении к действию, используя сложное предложение с союзами *что, чтобы, где, ли* **и др. вместо прямой речи.**

М о д е л ь:

Журналист спросил: «Глобализация отличается от интеграции?» — *Журналист спросил, отличается ли глобализация от интеграции.*

1. Журналист спросил: «В чём состоит сущность глобализации?»

2. Учёный ответил: «Сущность глобализации состоит в формировании единого экономического, финансового, информационного пространства».

3. Журналист сообщил: «На Западе отношение к глобализации населения исследуется очень активно».

4. Учёный сказал: «В неразвитых странах Запад воспринимается как символ высоких стандартов потребления».

5. Журналист попросил: «Объясните, в чём состоит опасность глобализации?»

6. Учёный объяснил: «Опасность глобализации состоит в унификации различных национальных культур».

7. Журналист задал вопрос: «Возможно ли равновесие между глобализацией и обществом?»

8. Учёный ответил: «На мой взгляд, это возможно».

9. Журналист спросил учёного: «Как влияет глобализация на развитие разных стран?»

10. Учёный ответил: «Глобализация усиливает высокоразвитые страны и ослабляет слаборазвитые страны».

10. Потренируйтесь в письме.

1. Используя информацию из текста, дайте определение понятию «глобализация» с экономической точки зрения.

2. Перечислите основные опасности, которые несёт глобализация современному обществу.

3. Запишите примеры достижения равновесия между процессом глобализации и общественным сопротивлением, которые профессор М. Делягин приводит для подтверждения своей точки зрения.

Готовимся к дискуссии

Как выразить уверенность

Я уверен, что …
Я убеждён в том, что …
Я не сомневаюсь в том, что …
Это не вызывает у меня никаких сомнений.
Это абсолютно справедливо.

---

11. Примите участие в дискуссии. Используйте выражения, которые при обсуждении вопросов помогают высказать уверенность.

1. Участвует ли ваша страна в мировой интеграции, в глобализации? Какие формы участия вашей страны в мировой интеграции проявляются наиболее ярко? Назовите несколько примеров.

2 Как относится ваше общество и как относитесь лично вы к глобализации? Проходят ли в вашей стране митинги и демонстрации против глобализации? Каковы требования антиглобалистов в вашей стране?

3 Грозит ли, по вашему мнению, глобализация развитию национальной культуры в вашей стране? Приведите аргументы в пользу вашей точки зрения.

4 Осуществляет ли правительство вашей страны политику протекционизма — защиты отечественных производителей и своего национального рынка от международной конкуренции? Назовите примеры.

5 Участвует ли ваша страна в региональной интеграции? В чем выражается этот процесс?

ГРАММАТИКА

1. ВЫРАЖЕНИЕ ИЗЪЯСНИТЕЛЬНЫХ ОТНОШЕНИЙ

Изъяснительные отношения выражаются в русском языке в сложном (сложноподчинённом) предложении. Изъяснительные предложения поясняют, объясняют, раскрывают содержание слова в главной части сложного предложения. Зависимая часть указывает на реальный факт (событие).

Зависимая часть относится к слову в главной части, поясняя его содержание.

Зависимая часть присоединяется к главной части с помощью специальных союзов **что, чтобы, ли, как, будто, кто, какой, чей, сколько, где, куда, откуда, когда, почему, зачем**.

П р и м е р ы :   Я уверен, **что** всё будет хорошо.

Мы не поняли, **как** могла случиться беда.

Никто не знает, **сколько** времени нужно для решения этой проблемы.

Я не знал, **чья** это была идея.

1. Изъяснительные конструкции с союзом **ЧТО** указывают на реальный факт (который был, есть или будет), они поясняют, раскрывают содержание слова в главной части предложения. Зависимая часть с союзом **что** поясняет:

а) Глаголы речи, сообщения, передачи информации (*говорить, рассказывать, сообщать, утверждать, отрицать, отмечать, писать, указывать* и др.).

П р и м е р ы :   Брат **сказал, что** встретит меня.

По радио **сообщили, что** погода изменится.

Друзья **написали, что** приедут ко мне летом.

б) Глаголы, обозначающие мысли (*думать, считать, забывать, понимать* и др.) и восприятие информации (*видеть, слышать, прочитать, знать, чувствовать, вспоминать, узнать, казаться* и др.).

Примеры: **Я думаю, что** вы правы.

Студенты **узнали, что** завтра будет консультация.

в) Глаголы, обозначающие чувства, эмоции (*бояться, удивлять, нравиться, радовать, волновать, тревожить, беспокоить, огорчать, успокаивать* и др.) или краткие прилагательные и причастия (*понятно, ясно, известно, важно, хорошо, плохо, интересно; рад, доволен, счастлив, удивлён, огорчён, уверен, убеждён* и др.)

Примеры: **Я боюсь, что** не сдам экзамен.

Я рад, что познакомился с вами.

Я удивлён, что ты не выполнил обещания.

Обратите внимание!

Зависимая часть изъяснительного предложения может присоединяться к местоимению **то** в главной части и раскрывать его содержание. Падеж местоимения **то** зависит от глагола (или другого слова) главной части предложения.

то, что
  кто
  как
  сколько
  куда
  где и другие

Примеры: Мне нравится в нём **то, что** он всегда спокоен и доброжелателен.
Дело **в том, что** нам нужен ваш совет.
Успех зависит **от того, кто** будет руководить проектом.
Мы убедились **в том, как** были не правы вначале.

Запомните!

Устойчивые словосочетания

глагол + **то** в падежной форме	сущ. + **то** в падежной форме
состоять в том,	дело в том, что
заключаться в том,	мысль о том, что
исходить из того,	вывод о том, что
начать(ся) с того,	стремление к тому, что,
кончить(ся) тем,	вера в то, что
свидетельствовать о том,	надежда на то, что
связывать с тем, что	результат того, что

2. Изъяснительные конструкции с союзом **ЧТОБЫ** используются:

а) При выражении желания, поясняя глаголы: *хотеть, желать, стремиться, мечтать, любить.*

Примеры: **Я хочу, чтобы** друг приехал.

Я мечтаю, чтобы на встречу Нового года собралась вся семья.

Я хочу, чтобы вы закончили эту работу завтра.

б) При выражении просьбы, необходимости, требования, поясняя глаголы: *просить, советовать, рекомендовать, приказывать, предлагать, требовать, разрешать, сказать (в знач. «попроси́ть»), повторять, писать* и др.; поясняя существительные: *просьба, приказ, предложение*; поясняя модальные слова: *нужно, надо, необходимо* и др.

П р и м е р ы: Он **попросил, чтобы** я позвонил завтра.

Руководитель **дал приказ, чтобы** работа была закончена завтра.

Необходимо, чтобы вы закончили эту работу завтра.

в) При выражении мысли, восприятия с отрицанием (в некоторых случаях): *не видел, не слышал, не помню, не думаю, не верю* и др.

П р и м е р ы: Я **не думаю, чтобы** она забыла о моей просьбе.

Не помню случая, **чтобы** этот человек не выполнил своего обещания.

Я никогда **не слышал, чтобы** отец кричал на детей.

Запомните!

В зависимой части сложного предложения с союзом **чтобы** предикат стоит в форме прошедшего времени.

П р и м е р ы: Дети хотели, **чтобы** праздник **не кончался**.
Мы старались, **чтобы** на празднике всем **было весело**.

Нужно различать изъяснительные конструкции с союзом **что** и с союзом **чтобы**.

Изъяснительные конструкции с союзом **что** указывают на реальный факт (который был, есть или будет), они только сообщают информацию.

Изъяснительные конструкции с союзом **чтобы** указывают на желательность, возможность, необходимость выполнения действия, являются побуждением к действию. Глагол всегда стоит в форме прошедшего времени.

С р а в н и т е: Он сказал, **что** все студенты пришли на лекцию (констатация факта).
Он сказал, **чтобы** все студенты пришли на лекцию (желательность, необходимость действия).

Если в зависимой части есть модальные слова **должен, надо, необходимо, нужно, запрещено** и др. с инфинитивом, то союз **чтобы** не употребляется.

С р а в н и т е: Отец сказал, **чтобы** я **помог** брату.
Отец сказал, **что** я **должен помочь** брату.
Объявление сообщало, **чтобы** сотрудники **не курили** в комнате.
Объявление сообщало, **что** сотрудникам **запрещено курить** в комнате.

---

3. Изъяснительные конструкции с союзом **КАК** (= каким образом, насколько, до какой степени) указывают на характер процесса, особенности совершения действия (а при союзе **что** мы лишь констатируем факт).

П р и м е р ы: Родителей всегда волнует, **как** (каким образом) сложится жизнь детей.

Интересно, **как** (каким образом) тебе удалось попасть на этот концерт.

88

Удивительно, **как** (насколько) трудно иногда понять близкого человека.

4. Изъяснительные конструкции с союзом **ЛИ** употребляются:

а) При выражении неуверенности, сомнения в реальности фактов. Союз **ли** стоит не в начале зависимой части, а после первого слова, к которому он относится. Союз **ли** акцентирует это слово, несущее главную информацию, он выделяет и подчёркивает его. Используются слова: *сомневаюсь, интересно, не уверен, не знаю, трудно сказать* и др.

П р и м е р ы: Интересно, **придёт ли** он завтра на занятия.

Трудно сказать, **станет ли** этот спортсмен чемпионом.

Я начал сомневаться, **правильно ли** я поступил в этой ситуации.

б) Для передачи общего вопроса без вопросительного слова. Зависимая часть присоединяется союзом **ли**, который стоит после первого слова зависимой части (*спросить, задать вопрос, поинтересоваться*), которое несёт главную информацию.

П р и м е р ы: Он спросил у нас, **были ли** мы на лекции.

Брат поинтересовался, **поеду ли** я на каникулы на море.

ЗАДАНИЯ

1. Дополните фразу, употребив местоимение *то* **в правильной форме.**

1. Трудность переговоров состоит в ... , что делегации двух стран не могут прийти к согласию.

2. Строительство начинается с ... , что архитекторы создают проект здания.

3. Успех спортсмена на соревнованиях свидетельствует о ... , что он много тренировался.

4. Фильм кончается ... , что главный герой гибнет на войне.

5. Надежда на ... , что успех обязательно придёт, помогает в работе.

6. Консультация начнётся с ... , что профессор ответит на все вопросы студентов.

7. Мысль о ... , что родители и друзья поддерживают его, помогала ему в жизни.

8. Проблема столицы заключается в ... , что сюда приезжает много людей из других регионов страны.

2. Дополните фразу, употребив подходящий по смыслу союз *что* **или** *чтобы*.

1. Современная молодёжь равнодушна к тому, ... происходит в обществе.

2. Необходимо, ... огромная разница в уровне жизни богатых и бедных уменьшалась.

3. Родители посоветовали, ... я поступал на медицинский факультет университета.

4. В деканате сообщили, ... экзамен перенесли на следующую неделю.

5. Все болельщики футбольной команды уверены, ... она выйдет в финал.

6. Президенты двух стран убеждены, ... экономическое и культурное сотрудничество между странами будет успешно развиваться.

7. Друзья мечтали о том, ... путешествие в Россию было интересным.

8. Все стремятся к тому, ... жизнь стала счастливой.

9. Профессор попросил, ... на лекции все отключили мобильные телефоны.

10. Друзья предложили, ... бывшие одноклассники собрались в школе.

11. Известно, ... климат на нашей планете меняется.

12. Я не думаю, ... мой лучший друг обманул меня.

3. **Сообщите о реальном действии или о желательности выполнения действия, заменив простое предложение сложным с союзом** *что* **или** *чтобы* **и используя слова в скобках в правильной форме.**

М о д е л ь:

1. Россия стремится к **дружбе** со всеми странами. (дружить) — *Россия стремится к тому,* ***чтобы дружить*** *со всеми странами.*

2. Известно о **существовании** международного проекта в области космоса. — *Известно,* ***что существует*** *международный проект в области космоса.*

1. Родители желают счастья своим детям. (счастлив)

2. Мои друзья обещали прийти ко мне в гости вечером. (прийти)

3. Фирмы заинтересованы в развитии партнёрских отношений. (развивать)

4. Известно о тесной связи экономики и политики. (связан)

5. Необходимо проведение эффективной социальной политики в стране. (проводиться)

6. Необходимо обязательное выполнение договора всеми участниками. (выполнять)

7. Россия предложила представителям двух стран начать переговоры. (начать)

8. Задача руководителя фирмы заключается в расширении производства. (расширить)

9. Все заинтересованы в прекращении военного конфликта. (прекратиться)

10. В статье подчёркивается взаимная польза сотрудничества между странами. (взаимно полезен).

2. ПРЯМАЯ И КОСВЕННАЯ РЕЧЬ

Замена прямой речи косвенной осуществляется в форме сложноподчинённого предложения с зависимой изъяснительной частью. При выражении просьбы, совета, требования, замена осуществляется и в форме простого предложения.

В качестве главной части предложения выступают слова того, кто говорит. Зависимая часть присоединяется к главной союзами **что** (констатация факта), **чтобы** (побуждение к действию), **ли** (косвенный вопрос), вопросительными словами **(как, какой, сколько, почему, где, куда, когда** и др.)

При переводе прямой речи в косвенную изменяются формы личных и притяжательных местоимений, формы глагола.

Если в прямой речи есть обращение, то в косвенной речи обращение можно не употреблять или употребить в роли члена предложения (субъекта или объекта).

Пример: Анна попросила: «Катя, расскажи о своём путешествии!»

Анна попросила Катю, чтобы она рассказала о своём путешествии.

Анна попросила, чтобы Катя рассказала о своём путешествии.

1. Кто сказал кому: « ... »	Значение
Друг сказал мне: «Завтра у меня будет экзамен». «Москва — прекрасный город». «Вчера я ходил в кино».	Информация, сообщение о факте (событии, действии)
Кто сказал кому, что ...	
Друг сказал мне, **что** завтра **у него** будет экзамен. Москва — прекрасный город. вчера **он** ходил в кино.	
2. Кто сказал кому: « ... »	Просьба, совет, пожелание, предложение, требование
Девушка сказала мне: (попросила) «Дай мне свой словарь». «Откройте, пожалуйста, окно». «Передай привет Олегу». Андрей сказал (предложил): «Давайте пойдём в кино».	
Кто сказал кому, чтобы ...	
Девушка (попросила) сказала, **чтобы** **я** дал **ей** свой словарь. **мы** открыли окно. **я** передал привет Олегу. Андрей **предложил пойти** в кино.	
3. Кто спросил кого: « ... »	Вопросительные предложения с вопросительными словами: где, когда, как, сколько, какой, почему, куда и др.
Он спросил меня: «Где ты живёшь?» «Сколько тебе лет?» «На каком факультете ты учишься?»	
Кто спросил кого, ...	
Он спросил меня, **где я живу**. **сколько мне** лет. **на каком** факультете **я учусь**.	
4. Кто спросил кого: « ... »	Вопросительные предложения БЕЗ вопросительного слова.
Она спросила меня: «У тебя есть брат или сестра?» «Вы давно здесь живёте?» «Ты придёшь завтра на лекцию?»	
Кто спросил кого, ... ли ...	
Она спросила меня, есть **ли у меня** брат или сестра. давно **ли мы** здесь живём. приду **ли я** завтра на лекцию.	

ЗАДАНИЯ

1. Ответьте на вопросы, выражая сомнение, неуверенность.

М о д е л ь:

    — Анна вышла замуж?

    — *Я не знаю, вышла ли Анна замуж.*

1. — Андрей купил машину?
2. — Ты поедешь завтра на экскурсию?
3. — Родители поедут отдыхать летом на море?
4. — Экзамен по литературе будет в среду?
5. — Они ездили в Петербург на экскурсию?
6. — Этот студент приехал в Москву из Франции?
7. — Завтра будет жаркая погода?
8. — Японская фирма хочет построить автомобильный завод в России?
9. — Французские студенты добились отмены несправедливого закона?
10. — Правительство страны опасается выступлений оппозиции?

2. Дайте отрицательный ответ на вопросы, выражая уверенность в совершении действия в будущем.

М о д е л ь:

    — Пригласил ли ты Таню на день рождения?

    — *Нет ещё, но обязательно приглашу.*

1. — Купил ли ты новый компакт-диск?
2. — Познакомился ли ты с русской девушкой?
3. — Позвонил ли ты домой родителям?
4. — Перевёл ли ты текст?
5. — Посмотрел ли ты новый фильм?
6. — Сделал ли ты домашнее задание?
7. — Побывал ли ты на выставке картин молодых художников?
8. — Ответили ли вы на письмо, присланное по электронной почте?
9. — Поздравили ли вы бабушку с юбилеем?
10. — Передали ли вы Сергею привет от меня?

3. Сообщите о вопросе, просьбе, реальном действии, побуждении к действию, используя сложное предложение с союзами *что, чтобы, где, ли* **и др. вместо прямой речи.**

М о д е л ь:

    Студент спросил преподавателя: «Завтра будет консультация?» — *Студент спросил преподавателя, будет ли завтра консультация.*

1. Я спросила Андрея: «Где ты будешь отдыхать летом?»

2. Родители предложили: «Давайте пригласим в гости родственников и друзей!»

3. Журналист спросил бизнесмена: «В чём заключается секрет успеха в бизнесе?»

4. Контролёр вошёл в автобус и сказал: «Пассажиры, предъявите ваши билеты».

5. Олег спросил меня: «У тебя есть машина?»

6. Профессор сообщил студентам: «Консультация состоится завтра».

7. Друзья сказали: «Фильм очень интересный».

8. Анна спросила: «Вам понравилась поездка в Европу?»

9. Мать попросила: «Купи в магазине фрукты».

10. Брат спросил: «Ты много фотографировал во время поездки?»

11. Прохожий на улице спросил меня: «Где находится станция метро?»

12. Друг спросил меня: «Ты читал новый роман известного писателя?»

4. Сообщите о вопросе, просьбе, пожелании, реальном действии, побуждении к действию, дополнив предложения.

1. Известно, что ...

2. Необходимо, чтобы ...

3. Я рада, что ...

4. Все родители хотят, чтобы ...

5. Меня удивляет, что ...

6. В газетах сообщается, что ...

7. Все удивлены, как ...

8. Правительство страны стремится к тому, чтобы ...

9. Хорошо, что ...

10. Мы убеждены, что ...

11. Надо, чтобы ...

12. Важно, чтобы ...

13. Друзья спросили, где ...

14. Плохо, что ...

5. Задайте вопрос, выскажите просьбу, сообщение о реальном действии, побуждение к действию, используя прямую речь вместо косвенной.

М о д е л ь :

Журналист спросил, опасна ли глобализация для общества. — *Журналист спросил: «Глобализация опасна для общества?»*

1. Журналист спросил учёного, в чём состоит сущность глобализации.

2. Учёный ответил, что сущность глобализации состоит в формировании единого экономического, финансового и информационного пространства.

3. Журналист сообщил, что на Западе активно изучается отношение населения к глобализации.

4. Учёный сказал, что в слаборазвитых странах Запад воспринимается как символ высоких стандартов потребления.

5. Журналист попросил объяснить, в чём состоит опасность глобализации.

6. Учёный объяснил, что главная опасность глобализации состоит в унификации различных национальных культур.

7. Журналист задал вопрос, уверен ли профессор в возможности равновесия между глобализацией и обществом.

8. Учёный ответил, что на его взгляд это возможно.

9. Журналист спросил учёного, как влияет глобализация на развитие разных стран.

10. Учёный ответил, что глобализация усиливает негативные последствия от неэффективного руководства страной и позитивные — от эффективного руководства.

6. **Работаем в парах. Задайте вопросы коллегам о разных формах проявления глобализации в их стране. Запишите вопросы и ответы в косвенной форме.**

7. **Составьте короткий диалог, в котором задаются вопросы, выражается сообщение о факте, просьба или совет. Затем замените прямую речь косвенной, используя союзы** *что, чтобы, ли* **и вопросительные слова.**

Речевая тема. Антиглобалисты — противники глобализации
Грамматическая тема. Выражение целевых отношений

АНТИГЛОБАЛИСТЫ — ПРОТИВНИКИ ГЛОБАЛИЗАЦИИ

1. **Прочитайте текст. Перед чтением текста ознакомьтесь с активной лексикой урока. Уточните значение незнакомых слов по словарю и запишите их перевод на родной язык.**

АКТИВНАЯ ЛЕКСИКА УРОКА

Альтернати́ва
Альтернати́вный, -ая, -ое
Антиглобали́ст
Антиглобали́стский, -ая, -ое
Атмосфе́ра = обстано́вка
Больша́я восьмёрка (Группа ведущих экономически развитых стран мира)
Бюдже́т
ВТО (Всеми́рная торго́вая организа́ция)
Вы́годный, -ая, -ое
Вы́зов
Глобализа́ция
Гражда́нское о́бщество
Движе́ние (*какое?*) обще́ственное...
Демокра́тия
Диало́г = разгово́р
Докуме́нт
Имидж = о́браз
Интегра́ция = объедине́ние (*чего?*) эконо́мик, культу́р...
Коммерциализа́ция (*чего?*) образова́ния, медици́нского обслу́живания
Конструкти́вный, -ая, -ое
Корпора́ция

Легити́мный, -ая, -ое = зако́нный
Ли́дер
Междунаро́дный валю́тный фонд (МВФ)
Наси́лие
НАТО (Се́веро-атланти́ческий военно-полити́ческий блок)
Оппозицио́нный, -ая, -ое
Па́ртия (*какая?*) пра́вящая, оппозицио́нная, социалисти́ческая...
Приорите́т = пе́рвенство, главе́нство
Провока́ция
Проте́ст (*какой?*) ма́ссовый, гражда́нский, акти́вный
Протестова́ть (*против чего?*) про́тив поли́тики, про́тив войны́
Профсою́зы (*мн.*)
Публи́чный, -ая, -ое = откры́тый для о́бщества
Ра́звитый, -ая, -ое
Сеть, *ж.*
Социа́л-демократи́ческий, -ая, -ое
Террори́зм
Транснациона́льный, -ая, -ое
Фо́рум = съезд = собра́ние

Запись беседы журналиста радиостанции «Эхо Москвы» с координатором общероссийского движения антиглобалистов «Альтернатива» («альтерглобалистов»), профессором МГУ им. М.В. Ломоносова А. Бузгалиным.

ЖУРНАЛИСТ: Уважаемый профессор! Когда я смотрю новости по телевизору, у меня создаётся впечатление, что антиглобалисты — это люди, которые во время международных экономических форумов или встреч лидеров стран Большой восьмёрки устраивают на улицах городов беспорядки: громят магазины, сжигают машины, нападают на полицейских — то есть совершают хулиганские действия.

БУЗГАЛИН: К сожалению, в средствах массовой информации (СМИ) создаётся такой имидж этого движения, хотя на самом деле это едва ли не главное оппозиционное движение в современном мире, причем весьма конструктивное, выступающее с программой иного возможного способа интеграции народов, экономик и культур.

ЖУРНАЛИСТ: Что такое, на ваш взгляд, глобализация? Как вы её понимаете?

БУЗГАЛИН: Глобализация — это объективный процесс интеграции экономик и культур разных народов, который происходит в мире и которому противостоять невозможно. Но интегрироваться можно по-разному. Сегодня господствующее положение занимают транснациональные корпорации, которые придерживаются следующей точки зрения: что выгодно нам — выгодно всему миру. Есть блок НАТО, считающий, что только он вправе решать, где и как применять военную силу. С другой стороны, есть альтернативный взгляд на интеграцию, предлагающий миру социал-демократическую модель в международном масштабе. Согласно этой модели гражданское общество должно контролировать деятельность транснациональных корпораций и правительств; во всех странах должны быть единые экологические нормы, единые условия труда, решение социальных проблем, общедоступное образование.

ЖУРНАЛИСТ: Хотелось бы спросить о провокациях антиглобалистов. Почему во время демонстраций протеста всегда громят рестораны «Макдоналдс»?

БУЗГАЛИН: Действительно, нередко происходят прямые столкновения антиглобалистов с полицией, которые обычно показывают по телевидению. Это бывает, когда все попытки добиться прямого диалога с лидерами большой восьмёрки, Всемирной торговой организации (ВТО) или Международного валютного фонда (МВФ) заканчиваются без результата. Вот тогда в действие вступает группа анархиствующей молодёжи. Ну а «Макдоналдс» для антиглобалистов — это символ американского образа жизни, американского стандарта, подчиняющего себе все остальные национальные культуры.

ЖУРНАЛИСТ: Расскажите о международных форумах антиглобалистов.

БУЗГАЛИН: Всемирные социальные форумы проходят в разных странах мира: в Индии, в Африке, в Венесуэле, в Греции. На шестом Всемирном форуме в Венесуэле в 2006 году собралось около пяти тысяч представителей различных социальных движений, профсоюзных и образовательных организаций, экологических, женских, молодежных движений. На форуме, обсуждались проблемы образования, энергии, экологии, профсоюзов, проблемы участия рабочих в управлении предприятиями. Форум принял документ, посвящённый иной, альтернативной, модели интеграции.

Мировое социальное хозяйство, реальная демократия снизу и приоритет гражданского общества, «нет войне» — вот принципы этого документа.

ЖУРНАЛИСТ: При огромном количестве людей не возникала ли на форуме в Венесуэле опасность терроризма? Или вы для террористов не представляете интереса?

БУЗГАЛИН: Совершенно верно. Терроризм — это ответ на легитимное насилие, то есть насилие, которое признано законным, моральным, принадлежит фактически НАТО и больше никому.

Социальные форумы — это механизмы, при помощи которых гражданское общество, считающее, что возможна другая модель глобализации, другой тип экономики, общества и социальной жизни, создают мирную альтернативу для человечества.

ЖУРНАЛИСТ: Откуда у антиглобалистов деньги на организационную деятельность, на поездки на международные форумы?

БУЗГАЛИН: Во-первых, на 90 % работа форума организуется людьми, которые трудятся бесплатно. Например, весь синхронный перевод на Венесуэльском форуме бесплатно осуществляли несколько тысяч переводчиков. Для форума выбирают место, где город или страна предоставляет залы практически бесплатно. Во-вторых, есть бюджет, который складывается из взносов неправительственных организаций: профсоюзных, экологических, женских. Средства собирают профсоюзы фермеров из Европы, которые страдают от глобализации, деньги дают и мелкие компьютерные компании, разоряемые транснациональными корпорациями. Так создаётся международный фонд солидарности, помогающий приехать на форум людям со всех концов мира. Обычно люди едут автобусами или автостопом. Спят они не в гостиницах, а в городских парках в спальных мешках. Питание и визу каждый оплачивает себе сам.

ЖУРНАЛИСТ: Кто такие российские антиглобалисты — «альтерглобалисты»? Какие социальные группы населения представляют это движение в России?

БУЗГАЛИН: Это люди из независимых профсоюзов, защищающие интересы своих трудовых коллективов, это представители движения «Образование для всех», которые хотят, чтобы вузы оставались государственными, а образование бесплатным, это представители организации чернобыльцев (так в России называют людей, работавших при ликвидации аварии — взрыве на атомной станции в г. Чернобыле в СССР в 1986 г. и получивших дозу радиоактивного облучения, опасного для здоровья), это студенческие профсоюзы.

ЖУРНАЛИСТ: В чём, на ваш взгляд, заключается главная трудность в деятельности антиглобалистов в России?

БУЗГАЛИН: Главная проблема состоит в том, что нет общероссийских газет, телеканалов, радиоканалов, которые предоставили бы возможность выступать критикам существующей модели экономической и социальной политики.

ЖУРНАЛИСТ: Есть ли у альтерглобалистов политические цели, например стремление оформиться в некие партии или прийти к власти?

БУЗГАЛИН: Наше движение носит характер сети. Мы стремимся при помощи демократических, массовых действий изменить мышление людей и само общество. Но прийти к власти сеть не может. Как только антиглобалистская сеть пытается превратиться в организацию с уставом, регистрацией и амбициями прихода к власти, она превращается в обычную оппозиционную партию.

ЖУРНАЛИСТ: Какими вы видите оптимальные взаимоотношения вашего движения с Большой восьмёркой, с крупнейшими развитыми странами?

БУЗГАЛИН: Прежде всего мы не стремимся к победе всемирного антиглобализма. Но наше движение поможет создать другую атмосферу в мире, другие отношения. Необходим открытый публичный диалог представителей антиглобалистских движений с руководителями Большой восьмёрки, с лидерами транснациональных корпораций. Такие открытые встречи в присутствии прессы могли бы помочь решению многих проблем.

(По материалам Интернет-сайт www.echo.msk.ru)

Вопросы к тексту.

1. Какое впечатление об антиглобалистах создаётся у людей после просмотра теленовостей?

2. Как понимает глобализацию профессор А. Бузгалин и возможно ли, по его мнению, остановить этот процесс?

3. Какой взгляд на международную интеграцию предлагают антиглобалисты?

4. В какой стране состоялся 6-й Всемирный социальный форум и какие проблемы обсуждались на этом форуме?

5. Как профессор А. Бузгалин объясняет причины терроризма?

6. Откуда антиглобалисты берут деньги для проведения социальных форумов?

7. Какие социальные группы людей представляют движение российских антиглобалистов?

8. Как профессор А. Бузгалин представляет себе оптимальные отношения между движением антиглобалистов и руководством крупнейших экономически развитых стран мира?

2. Выделите общую часть в словах.

глобальный	оппозиция	демократия	социальный
глобализм	оппозиционный	демократический	социализм
антиглобалист	позиция	демократ	социалист
глобалист	оппозиционер	демократизм	антисоциальный
глобализация	позиционировать	демократичный	социалистический

3. Проанализируйте сложные слова из текста. Скажите, от каких слов они образованы.

Транснациональные (корпорации), общедоступное (образование), самоуправление, всемирный (форум), международный (фонд), общероссийские (газеты), взаимоотношения.

4. Выделите приставку в словах *антиглоба̀ли́ст, антѝглобали́стский, антѝдемократи́ческий*. **Скажите, какое значение имеет эта приставка, характерная для слов публицистического стиля. С помощью этой приставки образуйте существительные и прилагательные от следующих слов:**

а) фашист, коммунист, марксист, террорист;

б) научный, исторический, общественный, гуманный, религиозный, правительственный, государственный, террористический.

5. Соедините близкие по значению слова и словосочетания.

интеграция	конфликт, враждебные отношения
господствовать	объединение
альтернативный	интернациональный
столкновение	первенство
заканчиваться без результата	обладать властью
международный	другой, противоположный
полномочия	заканчиваться безрезультатно
приоритет	законный
легитимный	права

6. Подберите антонимы к словам, используя материал для справок.

глобалист — ...

субъективный процесс — ...

правительственные организации — ...

первый форум — ...

создавать организацию сверху — ...

демократическая акция — ...

работать за деньги, за плату — ...

минус — ...

Материал для справок:

работать бесплатно, создавать организацию снизу, неправительственные организации, объективный процесс, антидемократическая акция, плюс, антиглобалист, последний форум.

Обратите внимание!

Похожие слова имеют разное значение.

Социа́льный, -ая, -ое «Связанный с жизнью людей в обществе; общественный» (*социальный процесс, закон; социальная проблема, наука; социальное обеспечение*)

Социалисти́ческий, -ая, -ое «Связанный с социализмом — общественным устройством, основанном на социальной справедливости, свободе, равенстве» (*социалистическая система, революция, идея; социалистическое учение, движение; социалистическая партия, теория; социалистические принципы*)

Трудово́й, -ая, -ое «Связанный с трудом» (*трудовое соглашение, законодательство; трудовой договор, коллектив; трудовые деньги, сбережения*)

Тру́дный, -ая, -ое «Требующий большого труда, больших усилий, большого умственного или физического напряжения» (*трудный вопрос, текст: трудная проблема, задача, ситуация, жизнь*)

Еди́ный, -ая, -ое «Общий для всех» (*единый план, подход; единые правила, проблемы*)

Еди́нственный, -ая, -ое «Только один; исключительный» (*единственный сын, ребёнок; единственное решение*)

7. Дополните предложение подходящим по смыслу словом в правильной форме.

социа́льный, социалисти́ческий

1. ... идеи выражают надежды людей на справедливое устройство общества.
2. В период экономического кризиса ... положение граждан ухудшается.

трудово́й, тру́дный

3. На ... вопрос нельзя дать быстрый ответ.
4. Когда работник оформляется на работу, он подписывает ... договор.

еди́ный, еди́нственный

5. Для всех стран — участниц Европейского союза существуют ... требования и обязательства.
6. Прекращение военных действий было ... правильным решением конфликта.

8. Употребите слова в скобках в правильной форме.

Создавать/создать *что?* (впечатление, имидж, представление, организация, движение, проект, предприятие, компания, фирма);

способ *чего?* (интеграция, объединение, развитие, действие, существование, деятельность);

интеграция *кого? чего?* (народы, страны, государства, экономики, культуры, общества);

процесс *чего?* (интеграция, объединение, развитие, существование, трудовая деятельность);

противостоять *чему?* (интеграция, объединение, развитие, прогресс, общественные силы);

решение *чего?* (социальные задачи, актуальные проблемы, острые вопросы);

вызывать/вызвать *что?* (уважение, восхищение, восторг, удивление, страх, тревога, недоверие);

проблемы *чего?* (образование, энергетика, экология, профсоюзное движение, управление страной);

управлять, **управление** *чем?* (предприятие, фирма, компания, завод, страна, государство, район, регион, движение, организация);

представитель *чего?* (движение, организация, партия, государство, страна, власть).

9. Укажите на цель, заменив простое предложение сложным. Используйте союзы *чтобы, для того чтобы* **и слова в скобках.**

М о д е л ь:

Редакция радио пригласила учёного **для беседы**. (побеседовать) —
Редакция радио пригласила учёного, ***чтобы побеседовать*** *с ним.*

1. Лидеры стран Большой восьмёрки регулярно встречаются на саммитах для обсуждения политических и экономических вопросов. (обсудить)

2. Антиглобалисты устраивают демонстрации для выражения протеста (выразить).

3. Анархиствующая молодёжь громит рестораны «Макдоналдс» для демонстрации своего негативного отношения к американским стандартам жизни. (продемонстрировать)

4. Представители антиглобалистского движения собираются на всемирных форумах для обсуждения мировых проблем. (обсудить)

5. На всемирных социальных форумах принимаются документы для выражения альтернативных принципов развития общества. (выразить)

6. По мнению А. Бузгалина, террористы устраивают теракты для ответа на легитимное насилие со стороны НАТО. (ответить)

7. Международный фонд солидарности собирает деньги для помощи простым людям приехать на форум. (помочь)

8. Антиглобалисты хотят использовать современные СМИ для пропаганды иного, альтернативного способа интеграции. (пропагандировать)

10. Потренируйтесь в письме.

1. Используя информацию из текста, дайте определение понятию «глобализация», которое сформулировал профессор А. Бузгалин.

2. Перечислите и запишите основные принципы социал-демократической модели интеграции, которую предлагают «альтерглобалисты».

3. Перечислите и запишите источники финансирования организации международных форумов антиглобалистов, которые назвал профессор А. Бузгалин.

4. Запишите, в чём, по мнению профессора А. Бузгалина, состоит особенность движения антиглобалистов, отличающая его от оппозиционных политических партий, и какова цель движения антиглобалистов.

Как выразить предположение
Я предполагаю, что ....
Можно предположить, что ...
Давайте предположим, что ...
Нельзя ли предположить, что ...
Позвольте высказать предположение, что ...

11. Примите участие в дискуссии. Используйте выражения, которые при обсуждении вопросов помогают высказать предположение по поводу чего-либо.

1. Существует ли в вашей стране движение антиглобалистов? Насколько оно влиятельно в вашей стране и популярно в обществе? Знаете ли вы, какие цели ставят перед собой антиглобалисты в вашей стране? Имеют ли антиглобалисты возможность свободно выступать в средствах массовой информации? Показывают ли по телевидению демонстрации антиглобалистов? Каково отношение вашего общества к антиглобалистам?

2. Какие социальные группы населения представляют движение антиглобалистов в вашей стране? Какие возрастные группы населения поддерживают антиглобалистов? Можете ли вы что-то сказать о лидерах этого движения в вашей стране? Какие неправительственные организации в вашей стране поддерживают антиглобалистов?

3. Знаете ли вы, откуда антиглобалисты в вашей стране берут деньги для своей деятельности? Проходили ли в вашей стране всемирные социальные форумы? Участвовали ли граждане вашей страны в работе всемирных социальных форумов?

4. Как лично вы относитесь к движению противников глобализации? Вы поддерживаете взгляды и действия антиглобалистов или не поддерживаете их? Аргументируйте свою позицию.

ГРАММАТИКА

1. ВЫРАЖЕНИЕ ЦЕЛЕВЫХ ОТНОШЕНИЙ
(в простом предложении)

Целевые отношения выражаются в русском языке разными способами:

а) в простом предложении с помощью глагольных словосочетаний и предлогов (предложно-падежных конструкций);

б) в сложном (сложноподчинённом предложении) с помощью специальных союзов.

В простом предложении целевые отношения выражаются с помощью следующих грамматических конструкций.

1. Глагол в личной форме + инфинитив глагола.

В о п р о с ы : зачем? с какой целью?

Конструкция «глагол в личной форме + инфинитив глагола» — самая употребительная для выражения цели в простом предложении.

Инфинитив глагола, выражающий цель действия, употребляется в форме совершенного вида (СВ). Инфинитив глагола, выражающий процесс действия употребляется в форме несовершенного вида (НСВ).

В качестве глаголов в личной форме, после которых стоит инфинитив, выражающий цель действия, выступают:

а) глаголы движения, кроме глаголов с приставками **об-**, **до-**;

б) глаголы: *дать*, *брать*, *взять*, *приглашать*, *предлагать*, *советовать*.

По своей стилистической характеристике конструкция с инфинитивом, выражающим цель, нейтральна.

П р и м е р ы: Летом семья **ездила отдыхать** за границу.

Перед отъездом я **зашёл** к друзьям **попрощаться**.

В библиотеке я **взял почитать** новый роман известного писателя.

Хозяйка **пригласила** гостей **пообедать**.

Я **предложил** друзьям **пойти** в кино.

Отец **советует** мне **поступать** в МГУ.

2. Предлог **ДЛЯ** + **Р. п.** существительного.

В о п р о с ы: для чего? зачем? с какой целью?

В качестве существительных обычно выступают:

а) отглагольные существительные (со значением действия): *решение*, *участие*, *понимание*, *достижение*, *обсуждение*, *победа* и др.;

б) существительные с абстрактным значением: *счастье*, *успех*, *карьера*, *творчество*, *здоровье* и др.

В данной конструкции в качестве предиката употребляются:

а) слова: *нужно*, *необходимо*, *надо*, *хочется*;

б) глаголы движения: *приехать*, *прибыть*, *пойти*, *полететь*, *отправиться* и др.

Конструкция с предлогом **для** употребляется для выражения цели в нейтральном, книжном, публицистическом и научном стилях речи.

П р и м е р ы: **Для подтверждения** правильности выводов нужны доказательства.

Для победы в соревнованиях спортсмену нужно много тренироваться.

Учёные приехали на конгресс **для обсуждения** научных проблем.

Иностранная делегация прибыла в Москву **для переговоров**.

— Что нужно человеку **для счастья**?

— Дружная семья и интересная работа.

3. Предлог **ЗА** + **Т. п.** существительного + **глаголы движения**.

В о п р о с ы: зачем? с какой целью?

В качестве существительных обычно употребляются слова со значением предмета или лица, а в качестве предиката употребляются глаголы движения (*идти/ пойти*, *ехать/поехать*, *бежать/побежать*, *отправляться/отправиться*, *лететь/ полететь* и др.).

103

Конструкция с предлогом **за** используется для выражения цели в речи, нейтрального и разговорного стиля.

П р и м е р ы: Туристы **едут** в другие страны **за новыми впечатлениями**.

Мать **пошла** в магазин **за продуктами**.

Отец **зашёл** в детский сад **за маленьким сыном**.

4. Предлоги **В ЦЕЛЯХ** + **Р. п.** существительного;

С ЦЕЛЬЮ + **Р. п.** существительного;

С ЦЕЛЬЮ + **инфинитив глагола**.

В о п р о с ы: зачем? с какой целью? в каких целях?

Данные конструкции имеют ярко выраженный книжный характер, они употребляются только в письменной речи. В качестве существительных используются отглагольные существительные: *создание, решение, борьба, содействие, получение, развитие* и др.

Данные конструкции могут стоять в начале и в середине предложения. Они характерны для официально-делового, публицистического и научного стилей речи.

П р и м е р ы: Общественная палата при президенте России была создана **с целью усиления** связи президента страны с народом.

Общественная палата при президенте России была создана **с целью усилить** связь президента страны с народом.

Договор между странами был заключён **с целью укрепления** экономических и культурных связей.

Договор между странами был заключён **с целью укрепить** экономические и культурные связи.

5. Предлоги **РА́ДИ** + **Р.П.** существительного;

В ЧЕСТЬ + Р. п. существительного.

В о п р о с ы: с какой целью? ради кого? ради чего?

с какой целью? в честь кого? в честь чего?

Использование данных конструкций связано только с положительной оценкой понятия, лица, предмета. Данные конструкции свойственны публицистической, ораторской речи. Они придают речи оттенок торжественности и характерны для высокого стиля.

В конструкции «**ради + Р.п.**» употребляются слова с абстрактным значением (*дружба, любовь, справедливость, мир, счастье*) и со значением лица (*сын, мать, дети, друг*).

В конструкции «**в честь + Р.п.**» используются слова с абстрактным значением (*дружба, любовь взаимопонимание*), со значением лица (*высокий гость, герой, победитель, погибший, юбиляр*), с предметным значением (*праздник, юбилей, торжество, встреча, визит*).

Эти конструкции могут стоять в начале и в середине предложения.

П р и м е р ы: **Ради дружбы** он был готов пожертвовать всем.

На торжественном приёме **в честь юбиляра** были произнесены тосты за его здоровье и успехи.

В честь Дня Победы 9 мая на Красной площади в Москве прошёл военный парад.

2. ВЫРАЖЕНИЕ ЦЕЛЕВЫХ ОТНОШЕНИЙ
(в сложном предложении)

Зависимая часть сложноподчинённого предложения указывает на цель действия (события, факта), о котором говорится в главной части. Зависимая часть обычно присоединяется к главной при помощи союза **чтобы**. Зависимая часть отвечает на вопросы: зачем? для чего? с какой целью?

Союз **чтобы** является самым употребительным для выражения значения цели. Он может осложняться другими словами и выступать в виде составных союзов: **для того чтобы**, **с тем чтобы**, **ради того чтобы**.

Союз **чтобы** стилистически нейтрален, все составные союзы имеют книжный характер и употребляются в письменной речи.

Место зависимой части свободное: она может находиться перед, после или в середине главного предложения.

Примеры: **Чтобы** добиться цели, ему пришлось много трудиться.

Ему пришлось много трудиться, **чтобы** добиться цели.

Предприятие должно использовать новые научные достижения, **для того чтобы** успешно конкурировать на мировом рынке.

Предприятие, **для того чтобы** успешно конкурировать на мировом рынке, должно использовать новые научные достижения.

Обратите внимание!

В зависимости от того, один и тот же субъект или разные субъекты совершают действие в главной и зависимой частях предложения, в зависимой части используют разные формы глагола.

1. Союз ЧТОБЫ (для того чтобы...) + глагол в форме прош. времени.

Эта конструкция употребляется, если субъекты в главной части и зависимой части различны и совершают два разных действия.

Примеры: **Я позвонил** другу, **чтобы он встретил** меня в аэропорту.

Мать испекла пирог, **чтобы сын угостил** им своих гостей.

2. Союз ЧТОБЫ (для того чтобы) + инфинитив глагола.

Эта конструкция употребляется, если субъект в главной части и зависимой части один и тот же, этот субъект совершает два разных действия.

Пример: **Друг приехал** в аэропорт, **чтобы встретить** меня (= друг приехал и встретит меня).

Друзья встретились на вокзале, **чтобы поехать** за город (= друзья встретились и поедут за город).

Если в зависимой части предикат выражен инфинитивом, союз **чтобы** может не употребляться (опускаться), кроме тех случаев, когда в зависимой части предложения есть отрицание.

П р и м е р ы : Друг **приехал** в аэропорт, **чтобы встретить** меня. =
Друг **приехал** в аэропорт **встретить** меня.

Я взял такси, **чтобы не опоздать** на вокзал (союз **чтобы** обязателен).

Сложное предложение со значением цели можно заменить простым предложением со значением цели (предложно-падежной конструкцией) и наоборот. При этом замена придаточной части сложного предложения возможна, если существует соотносительное отглагольное существительное.

П р и м е р ы : **Чтобы ответить** на этот вопрос, нужно серьёзно изучить проблему.
Для ответа на этот вопрос нужно серьёзно изучить проблему.
Чтобы решить эту трудную задачу, ученику нужно много времени.
Для решения этой трудной задачи ученику нужно много времени.

ЗАДАНИЯ

1. Укажите на цель, употребив предлоги *для, за, в целях* **и поставив слова в скобках в правильной форме. Учитывайте стилистические особенности предлогов.**

М о д е л ь :

Летом мы ходили в лес ... (грибы). —
*Летом мы ходили в лес **за грибами**.*

1. Учёный приехал в Москву ... (участие) в конференции .

2. ... (привлече́ние) в страну́ иностра́нных инвести́ций разработана правительственная программа.

3. ... (успех) в профессии нужно много учиться и работать.

4. ... (укрепление) экономических и культурных связей, был подписан договор о дружбе и сотрудничестве.

5. ... (счастье) человеку нужна дружная семья и интересная работа.

6. ... (подготовка специалистов) по новой специальности в техническом университете были открыты курсы.

7. ... (понимание) творчества писателя нужно знать историю страны.

8. ... (повышение производительности труда) на заводе установили новое современное оборудование.

9. Сломался телевизор, пришлось отдать его в мастерскую ... (ремонт).

10. — Куда ты спешишь?
    — Я иду ... (билеты) на футбольный матч.

11. После работы я зайду на рынок ... (овощи).

12. Иностра́нные учёные прие́хали в Россию ... (совместная работа)..

13. ... (предотвращение) террористических актов во время праздников в столице было много полиции.

14. ... (улучшение) инвестиционного климата в стране парламент принял новые законы.

2. Укажите на цель, используя союзы *чтобы (для того чтобы)* **и объединив два простых предложения в одно сложное.**

М о д е л ь :

Девушка приехала в столицу. Она хотела поступить в университет. — *Девушка приехала в столицу, **чтобы** поступить в университет.*

1. Мы пошли на концерт в консерваторию. Мы хотели послушать известного музыканта.

2. Учёные работают над созданием вакцины против птичьего гриппа. Необходимо победить эту болезнь.

3. После тяжёлой работы человеку нужен отдых. Необходимо восстановить силы.

4. Правительство провело финансовую реформу. Инфляцию в стране нужно снизить.

5. Я завёл будильник на 7 часов утра. Я не хочу опоздать на поезд.

6. Мы слушаем радио и смотрим телевизор. Мы хотим узнать новости.

7. Я слушаю советы родителей. Я не хочу совершать ошибки в жизни.

8. Люди путешествуют в другие страны. Они хотят познакомиться с жизнью других народов и их культурой.

9. Человек учится всю жизнь. Он хочет познать мир и себя самого.

10. Мы повторяем правило. Нужно хорошо запомнить его.

3. Укажите на цель в сложном предложении, используя союзы *чтобы, для того чтобы* **и глаголы в скобках вместо синонимичного простого предложения.**

М о д е л ь :

Для поездки в Париж нужны деньги. (поехать) —
Чтобы поехать *в Париж, нужны деньги.*

1. Перепись населения страны проводится с целью определения количества жителей этой страны. (определить)

2. Люди едут в большие города на учёбу или на работу. (учиться, работать)

3. Правительство страны приняло социальную программу в целях повышения уровня жизни граждан. (повысить)

4. С целью решения транспортной проблемы в городе построили новый мост. (решить)

5. Жюри конкурса собралось для определения победителей. (определить)

6. Компании широко используют рекламу с целью привлечения покупателей. (привлечь)

7. Спортсмены отправились в Пекин для участия в Олимпийских играх. (участвовать)

8. Лидеры стран собрались вместе с целью укрепления экономического союза. (укрепить)

9. Архитекторы подготовили проект для строительства новой библиотеки. (построить)

10. Для успешного продвижения на работе нужны способности и трудолюбие. (продвигаться)

4. Укажите на цель в простом предложении, используя конструкции с предлогами *для* и *с целью* и слова в скобках вместо синонимичного сложного предложения.

М о д е л ь:

Чтобы получить прибыль, нужно эффективно организовать производство. (получение) —

***Для получения прибыли** нужно эффективно организовать производство.*

1. Лю́ди же́нятся и выходя́т за́муж, чтобы созда́ть семью́. (создание)

2. Друзья́ пое́хали на мо́ре, чтобы отдохнуть и развлечься. (отдых и развлечение)

3. Учёные созда́ли но́вое лека́рство, чтобы лечить больны́х. (лечение)

4. Я учу́сь в университете, чтобы получить высшее образование. (получение)

5. Чтобы прове́рить теорети́ческие вы́воды, учёный провёл экспериме́нт. (проверка)

6. Парламент принял новые законы, для того чтобы улучшить инвестиционный климат в стране. (улучшение)

7. Мы купили новую машину, чтобы ездить за город. (поездки)

8. Правительство приняло жилищную программу, чтобы улучшить жилищные условия граждан. (улучшение)

9. Студента пригласили в деканат, чтобы он объяснил причину отсутствия на занятиях. (объяснения)

10. Антиглобалисты собрались на форум, чтобы выразить негативное отношение к глобализации. (выражение)

5. Дополните предложение, употребив глаголы в форме прошедшего времени или в форме инфинитива.

1. Стране́ ну́жно мно́го вре́мени и сил, чтобы ... экономи́ческий кри́зис. (преодоле́ть)

2. Газета провела́ диску́ссию об а́рмии, чтобы ситуа́ция в росси́йской а́рмии ... внима́ние о́бщества. (привле́чь)

3. Я позвони́л сестре́, чтобы она ... к роди́телям. (зайти́)

4. Роди́тели хоте́ли, чтобы де́ти ... в университе́те. (учи́ться)

5. Мно́гие зри́тели пришли́ в теа́тр, чтобы ... знамени́тый спекта́кль. (посмотре́ть)

6. Друг пригласи́л меня на конце́рт, чтобы я ... изве́стного певца́. (послуша́ть)

7. Писа́тель изуча́ет духо́вный мир люде́й, чтобы ... поведе́ние челове́ка,. (поня́ть)

8. Чтобы ученики́ ... пра́вило, учи́тель объясни́л его на приме́рах. (поня́ть)

9. Чтобы ... иностра́нный язы́к, ну́жно мно́го занима́ться и чита́ть. (вы́учить)

10. Я предупреди́л дру́га, чтобы он не ... в аэропо́рт: мой рейс задержа́ли. (спеши́ть)

11. Знамени́тые кинорежиссёры и арти́сты кино́ прие́хали на кинофестива́ль, чтобы ... в ко́нкурсе. (уча́ствовать)

12. Зри́тели пришли́ на кинофестива́ль, чтобы ... но́вые фи́льмы. (уви́деть)

6. Укажите на цель, не используя союз *чтобы* **там, где это возможно.**

М о д е л ь:

Врач спешил к пациенту, **чтобы помочь** ему. —
Врач спешил к пациенту ***помочь ему.***

1. Я пригласил друзей, чтобы показать им свой новый дом.

2. Студент выключил телевизор, чтобы не мешать соседям.

3. Друг приехал на вокзал, чтобы встретить меня.

4. Преподаватель предложил тест, чтобы студенты проверили свои знания.

5. Иностранные студенты пришли в деканат, чтобы получить зачётки.

6. Победители олимпиады пришли на пресс-конференцию, чтобы ответить на вопросы журналистов.

7. Гости вышли на балкон, чтобы не курить в комнате.

8. Болельщики пришли на футбольный матч, чтобы поддержать любимую команду.

7. Укажите на цель, закончив простые предложения.

1. Для устранения транспортных проблем в городе ...

2. В целях развития сотрудничества между государствами ...

3. С целью установления дружеских отношений между странами ...

4. Для привлечения в страну иностранных инвестиций ...

5. С целью снижения нелегальной иммиграции в стране ...

6. Для успешного развития предприятия ...

7. В целях улучшения демографической ситуации в стране ...

8. Для преодоления последствий кризиса ...

8. Укажите на цель, дополнив главную часть сложного предложения подходящей по смыслу зависимой частью. Используйте союзы *чтобы (для того чтобы)***.**

1. Друзья пришли на стадион, ...

2. Я купил компакт-диск любимого певца, ...

3. На улице построили подземный переход, ...

4. Студентам продают дешёвые билеты на городской транспорт, ...

5. Многие фирмы дают рекламу своих товаров, ...

6. Мы приехали в аэропорт заранее, ...

7. Лидеры развитых стран встречаются на саммитах, ...

8. Антиглобалисты устраивают демонстрации, ...

9. Хулиганы громят рестораны «Макдоналдс», ...

10. Всемирные социальные форумы антиглобалистов проводятся, ...
11. Российские антиглобалисты хотят, ...
12. Руководители антиглобалистского движения выступают за то, ...

9. Работаем в парах. Задайте вопросы коллегам о деятельности антиглобалистов в их стране. Спросите о целях этого движения в целом и о конкретных целях представителей различных социальных групп, участвующих в этом движении.

10. Составьте рассказ о противниках глобализации в вашей стране, укажите цели этого движения. Используйте различные конструкции, выражающие цель в простом и сложном предложениях.

Речевая тема. Социальное неравенство: богатые и бедные
Грамматическая тема. Выражение причинно-следственных отношений

СОЦИАЛЬНОЕ НЕРАВЕНСТВО: БОГАТЫЕ И БЕДНЫЕ

1. **Прочитайте текст. Перед чтением текста ознакомьтесь с активной лексикой урока. Уточните значение незнакомых слов по словарю и запишите их перевод на родной язык.**

АКТИВНАЯ ЛЕКСИКА УРОКА

Бе́дный, -ая (*в знач. сущ.*)

Би́знес = предпринима́тельство (*какой?*) крупный, средний, мелкий

Благосостоя́ние

Бога́тый, -ая (*в знач. сущ.*)

Власть, *ж.*

Возглавля́ть/возгла́вить (*что?*) компа́нию, фирму... = руководить (*чем?*)

Дохо́ды, *мн.* (*кого? чего?*) населе́ния, семьи́, гра́ждан, фи́рмы...

За́работная пла́та = зарпла́та

Иму́щество = со́бственность, *ж.*

Колосса́льный, -ая, -ое

Копи́ровать = повторя́ть (*кого? что?*) ли́дера, конкуре́нта, путь, ме́тоды, поведе́ние...

Миллиарде́р

Нало́г (*какой?*) подохо́дный

Налогообложе́ние

Нера́венство (*какое?*) социа́льное, иму́щественное...

Опережа́ть/опереди́ть (*кого? что?*) конкуре́нта, страну

Отстава́ть/отста́ть (*от кого? от чего?*) от конкуре́нта, от страны́...

Предпринима́тель, *м. и ж.* = бизнесме́н

Приватиза́ция (*чего?*) госуда́рственной со́бственности, иму́щества, предприя́тия...

Приватизи́ровать (*что?*) заво́д, фа́брику, предприя́тие...

Расслое́ние (*чего?*) о́бщества, населе́ния...

Ресу́рсы, *мн.* (*какие?*) приро́дные, фина́нсовые...

Со́бственность, *ж.* (*какая?*) госуда́рственная, ча́стная...

Стаби́льность, *ж.* (*какая?*) полити́ческая, экономи́ческая...

Сто́имость *ж.* (*чего?*) проду́кции, това́ра...

У́ровень, *м.* (*чего?*) жи́зни, дохо́дов, благосостоя́ния...

Цена́ (*на что?*) на проду́кцию, на това́р, на нефть...

Шкала́ налогообложе́ния (*какая?*) пло́ская, прогресси́вная

БОГАТЫЕ И БЕДНЫЕ В РОССИИ

Социальное неравенство, разделение людей на богатых и бедных существует во всех странах с рыночной экономикой. Это явление стало фактом российской общественной жизни с переходом страны на рыночный путь развития, с конца 90-х годов XX века.

Учёные-социологи внимательно следят за процессом социального расслоения российского общества. В настоящее время они отмечают одну ярко выраженную тенденцию: социальное неравенство в России становится всё более заметным. Хотя доходы населения в целом растут, тем не менее разница в доходах самой богатой и самой бедной части российского населения продолжает увеличиваться.

Высокие цены на природные ресурсы: нефть, газ и металлы помогли России подняться на третью строчку в списке миллиардеров — сверхбогатых людей мира. По сведениям бизнес-журнала «Forbes», в рейтинге 2010 года первое место по количеству миллиардеров занимает США, второе — Китай, третье — Россия (62 миллиардера). А по данным журнала за 2012 год Москва стала первым в мире городом по количеству миллиардеров. Что же даёт возможность человеку в России попасть в список богатейших людей мира? Оказывается, занятие бизнесом и близость к государственной власти. Колоссальный разрыв между богатыми и бедными в России возник главным образом из-за перераспределения государственных ресурсов, приватизации государственной собственности в постсоветскую эпоху, в 90-е годы XX века.

По данным Всемирного банка, в настоящее время каждый седьмой гражданин РФ живёт за чертой бедности. Больше всего экономистов и социологов беспокоит растущая с каждым годом разница в доходах населения. По признанию министра экономики России, в 2007 году «разница между доходами богатых и бедных в России достигла 15 раз». В развитых странах нормой считается пятикратная разница в доходах населения.

Стремительно развивающаяся экономика России копирует индийский и китайский пути развития; в этих странах разница в доходах населения также очень велика. Но существуют и серьёзные различия между Россией, с одной стороны,

112

и Китаем и Индией с другой. По мнению заместителя директора Центра Дэвиса по изучению России и Евразии при Гарвардском университете США Маршалла Голдмана, в Индии и Китае многие миллионеры «сделали себя сами». Они создали собственные предприятия и вкладывают в них деньги. Большинство же богатых людей в России получили государственное имущество благодаря близости к власти или при помощи нечестных методов приватизации в 90-е годы, когда в России начали распродавать государственные предприятия по ценам, значительно ниже рыночных.

Каковы причины увеличивающегося социального неравенства в России?

Главная причина кроется в системе перераспределения ресурсов в постсоветскую эпоху — в чековой приватизации начала 90-х годов, когда люди не получили возможность стать полноправными собственниками.

Число бедных, малообеспеченных людей пополняют пенсионеры, у которых очень низкий уровень пенсий (менее 30% от средней оплаты труда).

Серьёзным фактором увеличивающегося социального неравенства является разница в зарплате работников. Например, зарплата работников одинаковых профессий в разных регионах страны различная: в Москве зарплата выше, а в Поволжье (регион на реке Волге) ниже. Кроме того, существует огромная разница в зарплате специалистов различных профессий: например, зарплата нефтяника в 7—8 раз выше зарплаты фермера.

Принятая в России «плоская» шкала налогообложения, когда и бедный, и богатый платят один и тот же процент налога, по мнению некоторых экономистов, также усиливает неравенство в обществе. Следует вернуться к прогрессивной шкале налогообложения, при которой чем больше зарабатываешь, тем выше подоходный налог.

Учёные считают, что имущественное и финансовое неравенство до определённого предела стимулирует экономическое развитие общества. Но огромный разрыв в доходах богатых и бедных, нарушение принципов социальной справедливости свидетельствуют о серьёзных проблемах в экономике страны и представляют угрозу политической стабильности.

По мнению экономистов, большое количество миллиардеров имеет гораздо меньшее значение для успешного развития экономики государства, чем отсутствие миллионов мелких и средних предпринимателей. Развитый средний класс является основой экономической и политической стабильности государства, однако российский средний класс в большинстве своём по-прежнему представлен государственными служащими или сотрудниками крупных корпораций, хотя должен включать в себя большинство представителей мелкого и среднего бизнеса.

Это свидетельствует о том, что правительство страны и региональные власти пока не смогли обеспечить в полной мере условия для развития мелкого и среднего бизнеса в России, а значит, и уменьшить социальную напряжённость в обществе.

(По материалам российской прессы)

Вопросы к тексту.

1. Когда в России остро встала проблема социального неравенства?

2. Какую тенденцию в современном российском обществе отмечают учёные?

3. Какой известный журнал ежегодно публикует рейтинг самых богатых людей мира?

4. Какие факторы дают возможность россиянам попасть в список богатейших людей мира?

5. По какой основной причине и когда возник огромный разрыв в доходах богатых и бедных?

6. В чём, по мнению профессора М. Голдмана, состоит различие между самыми богатыми людьми в России и в Китае или в Индии?

7. Каковы причины увеличивающегося социального неравенства в России?

8. Что, по мнению экономистов, важнее для успешного развития экономики — большое количество миллиардеров или мелких и средних предпринимателей?

2. Выделите общую часть в словах.

богатеть	бедный	равный	различие
богатый	беднейший	равенство	различать
богатство	обеднеть	уравнивать	различный
богаче	беднее	уравнение	различаться
богатейший	бедность	неравенство	различно

3. Проанализируйте сложные слова из текста. Скажите, от каких слов они образованы.

Сверхбогатый (человек), постсоветская (эпоха), Всемирный (банк), пятикратная (разница), малоимущие (граждане), полноправный (собственник), зарплата, налогообложение.

4. Выделите суффикс в слове *богатейший*. Скажите, от какого прилагательного образовано это слово и какое общее значение имеют слова с этим суффиксом. С помощью этого суффикса образуйте слова от следующих прилагательных.

Бедный, известный, выгодный, знаменитый, новый, старый, сильный, полезный, прекрасный, благоприятный, активный, трудный.

5. Соедините близкие по значению слова и словосочетания.

опередить	стоять во главе
количество	очень быстро
миллиардер	быть впереди
возглавлять	владелец миллиардного состояния
стоимость	увеличиться в два раза
пятикратная разница	создавать условия

114

стремительно	разница в пять раз
копировать	цена
обеспечивать условия	повторять за другим

6. Подберите антонимы к словам, используя материал для справок.

богатый —...

высокие цены — ...

опередить страну — ...

зарплата растёт — ...

покупка предприятия — ...

выиграть — ...

минимум — ...

отсутствие миллиардеров — ...

стабильность — ...

разница велика — ...

Материал для справок:

отстать от страны, низкие цены, бедный, продажа предприятия, зарплата снижается, проиграть, нестабильность, максимум, разница мала, наличие миллирдеров.

Обратите внимание!

Похожие слова имеют разное значение.

Росси́йский, -ая, -ое «Связанный с Россией, с государством Россия» (*российский флаг, гимн, гражданин; российское государство, посольство; российская граница*)

Ру́сский, -ая, -ое «Связанный с национальностью, с восточнославянским народом» (*русский язык, народ, человек, писатель; русская культура, природа, кухня; русское гостеприимство, блюдо*)

Обще́ственный, -ая, -ое «Связанный с обществом; социальный» (*общественный долг, транспорт; общественная организация, программа; общественное имущество, движение, телевидение, поведение; общественные отношения, связи, науки*)

О́бщий, -ая, -ее «Принадлежащий или свойственный всем людям, коллективный» (*общее правило, дело, задание; общая задача, работа, цель; общие свойства, недостатки, ошибки*)

Дохо́д «Деньги, получаемые государством, фирмой или частным лицом от своей деятельности или от деятельности своей фирмы» (*национальный, трудовой, чистый доход; доход фирмы, компании, предприятия, семьи, гражданина, работника*)

Дохо́дность «Уровень всех полученных доходов; прибыльность фирмы, компании» (*высокая, низкая, средняя доходность; доходность фирмы, акций, ценных бумаг*)

---

7. Дополните предложение подходящим по смыслу словом в правильной форме.

русский, российский

1. Характер ... человека отличается эмоциональностью.

2. ... экономика развивается по рыночному пути.

общественный, общий

3. ... дело всегда сближает людей.

4. Социология – это ... наука.

доход, доходность

5. В период экономического кризиса ... акций и других ценных бумаг снижается.

6. Общий ... средней российской семьи растёт.

8. Употребите слова в скобках в правильной форме.

Становиться/стать *каким?* (известный, богатый, бедный, знаменитый, успешный);

цена, стоимость *чего?* (нефть, газ, металл, сырьё, строительные материалы, продукция, изделие, товар);

опережать/опередить *кого? что?* (конкурент, конкурирующая фирма, страна, регион, другие участники рынка);

отставать/отстать *от кого? от чего?* (конкурент, конкурирующая фирма, страна, регион, другие участники рынка);

согласно *чему?* (закон, рейтинг, правило, устав, документ, договор, соглашение);

возглавлять/возглавить *что?* (фирма, компания, завод, предприятие, страна, правительство);

уровень *чего?* (жизнь, доходы, потребление, благосостояние);

часть *чего?* (население, доходы, прибыль, продукция, средства);

свидетельствовать *о чём?* (проблемы, уровень благосостояния общества, успех, победа, неудача).

9. Укажите на следствие, изменив соответственно сложные предложения со значением причины.

М о д е л ь:

Люди едут в другие страны, **потому что** они хотят найти работу. — *Люди хотят найти работу, **поэтому** они едут в другие страны.*

1. В России появилось много богатых людей, потому что цены на нефть резко поднялись.

2. Уровень жизни россиян повысился, потому что очень высоки цены на природные ресурсы.

3. Люди в России могут стать очень богатыми, благодаря тому что занимаются бизнесом и близки к власти.

4. Российский миллиардер Абрамович стал известен в мире, потому что он купил английский футбольный клуб «Челси».

5. Социологов беспокоит огромная разница в доходах богатых и бедных, потому что она ведёт к политической нестабильности в стране.

6. Китайские миллиардеры выгодно отличаются от российских, потому что они «сделали себя сами».

116

7. Многие учёные говорят о серьёзных проблемах в экономике страны, потому что социальное неравенство в России растёт.

8. В России пока не созданы благоприятные условия для развития малого и среднего бизнеса, потому что правительство не уделяет этому вопросу должного внимания.

10. Потренируйтесь в письме.

1. Используя информацию из текста, сформулируйте и запишите тенденцию социального развития, которую отмечают учёные-социологи в России.

2. Запишите основные факторы, которые определяют возможность для россиян стать богатейшими людьми мира.

3. Перечислите причины, вызывающие рост социального расслоения в российском обществе. Укажите главную причину огромного социального неравенства.

4. Составьте и запишите план текста.

Готовимся к дискуссии

Как выразить сомнение

Ваше утверждение вызывает у меня сомнение.
Позвольте выразить сомнение в правильности вашего вывода.
Я сомневаюсь в точности результатов исследования.
Ваше утверждение представляется мне недостаточно аргументированным.
Это утверждение, на мой взгляд, не бесспорно.
Я не уверен, что мои аргументы убедили всех.
Трудно сказать, правилен ли этот вывод, ведь рассмотрен лишь один пример.

---

11. Примите участие в дискуссии. Используйте выражения, которые при обсуждении вопросов помогают высказать сомнение в правильности точки зрения другого участника дискуссии.

1. Есть ли в вашей стране миллиардеры, имена которых названы в списке журнала «Forbes»? В какой сфере бизнеса преуспели эти люди? В какой исторический период они получили своё богатство?

2. Существует ли в вашей стране социальное неравенство? Насколько остро стоит в вашем обществе эта проблема?

3. Какие социальные группы населения вашей страны являются самыми бедными и почему именно эти группы? Объясните свою точку зрения на то, как эти люди стали бедными.

4. Расскажите о социальной политике правительства вашей страны, направленной на устранение большой разницы в доходах богатых и бедных, и о мерах помощи социально незащищённым группам населения. Какая шкала подоходного налогообложения действует в вашей стране? Как вы оцениваете её эффективность? Приведите аргументы в пользу своей точки зрения.

ГРАММАТИКА

1. ВЫРАЖЕНИЕ ПРИЧИННО-СЛЕДСТВЕННЫХ ОТНОШЕНИЙ
(в простом предложении)

Причинные отношения выражаются в русском языке двумя способами:

а) в простом предложении с помощью предлогов;

б) в сложном (сложноподчинённом) предложении с помощью союзов.

Для выражения причинных отношений в простом предложении используются следующие грамматические конструкции.

1. Предлог **ИЗ-ЗА** + **Р. п.** существительного, местоимения.

В о п р о с ы :   из-за кого? из-за чего?

Данная конструкция употребляется для выражения причины, которая приводит к нежелательному результату.

П р и м е р ы :   **Из-за** плохой **погоды** вылет самолёта задержали.

Из-за вас мы опоздали на поезд.

2. Предлог **БЛАГОДАРЯ** + **Д. п.** существительного, местоимения.

В о п р о с ы :   благодаря кому? благодаря чему?

Данная конструкция употребляется для выражения причины, которая приводит к желательному результату.

П р и м е р ы :   **Благодаря** новому **лекарству** больной быстро выздоровел.

Благодаря вам, вашей **помощи** я достиг успеха в профессии.

3. Предлог **ОТ** + **Р. п.** существительного.

В о п р о с :   от чего?

Данная конструкция употребляется для выражения причины, которая связана с внутренним состоянием (часто с эмоциональным состоянием человека) и которая приводит к изменению состояния человека или природы.

П р и м е р ы :   **От волнения** она не могла говорить.

От холода цветы в саду погибли.

Т и п и ч н ы е   с л о в о с о ч е т а н и я : от горя, от радости, от страха, от волнения, от смущения, от смеха, от стыда, от удивления, от боли, от усталости, от голода, от жажды, от холода, от мороза, от жары, от пожара, от дождя, от наводнения.

4. Предлог **ПО** + **Д. п.** существительного.

В о п р о с ы :   почему? по какой причине?

А. Данная конструкция употребляется для выражения причины, которая приводит к нежелательному результату. В этом случае причина и результат (следствие) относятся к одному лицу.

П р и м е р ы :   **По неосторожности** водитель машины попал в аварию. (Водитель сам был неосторожен и он сам попал в аварию)

По ошибке я позвонил в чужую квартиру. (Я сам ошибся и я сам позвонил в чужую квартиру).

Т и п и ч н ы е   с л о в о с о ч е т а н и я: по глупости, по молодости, по рассеянности, по неопытности, по ошибке, по невнимательности, по неосторожности, по забывчивости.

Б. Данная конструкция употребляется для выражения внешней причины, которая приводит к желательному результату. В этом случае причина и результат (следствие) относятся к разным лицам.

П р и м е р ы: **По совету** врача больной бросил курить. (Врач посоветовал, и больной бросил курить).

По просьбе родителей дочь провела каникулы дома. (Родители попросили, и дочь провела каникулы дома).

Т и п и ч н ы е   с л о в о с о ч е т а н и я: по совету, по просьбе, по решению, по требованию, по приглашению, по правилам, по закону, по традиции, по обычаю.

5. Предлоги **В РЕЗУЛЬТАТЕ + Р. п.** существительного;

ВСЛЕДСТВИЕ + Р. п. существительного;

В СВЯЗИ + С + Т. п. существительного

В о п р о с ы: в результате чего? вследствие чего? в связи с чем?

Данные предлоги используются для выражения причины в научном, официально-деловом и публицистическом стилях в письменной речи.

П р и м е р ы: **В результате аварии** погибло восемь человек.

Вследствие нарушения договора одной из фирм заказ не был выполнен.

В связи с обострением ситуации в регионе был созван Совет Безопасности Организации Объединённых Наций (ООН).

Т и п и ч н ы е   с л о в о с о ч е т а н и я: в результате (вследствие) изменения, развития, увеличения, уменьшения, обострения, ошибки, деятельности...; в связи с событием, с праздником, с визитом, с возвращением, с развитием, с увеличением, с уменьшением, с обострением, с возникновением чего-либо.

2. ВЫРАЖЕНИЕ ПРИЧИННЫХ ОТНОШЕНИЙ
(в сложном предложении)

Зависимая часть сложного (сложноподчинённого) предложения указывает на причину действия, события, факта, явления, о котором говорится в главной части сложного предложения. Зависимая часть присоединяется к главной части при помощи специальных союзов: **потому что; так как; поскольку; оттого что; из-за того, что; благодаря тому, что; в результате того что; вследствие того что; в связи с тем что**.

1. Союзы **ПОТОМУ ЧТО, ТАК КАК, ПОСКОЛЬКУ, ОТТОГО ЧТО**.

В о п р о с ы: почему? отчего?

Данные союзы употребляются для выражения причины, которая приводит как к положительному, так и к отрицательному результату. Эти союзы используются в нейтральном стиле речи, а союз **поскольку** в научном стиле речи.

Союз **потому что** не может стоять в начале сложного предложения. Союзы **так как, поскольку** и **оттого что** могут стоять в начале и в середине предложения.

П р и м е р ы : Студент не пришёл на лекцию, **потому что (так как)** заболел. (**Так как** студент заболел, он не пришёл на лекцию.)
Экономика Китая развивается успешно, **поскольку** там созданы благоприятные условия. (**Поскольку** в Китае созданы благоприятные условия, экономика развивается успешно)
Оттого что друзья уезжали, всем было грустно.
Студентка радовалась, **оттого что** сдала все экзамены.

2. Союз ИЗ-ЗА ТОГО́ ЧТО.

В о п р о с : из-за чего?

Данный союз используется для выражения причины, которая приводит обычно к нежелательному результату.

П р и м е р : **Из-за того что** он не закончил работу, он не пошел в кино.

3. Союз БЛАГОДАРЯ́ ТОМУ́ ЧТО.

В о п р о с : благодаря чему?

Данный союз используется для выражения причины, которая приводит обычно к желательному результату.

П р и м е р ы : **Благодаря тому что** в медицине учёные делают новые научные открытия, человек живёт дольше.
Успех приходит к специалисту, **благодаря тому что** он постоянно повышает свой профессиональный уровень.

4. Союзы В РЕЗУЛЬТА́ТЕ ТОГО́ ЧТО;
ВСЛЕ́ДСТВИЕ ТОГО́ ЧТО;
В СВЯЗИ С ТЕ́М ЧТО.

В о п р о с ы : в результате чего? вследствие чего? в связи с чем?

Данные союзы используются для выражения причины, которая приводит как к желательному, так и к нежелательному результату. Данные союзы используются для выражения причины в научном, официально-деловом и публицистическом стилях в письменной речи.

П р и м е р ы : **В результате того что** о трагедии узнали слишком поздно, помощь пострадавшим не была оказана быстро.
Вследствие того что заседание парламента проходило в закрытом режиме, журналисты не получили всей информации.
В связи с тем что вылет самолёта был задержан, пассажирам пришлось изменять свои планы.

120

Сложное предложение со значением причины можно заменить простым предложением со значением причины (предложно-падежной конструкцией) и наоборот. При этом глагол в зависимой части сложного предложения заменяется соотносительным отглагольным существительным в простом предложении.

П р и м е р ы: **Из-за того что я ошибся** с расписанием, я опоздал на электричку.
Из-за моей ошибки с расписанием я опоздал на электричку.

Благодаря тому что врачи помогли пациенту, он сейчас здоров.
Благодаря помощи врачей пациент сейчас здоров.

Вследствие того что водитель нарушил правила, погиб пешеход.
Вследствие нарушения водителем правил погиб пешеход.

ЗАДАНИЯ

1. **Укажите на причину, употребив подходящий по смыслу предлог** *из-за, благодаря, от, по, в связи́ с* **и слова в скобках в правильной форме.**

М о д е л ь:

Мы не поехали за город (плохая погода). —
Мы не поехали за город из-за плохой погоды.

1. ... (твой совет) я принял правильное решение.
2. Туристам было трудно спускаться с горы ... (сильный ветер).
3. ... (ты) я опоздал на лекцию.
4. ... (горе) мать быстро постарела.
5. Я купил этот учебник ... (совет преподавателя).
6. ... (невнимательность) мы сели на другой автобус.
7. ... (сильные дожди) началось наводнение.
8. Он станет большим учёным ... (талант и трудолюбие).
9. ... (рассеянность) студент потерял очки.
10. ... (настойчивость и упорство) он достиг цели.
11. ... (террористический акт) был усилен контроль на границе.
12. Русские любят приглашать гостей в дом ... (национальная традиция).

2. **Укажите на причину, объединив два предложения в одно и употребив подходящий по смыслу союз** *потому что, так как, оттого что, из-за того что, благодаря тому что, в связи с тем что.*

М о д е л ь:

Мы потеряли дорогу. Было очень темно. —
Мы потеряли дорогу, из-за того что было очень темно.

1. Студент не сдал экзамен. Он плохо подготовился к нему.
2. Девушка много занималась. Она писала дипломную работу.
3. С ним трудно работать. У него тяжёлый характер.

4. Этого инженера уважают на заводе. У него большой опыт.

5. Водителю пришлось возвращаться. На улице шёл ремонт дороги.

6. Нужно взять с собой зонт. По радио сообщили, что будет дождь.

7. Рыбаки не вышли в море. Был сильный ветер.

8. В стране развивается бизнес. Правительство поддерживает его.

9. Эта профессия очень привлекает его. Она связана с творчеством.

10. В этом году собрали плохой урожай. Была сильная засуха.

11. Число россиян уменьшается. В России низкая рождаемость.

12. Климат на планете меняется. Наблюдается глобальное потепление.

3. Укажите на причину, употребив подходящий по смыслу союз и слова в скобках в правильной форме в сложном предложении вместо синонимичной предложно-падежной конструкции в простом предложении.

М о д е л ь:

От долгой болезни он похудел. (болеть) —
Оттого что он долго болел, он похудел.

1. Благодаря́ по́мощи враче́й бо́льной бы́стро вы́здоровел. (помочь)

2. Из-за проведения реставрационных работ музей был временно закрыт. (проводить)

3. В результате официальной встречи лидеров двух стран было подписано важное соглашение. (встретиться)

4. Благодаря́ заня́тиям спо́ртом у де́вушки прекра́сная фигу́ра. (заниматься)

5. Из-за сильного волнения студентка плохо отвечала на экзамене. (волноваться)

6. Благодаря совету друзей он поступил в театральный институт и стал знаменитым артистом. (посоветовать)

7. От уста́лости я бы́стро засну́л. (устать)

8. Благодаря подписанию договора о сотрудничестве отношения между странами успешно развиваются. (подписать)

9. От смуще́ния она вдруг замолча́ла. (смутиться)

10. Самолёт потерпел катастрофу из-за ошибки пилота. (ошибиться)

11. В результа́те при́нятия прави́тельством срочных мер кри́зис в стране́ был преодолён. (принять)

12. В связи́ с проведением праздника города в центре Москвы было ограничено движение транспорта. (проводиться)

4. Составьте и запишите 6 простых предложений со значением причины, используя предлоги *из-за, благодаря, от, по, в связи,* **и 6 сложных предложений с придаточными причины, используя союзы** *потому что, так как, оттого что, из-за того что, благодаря тому что, в результате того что.*

3. Выражение следственных отношений

Следственные отношения выражаются в русском языке **только в сложном (сложноподчинённом предложении) с помощью специальных союзов.**

Зависимая часть сложноподчинённого предложения указывает на следствие, результат действия, события или факта, о котором говорится в главной части предложения.

Зависимая часть всегда стоит после главной части и присоединяется к главной части при помощи союзов: **поэтому**, **и потому**, **благодаря чему**, **в результате чего**, **вследствие чего**, **в связи с чем** и др.

1. Союзы **ПОЭТОМУ, И ПОТОМУ** наиболее употребительны, они используются в нейтральном стиле речи.

П р и м е р ы: Студент заболел, **поэтому** он не пришёл на лекцию.
Спортсмен много тренировался, **и потому** победил на соревнованиях.

2. Союзы **БЛАГОДАРЯ ЧЕМУ**
В РЕЗУЛЬТАТЕ ЧЕГО
ВСЛЕДСТВИЕ ЧЕГО
В СВЯЗИ С ЧЕМ

Эти союзы используются для выражения следствия в научной и официально-деловой сферах общения.

П р и м е р ы: Учёные делают новые научные открытия, **благодаря чему** человек живёт дольше.
Заседание парламента проходило в закрытом режиме, в **результате чего** журналисты не получили всей информации.
О трагедии узнали слишком поздно, **вследствие чего** помощь пострадавшим не была оказана быстро.
Нелегальная иммиграция в Россию растёт, **в связи с чем** усилен контроль на границе.

Большинство союзов следствия соотносятся с союзами причины:

Союзы причины	Союзы следствия
благодаря тому что	благодаря чему (этому)
вследствие того что	вследствие чего (этого)
в результате того что	в результате чего (этого)
в связи с тем что	в связи с чем (этим)

Обратите внимание!

Сложное предложение причины можно заменить сложным предложением следствия. При этом зависимая часть предложения становится главной, а главная часть — зависимой со значением следствия. При замене используется соответствующий союз следствия и производятся необходимые изменения.

Пример: **В связи с тем что** в столице постоянно растёт количество автомобилей, правительство города приняло решение о строительстве новой кольцевой дороги.
В столице постоянно растёт количество автомобилей, **в связи с чем** (**поэтому**) правительство города приняло решение о строительстве новой кольцевой дороги.

ЗАДАНИЯ

1. Укажите на следствие действия, употребив соответствующие стилю (нейтральному, научному или официально-деловому) союзы *поэтому, благодаря чему, в результате чего***.**

М о д е л ь :

Завтра по радио обещали сильные дожди, ... мы не поедем за город. — *Завтра по радио обещали сильные дожди,* ***поэтому*** *мы не поедем за город.*

1. Учёные сделали важное научное открытие, ... опасную болезнь можно победить.

2. Весь месяц шли сильные дожди, ... началось наводнение.

3. Компакт-диск с концертом известного пианиста был выпущен небольшим тиражом, ... он сразу стал большой редкостью у любителей классической музыки.

4. Сельское население в России продолжает сокращаться, ... огромные территории страны пустеют.

5. Преподаватель посоветовал мне приобрести новый учебник, ... я купил его.

6. Руководители двух стран подписали договор о сотрудничестве, ... отношения между этими странами в области экономики и культуры успешно развиваются.

7. Премьер-министр страны заболел, ... официальный визит был отложен.

8. Этот студент всегда отличался талантом и трудолюбием, ... он стал известным учёным.

9. Это очень рассеянный человек, ... он и потерял очки.

10. Изобретение Интернета стало великим открытием, ... посылать письма по почте стало бессмысленным.

11. Проблема оказалась очень сложной, ... специалистам потребовалось много времени для её решения.

12. Национальная валюта России укрепилась, ... граждане страны предпочитают хранить сбережения в национальной валюте, а не в долларах США.

2. Укажите на следствие действия, объединив два простых предложения в одно сложное и употребив соответствующие стилю (нейтральному, научному или официально-деловому) союзы *поэтому, благодаря чему, в результате чего***.**

М о д е л ь :

Было очень темно. Туристы потеряли дорогу. — *Было очень темно,* ***поэтому*** *туристы потеряли дорогу.*

1. Уже поздно. Нам пора уходить.

2. Народ поддерживает политику президента страны. Рейтинг президента высокий.

3. Ураган «Катрина» обрушился на побережье США. Города и посёлки у моря были разрушены.

4. Руководство фирмы проводило эффективную маркетинговую политику. По результатам года фирма получила большую прибыль.

5. Радиостанция «Эхо Москвы» предлагает актуальную информацию о событиях в России и за рубежом. Популярность этой радиостанции очень высока.

6. Молодёжь активно пользуется услугами Интернета. Интерес молодёжи к чтению художественной литературы падает.

7. Студентка очень волновалась на экзамене. Она плохо сдала экзамен.

8. Футболисты сборной команды много готовились к соревнованиям. На чемпионате по футболу сборная команда страны заняла призовое место.

9. Две соседние страны нашли компромисс в урегулировании пограничного конфликта. Делегации стран подписали соглашение о совместной границе.

10. Учёные работают над созданием вакцины против болезни. Болезнь может быть побеждена.

11. У него тяжёлый характер. У него нет друзей.

12. Правительство эффективно провело финансовую реформу. Инфляция в стране значительно снизилась.

3. Укажите на следствие действия, изменив соответствующее сложное предложение со значением причины.

М о д е л ь:

Оттого что книга стоила слишком дорого, я её не купил. —
*Книга стоила слишком дорого, **поэтому** я её не купил.*

1. Благодаря тому что врачи помогли больному, он быстро поправился.

2. Из-за того что в горах было очень темно, пришлось ехать медленно по горной дороге.

3. Так как было очень жарко, всем хотелось пить.

4. Оттого что он регулярно занимается спортом, у него хорошая спортивная фигура.

5. Она совершила эту ошибку, потому что была молода и неопытна.

6. Из-за того что произошло сильное наводнение, в этом районе были разрушены дома и мост.

7. Я быстро заснул, потому что очень устал на работе.

8. В результате того что состоялась официальная встреча лидеров двух государств, отношения между этими странами улучшились.

9. Так как она стеснялась в незнакомой компании, она мало беседовала с другими гостями.

10. Вследствие того что руководство компании не отличалось высоким профессионализмом, компания разорилась, не выдержав конкуренции.

11. В результате того что правительство приняло необходимые меры, политический кризис в стране был преодолён.

12. В связи с тем что погодные условия были неблагоприятными, вылет самолёта задержали на два часа.

4. Объединив два простых предложения в одно сложное:
   а) укажите на следствие действия, используя соответствующий стилю союз следствия;
   б) укажите на причину действия, используя нужный по смыслу союз причины.

Модель:

   Мы заблудились в незнакомом городе. Мы приехали сюда в первый раз.
   А. *Мы заблудились в незнакомом городе,* **потому что** *мы приехали сюда в первый раз.*
   Б. *Мы приехали в город в первый раз,* **поэтому** *мы заблудились в незнакомом городе.*

   1. Ему нравится читать газеты. В них он находит много интересной информации.
   2. Студентка хорошо сдала экзамены. Она много занималась.
   3. Студент не смог перевести текст. Многие слова ему были неизвестны.
   4. Я часто хожу в кино. Я люблю смотреть разные фильмы.
   5. Весь день шёл сильный дождь. Мы не поехали за город.
   6. Террористы совершили террористический акт. Туристы не поехали отдыхать в эту страну.
   7. Спортсмен победил на международных соревнованиях. Все поздравили его с победой.
   8. В воскресенье родители повели детей в зоопарк. Дети очень любят животных.
   9. Я опоздал на работу. На улице была транспортная пробка.
   10. Компания успешно вышла на мировой рынок. Новый менеджер стал её руководителем.

5. Работаем в парах. Задайте вопросы коллегам о причинах социального неравенства в их стране и о мерах государства по преодолению этого явления.

6. Расскажите о социальной структуре населения вашей страны и об уровне жизни представителей различных социальных групп. Назовите причины, которые приводят к социальному неравенству, укажите меры, которые принимает государство для преодоления этого неравенства. Используйте соответствующие грамматические конструкции для выражения причины и следствия.

Речевая тема.   Социальная структура общества: средний класс
Грамматическая тема.   Выражение условных отношений

СОЦИАЛЬНАЯ СТРУКТУРА ОБЩЕСТВА: СРЕДНИЙ КЛАСС

1. **Прочитайте текст. Перед чтением текста ознакомьтесь с активной лексикой урока. Уточните значение незнакомых слов по словарю и запишите их перевод на родной язык.**

АКТИВНАЯ ЛЕКСИКА УРОКА

Благополу́чие
Бюдже́т
Власть, *ж.* (*какая?*) госуда́рственная, партийная...
Гаранти́ровать
Демократи́ческий, -ая, -ое
Демокра́тия
Дохо́ды, *мн.*
Законопослу́шность, *ж.*
Идеоло́гия
Кри́зис (*какой?*) экономи́ческий, политический...
Крите́рий (*какой?*) экономи́ческий, образова́тельный...
Материа́льный, -ая, -ое
Нало́говые поступле́ния, *мн.*
Налогоплате́льщик
Национали́ст
Обеспе́ченный, -ая, -ое = состоя́тельный, -ая, -ое
Пенсионе́р
Полнопра́вный, -ая, -ое
Потреби́тельская корзи́на
Права́, *мн.* (*кого?*) челове́ка...

Предпринима́тель, *м.* и *ж.* = бизнесме́н
Предпринима́тельство = би́знес
Представи́тель, *м.*
Приорите́т
Прожи́точный ми́нимум
Рабо́чий класс
Слу́жащий, *м.* (*в знач. сущ.*) (*какой?*) банковский, государственный... (*чего?*) фирмы, банка...
Со́бственник
Со́бственность, *ж.* (*какая?*) кру́пная, ме́лкая, сре́дняя...
Состоя́тельный, -ая, -ое = бога́тый
Социа́льный ста́тус
Социо́лог
Сре́дний класс
Стаби́льность, *ж.*
Станда́рт
Фо́рмы со́бственности
Фу́нкция (*какая?*) полити́ческая, экономи́ческая, социа́льная...
Це́нности, *мн.*
Экстреми́ст
Эли́та

Запись беседы журналиста газеты «Утро» с учёным-социологом И. Березиным

ЖУРНАЛИСТ: Некоторые социологи считают, что нельзя говорить о полноценной демократии в стране, если в ней недостаточно развит средний класс. Согласны ли вы с этой точкой зрения?

БЕРЕЗИН: Да, согласен. Средний класс является основой демократических обществ, он гарантирует стабильность и выполняет разные функции, например политическую: он голосует за представителей партии центра и не даёт прийти к власти коммунистам, националистам, фашистам и другим экстремистам; или экономическую: налоги налогоплательщиков из среднего класса формируют бо́льшую часть государственного бюджета.

ЖУРНАЛИСТ: Кого относят к среднему классу?

БЕРЕЗИН: К среднему классу относят ту часть общества, которая располагается между элитой и основной массой рабочего класса, сюда не входят крупные собственники и малоквалифицированные служащие. Это — средний слой населения.

ЖУРНАЛИСТ: Был ли средний класс в Советском Союзе и кто представлял советский средний класс?

БЕРЕЗИН: В Советском Союзе средним классом были служащие государственной и партийной власти, офицеры армии, врачи, учителя, техническая и творческая интеллигенция. Эти граждане имели высокую зарплату и социальный статус.

ЖУРНАЛИСТ: Кто, на ваш взгляд, входит в эту социальную группу в наше время?

БЕРЕЗИН: В современной России возродился такой тип экономический активности как предпринимательство и начал формироваться средний класс — частично из тех, кто входил в советский средний класс, частично из представителей новой группы — предпринимателей. Динамичный рост российского среднего класса начался в конце 90-х начале 2000 годов, после экономического кризиса 1998 года.

На Западе при отнесении человека к среднему классу доминирующим является экономический критерий — уровень доходов и владение собственностью. В России же помимо экономического критерия традиционно важен критерий образования. Но сейчас в России есть люди с высшим образованием (врачи, учителя), которые живут в бедности, и есть люди без высшего образования, но с высокими доходами. Их следует отнести к среднему классу.

ЖУРНАЛИСТ: Средний класс составляет средний слой общества между бедными и богатыми. Но что значит «бедный» и «богатый»?

БЕРЕЗИН: Эти понятия определяются исходя из прожиточного минимума и потребительской корзины. В каждой стране своя потребительская корзина (расходы на питание, жильё, бытовые услуги) и свой прожиточный минимум. В богатых странах прожиточный минимум составляет половину от уровня жизни наименее обеспеченных слоёв населения. Если чьи-то доходы ниже этой границы, он попадает в число бедных. Иными словами, беден тот, кто в своей стране живёт хуже основной массы населения.

По мнению социологов, средний класс появляется тогда, когда есть свобода выбора: человек кроме средств на оплату потребительской корзины имеет определённую «лишнюю» сумму, которую может потратить по желанию. У бедных этого выбора нет. А богатым выбор не нужен: они могут купить всё сразу. Представитель среднего класса должен решать: либо в этом году поехать отдыхать за границу, либо поменять машину, но тогда придётся отдыхать на даче.

ЖУРНАЛИСТ: Как за последние годы изменился российский средний класс?

БЕРЕЗИН: Во-первых, он очень динамично рос. Если в 2000 г. он составлял 10-12%, то сейчас составляет минимум 30%. Во-вторых, изменились его качественные характеристики: раньше среди представителей среднего класса был очень большой процент образованных людей (до 80%), сегодня он значительно пополнился людьми без высшего образования — они составляют половину всей группы. Изменился и социальный статус этой группы: раньше в ней была велика доля руководителей, ведущих специалистов, предпринимателей. Сейчас средний класс вырос за счёт квалифицированных специалистов и высокооплачиваемых рабочих. Все меньше в этой социальной группе остаётся гуманитарной интеллигенции, полностью из неё исключены пенсионеры. Замечу, что на Западе пенсионеры являются неотъемлемой частью среднего класса.

ЖУРНАЛИСТ: Каков средний возраст представителей среднего класса России?

БЕРЕЗИН: В составе этой группы представлены наиболее активные возрастные группы (от 25 до 44 лет), они составляют более половины всего состава. Большинство из них — жители Москвы и крупных городов.

Больше половины представителей среднего класса работают в собственной фирме или являются наёмными работниками в частном секторе, 46% заняты на акционерных предприятиях и только 2,4% работают в госсекторе. Можно сделать вывод, что именно работа в частной компании, и не только в качестве собственника-менеджера, но и в роли наёмного работника, даёт возможность человеку попасть в эту социальную группу.

ЖУРНАЛИСТ: А что представляет собой российский средний класс с точки зрения идеологических, политических, ценностных предпочтений?

БЕРЕЗИН: Политические ориентации российского среднего класса определятся демократическими принципами, законопослушностью и требованиями к государству соблюдать права человека. В этой группе мало сторонников коммунистов, большинство этой группы стабильно голосует на выборах за партию центра. Они более ориентированы на Запад. Если среди населения России в целом сторонниками Запада являются не более 10%, то среди представителей среднего класса их 20—25%. Этих людей в меньшей степени волнуют проблемы, связанные с инфляцией и безработицей. Они достаточно уверены в себе, чтобы за короткий срок найти себе работу, и нередко меняют её по собственному желанию.

Важнейшими жизненными ценностями среднего класса являются семья и работа. Заработок стоит на третьем месте. Представители среднего класса твёрдо знают, что верный путь к достижению богатства — это интенсивная работа. Российский средний класс всё больше приближается к западным стандартам.

(По материалам беседы с учёным-социологом И. Березиным.
Интернет-сайт: www.utro.ru/articles)

Вопросы к тексту.

1. Какие функции выполняет в обществе средний класс?

2. Кто представлял средний класс в Советском Союзе?

3. Какой критерий принадлежности к среднему классу является доминирующим на Западе и какой важен в России?

4. Что включается в стоимость потребительской корзины?

5. С чем учёные-социологи связывают появление среднего класса?

6. Люди с каким социальным статусом представляют сегодня российский средний класс?

7. Люди какого возраста входят в российский средний класс?

8. Каковы две важнейшие жизненные ценности российского среднего класса?

2. Выделите общую часть в словах.

предпринимать	собственный	средний	стандартный
предприниматель	собственность	середина	стандарт
предпринимательство	собственник	посередине	стандартизировать
предпринимательский	собственница	среда	стандартизация

3. Проанализируйте сложные слова из текста. Скажите, от каких слов они образованы.

Налогоплательщик, многочисленный (слой), полноправные (граждане), целесообразность, госсектор (экономики), законопослушность.

4. Выделите суффикс в словах *коммунист, экстремист, фашист, террорист.* **Скажите, какое общее значение имеют слова с этим суффиксом: предмета, лица,**

процесса, отвлечённого понятия? С помощью этого суффикса образуйте аналогичные существительные от следующих слов.

Идеальный, социальный, активный, центральный, национальный.

5. Соедините близкие по значению слова и словосочетания.

средний класс	общественная группа
социальная группа	возможность выбора
социальный статус	расходовать средства
критерий	средний слой общества
свобода выбора	постоянно, устойчиво
тратить средства	общественное положение
доход семьи	часть чего-либо
доля	деньги, получаемые семьёй
стабильно	жизненные ценности
жизненные приоритеты	принцип отбора

6. Подберите антонимы к словам, используя материал для справок.

малочисленная группа — ...

низкий статус — ...

полностью — ...

богатство — ...

бедный — ...

максимум — ...

необразованный человек — ...

низкооплачиваемая работа — ...

пассивные люди — ...

Материал для справок:
высокий статус, бедность, образованный человек, активные люди, многочисленная группа, богатый, частично, минимум, высокооплачиваемая работа.

Обратите внимание!

Похожие слова имеют разное значение.

Демокра́тия «Народовластие, политическая система, при которой власть принадлежит народу» (*развивать, поддерживать, устанавливать демократию*)

Демократи́чность «Простота в поведении, в общении с людьми (обычно о человеке, который занимает высокое социальное положение) (*проявлять, демонстрировать демократичность*)

Предпринима́тельство «Бизнес; деятельность в экономической, финансовой сфере» (*развивать, поддерживать предпринимательство*)

Предприи́мчивость «Качество характера: активность и находчивость, соединённые с энергией и практичностью» (*проявлять, демонстрировать предприимчивость*)

131

Потребле́ние «Использование, расходование чего-либо для своих нужд» (*потребление электроэнергии, воды, топлива, продуктов питания*)
Потре́бность «Необходимость, нужность чего-либо для жизни» (*потребность в знаниях, в рабочей силе, в воде и продуктах питания*)

Цена́ «Стоимость товара, услуг в деньгах» (*цена товара, продукции, услуг*)
Це́нность 1. «Важность, значимость для человека, общества» (*ценность жизни, дружбы, любви*). 2. Обычно мн. «Важные для человека понятия, события, предметы» (*духовные, культурные, семейные, материальные ценности*)

7. Дополните предложение подходящим по смыслу словом в правильной форме.

демокра́тия, демократи́чность

1. В странах с развитой ... соблюдаются права и свободы граждан.
2. Этому человеку свойственна ... в поведении и общении с людьми.

предпринима́тельство, предприи́мчивость

3. Для бизнесмена необходимы такие качества характера, как ..., активность, смелость в принятии решений, готовность к риску.
4. Развитие ... создаёт условия для успешного развития экономики страны в целом.

потребле́ние, потре́бность

5. С ростом доходов населения страны растёт и уровень ... товаров гражданами.
6. При успешном развитии экономики растёт ... предприятий и компаний в квалифицированной рабочей силе.

цена́, це́нность

7. В условиях рыночной экономики ... на один и тот же товар в разных магазинах отличается.
8. Для большинства россиян главную ... представляет семья.

8. Употребите слова в скобках в правильной форме.

Основа, **база** *чего?* (общество, стабильность, государство, развитие, сотрудничество, благополучие);

выполнять/выполнить *что?* (функция, задача, роль, обязанность, работа, задание);

голосовать/проголосовать *за кого? за что?* (партия, демократы, коммунисты, депутат, кандидат, президент);

создавать/создать *что?* (рынок, предприятие, фирма, компания, фабрика, завод);

относить/отнести *кого-либо к чему?* (средний класс, богатые, бедные, интеллигенция, обеспеченные люди);

оценка *чего?* (деятельность, работа, поведение, поступок, учёба, результат);

доля, **часть** *кого? чего?* (руководители, работники, люди, граждане, предприниматели, интеллигенция);

расти/вырасти, **уменьшаться/уменьшиться** *за счёт кого? чего?* (руководители, работники, люди, граждане, предприниматели, интеллигенция);

в силу *чего?* (проблемы, причины, положение, обстоятельства);

приближаться/приблизиться *к чему?* (стандарты, образец, модель, идеал, уровень).

9. Укажите на условие, используя конструкцию «при + П.п.» и слова в скобках в правильной форме в простом предложении вместо синонимичного сложного предложения.

М о д е л ь:

Если в стране недостаточно развит средний класс, нельзя говорить о демократии в стране. (недостаточное развитие) —
При недостаточном развитии среднего класса нельзя говорить о демократии в стране.

1. Если в стране отсутствует средний класс, к власти могут прийти экстремисты. (отсутствие)

2. Если средний класс малочислен и слаб, бюджет государства получает мало налогов. (малочисленность, слабость)

3. Если у граждан высокий материальный доход и высокий социальный статус, они относятся к среднему классу. (высокий доход и статус)

4. Если существует частная собственность и рынок, то развивается рынок. (существование)

5. Если повышаются пошлины на ввоз иностранных автомобилей, покупать их станет невыгодно. (повышение)

6. Если у гражданина появляется свобода выбора потребления, он может быть причислен к среднему классу. (появление)

7. Если финансовый доход пенсионеров слишком мал, они не могут быть отнесены к среднему классу. (малый финансовый доход)

8. Если человек работает в частном секторе, у него есть шанс попасть в слой среднего класса. (работа)

10. Потренируйтесь в письме.

1. Используя информацию из текста, запишите, какие основные функции выполняет средний класс в обществе.

2. Запишите главные критерии, по которым граждане относятся к среднему классу на Западе, и критерии, по которым граждане относятся к среднему классу в России.

3. Запишите отличительные количественные и качественные характеристики российского среднего класса в 2007 году по сравнению с 2000 годом.

4. Перечислите и запишите важнейшие жизненные ценности представителей российского среднего класса и главный вывод, который делает учёный-социолог.

Готовимся к дискуссии

Как выразить совет

Читайте научную литературу по изучаемой проблеме.
Я советую Вам послушать доклад этого ученого.
Вам надо (нужно) прочитать статью профессора Иванова.
Вам необходимо ознакомиться с результатами социологического опроса

---

11. **Примите участие в дискуссии. Используйте выражения, которые при обсуждении вопросов помогут выразить совет другому участнику дискуссии.**

1. Существует ли в вашей стране средний класс? Какую часть населения вашей страны он составляет?

2. Люди каких групп и профессий представляют средний класс в вашей стране? Являются ли пенсионеры в вашей стране представителями среднего класса?

3. Каков средний возраст представителей среднего класса в вашей стране? Где они живут: в столице, в больших городах, в сельской местности?

4. Каковы жизненные ценности среднего класса в вашей стране? Что для этих людей является самым важным в жизни — богатство, работа, семья?

5. Согласны ли вы с точкой зрениия учёных-социологов о том, что средний класс является основой демократического общества? Аргументируйте свою точку зрения.

ГРАММАТИКА

1. ВЫРАЖЕНИЕ УСЛОВНЫХ ОТНОШЕНИЙ
(в простом предложении)

Условные отношения выражаются в русском языке разными способами:

а) в простом предложении с помощью предлогов (предложно-падежных конструкций);

б) в сложном (сложноподчинённом) предложении с помощью специальных союзов.

В п р о с т о м п р е д л о ж е н и и условные отношения выражаются при помощи следующих предложно-падежных конструкций:

1. Предлог **ПРИ + П. п.** существительного.

В о п р о с: при каком условии?

Данная конструкция является стилистически нейтральной и употребляется во всех стилях речи для выражения условия.

П р и м е р ы: **При покупке** телевизора необходимо оформить гарантию.

При поддержке друзей работа идёт успешней.

При плохом самочувствии нужно обратиться к врачу.

2. Предлог **БЕЗ + Р. п.** существительного.

В о п р о с ы: без чего? без какого условия?

Данная конструкция является стилистически нейтральной и употребляется во всех стилях речи для выражения условия.

П р и м е р ы: **Без больших усилий** даже талантливый человек не достигнет успеха.

Без труда не вынешь и рыбку из пруда.

3. Предлоги **В СЛУЧАЕ**

134

ПРИ НАЛИЧИИ
ПРИ ОТСУТСТВИИ } + **Р. п.** существительного.

В о п р о с ы: в каком случае? в случае чего?

при каком условии? при условии чего?

П р и м е р ы: **В случае аварии** на дороге на место происшествия приезжает полиция.

При наличии заграничного паспорта и визы можно поехать в Россию.

При отсутствии билета невозможно полететь на самолёте.

Предлоги **в случае**, **при наличии**, **при отсутствии** употребляются в официально-деловом стиле речи.

Обратите внимание!

Простые предложения, выражающие условие, можно заменить синонимичными сложными предложениями. При этом необходимо учитывать следующее.

1. В конструкциях простого предложения с предлогами **при, в случае** отглагольное существительное заменяется однокоренным глаголом в сложном предложении.

П р и м е р ы: **При появлении** первых признаков заболевания обратитесь к врачу.

Если появились первые признаки заболевания, обратитесь к врачу.

При обнаружении чужих вещей в автобусе сообщите водителю.

Если вы **обнаружили** чужие вещи в автобусе, сообщите об этом водителю.

В случае повторного **опоздания** на работу сотрудник будет уволен.

Если сотрудник повторно **опоздает** на работу, он будет уволен.

2. В конструкциях простого предложения с предлогами **при, в случае** существительные с модальным значением *необходимость, возможность, уверенность, согласие* заменяются однокоренными словами *необходимо, возможно, уверен (-а, -ы), согласен (согласна, -ы)*.

П р и м е р ы: **При необходимости** получить банковскую квитанцию нажмите соответствующую кнопку на экране банкомата.

Если необходимо получить банковскую квитанцию, нажмите соответствующую кнопку на экране банкомата.

При возможности позвонить из-за границы, пожалуйста, позвони.

Если возможно позвонить из-за границы, пожалуйста, позвони.

Только **при уверенности** в успехе эксперимент можно проводить.

Если только вы **уверены** в успехе, эксперимент можно проводить.

В случае полного **согласия** двух сторон можно подписывать договор.

Если две стороны полностью **согласны**, можно подписывать договор.

135

3. Конструкции простого предложения с предлогами **без** и **при отсутствии** заменяются в сложном предложении конструкцией **«если нет (не было, не будет)»**.

П р и м е р ы : **Без согласия** обеих сторон договор не действителен.

Если нет согласия обеих сторон, договор не действителен.

При отсутствии паспорта нельзя купить билет на самолёт.

Если нет паспорта, нельзя купить билет на самолёт.

4. Конструкция простого предложения с предлогом **при наличии** заменяется в сложном предложении конструкцией **«если есть (будет)»**.

П р и м е р : **При наличии** мест можно купить билет на ближайший рейс самолёта.

Если есть места, можно купить билет на ближайший рейс самолёта.

ЗАДАНИЯ

1. Употребите слова в скобках в правильной форме.

1. **Без** *кого? чего?* (друзья, товарищи, коллег; помощь, поддержка, совет, труд);

2. **При** *чём?* (помощь, поддержка, появление, возникновение, необходимость, трудность);

3. **В случае** *чего?* (опоздание, ошибка, успех, опасность, согласие, договорённость);

4. **При отсутствии** *чего?* (документы, договор, паспорт, соглашение).

2. Укажите на условие, употребив слова в скобках в правильной форме.

М о д е л ь :

В случае ... (пожар) звоните по номеру 01. —
В случае пожара звоните по номеру 01.

1. Без ... (водительские права) вы не можете управлять машиной.

2. При ... (заключение договора) представители обеих сторон ставят на нём подписи.

3. В случае ... (возникновение конфликта) нужно решать его мирным способом.

4. Без ... (единые экзамены) поступить в университет невозможно.

5. При отсутствии ... (счёт в банке) вы не можете получить банковский кредит.

6. В случае ... (технические проблемы) вылет самолёта задерживается.

7. При ... (необходимость) позвони мне.

8. Без ... (знание иностранного языка) трудно жить в чужой стране.

9. Без ... (упорные тренировки) невозможно стать чемпионом.

10. При ... (принятие решения) нужно выслушать разные мнения.

11. В случае ... (опасность) позвоните в полицию.

12. При ...(переход) улицы будьте осторожны.

136

3. Укажите на условие, употребив подходящий предлог *без, при, в случае.* **Обратите внимание на падеж существительного.**

1. ... нарушения правил общежития нарушитель будет наказан.

2. ... денег не поедешь отдыхать за границу.

3. ... помощи Интернета я получу полную информацию об университете.

4. ... отдыха дальнейшая работа идёт не так успешно.

5. ... опоздания самолёта необходимо срочно менять планы.

6. ... старании и трудолюбии человек непременно добьётся успеха.

7. ... возникновения пожара необходимо позвонить по телефону 01.

8. ... твоего совета мне было бы трудно сделать правильный выбор.

9. ... увольнения с работы мне придётся искать новое место.

10. ... хорошей погоде туристы могут подниматься в горы.

2. ВЫРАЖЕНИЕ УСЛОВНЫХ ОТНОШЕНИЙ
(в сложном предложении)

В сложном (сложноподчинённом) предложении зависимая часть присоединяется к главной при помощи специальных союзов: **если** и **если бы**.

Зависимая часть сложного предложения указывает на условие действия (события, факта), от которого зависит его реализация. О самом действии (событии, факте), который нужно реализовать, говорится в главной части предложения.

При этом существует два типа ситуаций:

1) зависимая часть выражает реальное (потенциальное), то есть выполнимое условие;

2) зависимая часть выражает нереальное, то есть невыполнимое условие.

Р е а л ь н о е (п о т е н ц и а л ь н о е) у с л о в и е — это такое условие, которое соответствует действительности.

П р и м е р: **Если** он обещал помочь, то обязательно **поможет**.

Если у меня будет свободное время, **я поеду** на дачу.

(У меня будет свободное время или не будет свободного времени и, в зависимости от этого, я поеду или не поеду на дачу.)

Н е р е а л ь н о е у с л о в и е — это условие, которое не соответствует действительности.

П р и м е р: **Если бы** у меня было свободное время, **я поехал бы** на дачу.

(У меня не было свободного времени, и я не поехал на дачу.)

Зависимая часть сложного предложения отвечает на вопрос: «При каком условии?»

В главной части условных предложений могут употребляться частицы **то, тогда, так**. Они придают предложению различные оттенки:

- частица **то** является стилистически нейтральной;
- частица **тогда** придаёт оттенок временно́го значения;
- частица **так** употребляется только в разговорной, непринуждённой речи.

137

П р и м е р ы : **Если** ты принял решение, **то** не меняй его.

Если он попросит помочь, **тогда** мы и поможем ему.

Если мы друзья, **так** давай помогать друг другу.

Выражение реального (потенциального) условия

В условных предложениях, выражающих реальное (потенциальное) условие, употребляется союз **если**.

ЕСЛИ ..., (ТО)

П р и м е р ы : **Если** будет хорошая погода, мы поедем за город.

Если ты мне поможешь, я быстрее закончу работу.

Если хочешь быть здоровым, занимайся спортом.

Если уж мы заговорили об этом, хочу напомнить один случай.

Глагол употребляется в изъявительном наклонении любого времени (настоящего, прошедшего или будущего).

1. Постоянное условие выражается при помощи форм настоящего времени в обеих частях предложения:

П р и м е р ы : **Если хочешь** стать хорошим специалистом, **надо учиться**.

Если хочешь поступить в университет, **надо** много **заниматься**.

2. Потенциальное условие обычно выражается при помощи форм императива в главной части и глаголом в будущем времени в придаточной части.

П р и м е р ы : **Если захочешь** весело провести время, **приходи** завтра на вечеринку.

Если будешь звонить Анне, то **передай** ей от меня привет.

Если хочешь быть здоровым, **занимайся** спортом.

3. Вежливая просьба, пожелание при выражении благодарности передаётся при помощи глаголов совершенного вида в зависимой части.

П р и м е р ы : **Если** вы мне **покажете** дорогу, я буду вам благодарен.

Если ты **позвонишь** мне, я буду очень рад.

Союз **если** универсален и стилистически нейтрален. Союз **если** может выступать в сочетании со словами **в случае, при условии**, которые могут находиться в главной или в зависимой части. С компонентом **при условии** союз **если** может быть заменён на союз **что**.

П р и м е р ы : **В случае если** она позвонит, сообщи о моём приезде в Москву.

Я полечу в командировку **при условии, если (что)** буду здоров.

Выражение нереального условия

В условных предложениях, выражающих нереальное условие, глагол употребляется только в прошедшем времени с частицей **бы**.

Выделяются 3 типа конструкций, выражающих нереальное условие.

1. ЕСЛИ БЫ + прош. время глаг., ... + БЫ + прош. время глаг.

Частица **бы** употребляется в обеих частях предложения и может стоять при союзе или в другой части предложения.

П р и м е р ы: **Если бы** ты позвонил, я **бы** встретил тебя в аэропорту.

(Я не встретил тебя, потому что ты не позвонил)
Если бы я знал о твоей болезни, я **бы** пришёл к тебе.

Если бы я знал о твоей болезни, я пришёл **бы** к тебе.

Данная конструкция выражает нереальное условие, ситуацию, которая могла реализоваться, но не реализовалась. Она выражает невозможность осуществления намерения ни в прошлом, ни в будущем.

2. ЕСЛИ БЫ НЕ + И.п. сущ. (личн. мест.), ... + БЫ + прош. время глаг.

П р и м е р ы: **Если бы не** он, переговоры **бы** не состоялись вовсе.

Если бы не наша решительность, проект закрыли **бы**.

Данная конструкция выражает нереальное условие при помощи союза **если бы** и частицы **не**, которая в данной конструкции не выражает отрицания. Существительное (личное местоимение) в И. п. указывает на лицо (или предмет), которое способствует или мешает выполнению действия.

3. ИМПЕРАТИВ ... + прош. время глаг. + БЫ

П р и м е р ы: **Скажи** она об этом раньше, **не случилась бы** беда.

Купи он билеты заранее, мы **попали бы** на концерт.

Не помоги мне тогда друг, не знаю, что **было бы** со мной.

Данная конструкция выражает нереальное условие при помощи императива (повелительного наклонения глагола) 2-го лица единственного числа в бессоюзных сложных предложениях.

ЗАДАНИЯ

1. Укажите на условие, употребив глагол в скобках в правильной форме.

М о д е л ь:

Если бы он поступил в аспирантуру, он ... учёным (стать) . —
*Если бы он поступил в аспирантуру, он **стал бы** учёным.*

1. Если тебе нравятся картины этого художника, обязательно ... на его выставку. (пойти)

2. Если бы я ... плавать, я регулярно ходил бы в бассейн. (любить)

3. Если бы он пригласил меня в театр, я ... с удовольствием. (пойти)

4. ... я с ним о его проблеме, не случилась бы беда. (поговорить)

5. Если бы мы не спешили, мы ... на вокзал. (опоздать)

6. Я ... к бабушке на каникулы, если бы не заболел. (поехать)

7. Я бы ... учёным, если бы у меня был талант от природы. (стать)

8. Если не ... о природе, она погибнет. (заботиться)

9. Если бы не совет родителей, я не ... учиться на медицинский факультет. (пойти)

10. ... он билеты заранее, мы попали бы на концерт этого музыканта. (купить)

2. Укажите на реальное и нереальное условие, объединив два простых предложения в одно сложное.

М о д е л ь :

В субботу будет дождь. Мы не поедем на дачу. —
*Если в субботу будет дождь, **мы не поедем** на дачу.*
*Если бы в субботу был дождь, **мы бы не поехали** на дачу.*

1. Ты любишь мороженое. Я куплю тебе его.
2. Мы любим туризм. Мы ходим в горы.
3. У тебя есть время. Посмотри этот фильм.
4. Вы хотите быть здоровым. Вы бросите курить.
5. Вы хотите быть здоровыми. Вам надо заниматься спортом.
6. У меня будет много денег. Я буду путешествовать по миру.
7. Ты интересуешься французской культурой. Тебе нужно изучать французский язык.
8. Я поступлю в университет. Я приглашу друзей на вечеринку.
9. Люди понимают друг друга. Нет конфликтов и обид.
10. Я куплю машину. Я повезу тебя путешествовать по России.

3. Укажите на условие в простом предложении, употребив конструкции с предлогами *при, без, в случае* **и слова в скобках в правильной форме вместо синонимичного сложного предложения.**

М о д е л ь :

Если отсутствует воля, человек не достигнет поставленной цели. (отсутствие) —
***При отсутствии воли** человек не достигнет поставленной цели.*

1. Если законы нарушаются, общество не может успешно развиваться. (нарушение)
2. Если инвестиции не привлекаются, производство не растёт. (привлечение)
3. Если правила безопасности не соблюдаются, возможны технические аварии. (несоблюдение)
4. Если не бороться с экстремизмом, страна погибнет. (борьба)
5. Если не решать национальные проблемы, многонациональное государство разрушится. (решение)
6. Если в страну не будут приезжать иностранные рабочие, рост экономики замедлится. (приезд)
7. Если нарушить равновесие в природе, может случиться экологическая катастрофа. (нарушение)
8. Если регулярно заниматься спортом, можно улучшить своё здоровье. (занятие)

4. Укажите на условие в сложном предложении, употребив союз *если* **и слова в скобках в правильной форме вместо синонимичного простого предложения.**

М о д е л ь:

При плохом самочувствии нужно обратиться к врачу. (чувствовать себя)— *Если вы плохо себя чувствуете*, *нужно обратиться к врачу.*

1. Без упорного труда даже талантливый человек не достигнет успеха. (трудиться)

2. При переходе улицы нужно быть очень осторожным. (переходить)

3. При предъявлении паспорта вы пройдёте паспортный контроль в аэропорту. (предъявить)

4. При сильной боли нужно срочно обратиться к врачу. (чувствовать боль)

5. При покупке электроприборов нужно оформлять гарантию. (покупать)

6. Без официальной регистрации в полиции приезжий считается незаконным мигрантом. (регистрироваться)

7. При обнаружении в автобусе чужих вещей сообщите об этом водителю. (обнаружить)

8. Без билета невозможно лететь на самолёте. (нет)

9. Без подачи заявки вы не можете участвовать в конкурсе. (подать)

10. Без добросовестной работы богатства не достигнешь. (работать)

5. Закончите сложные предложения, выражающие условие.

1. Если у меня будет свободное время, ...

2. Если бы я жил вместе с родителями, ...

3. Если встреча состоится, ...

4. Если бы все учились на своих ошибках, ...

5. Если друг долгое время не пишет мне, ...

6. Если бы не твоя помощь, ...

7. Если бы для поездки в Италию не нужна была виза, ...

8. Если бы не моё упрямство, ...

9. Если лето будет жарким, ...

10. Если я выиграю в лотерею миллион, ...

6. Работаем в парах. Задайте вопросы коллегам о среднем классе населения в их стране. Уточните условия, при которых средний класс развивается успешно.

7. Расскажите о среднем классе населения в вашей стране, об условиях появления и роста численности данной социальной группы. Используйте различные конструкции, выражающие условие.

УРОК 10

Речевая тема. Проблемы безработицы
Грамматическая тема. Выражение уступительных отношений

ПРОБЛЕМЫ БЕЗРАБОТИЦЫ

1. Прочитайте текст. Перед чтением текста ознакомьтесь с активной лексикой урока. Уточните значение незнакомых слов по словарю и запишите их перевод на родной язык. Ответьте на вопросы после текста.

АКТИВНАЯ ЛЕКСИКА УРОКА

Безработица (*какая?*) официальная, реальная...

Безработный (*в знач. сущ.*)

Биржа труда

Вставать/встать на учёт (*где?*) на бирже труда

Государственный комитет статистики

Доступный, -ая, -ое = недорогой, дешёвый

Занятость, *ж.* (*чего?*) населения

Зарплата (заработная плата)

Инвестировать = вкладывать (*что?*) средства, финансы...; (*во что?*) в проект, в строительство, в создание предприятия...

Инвестиции, *мн.*

Льготы, *мн.*

Налог

Оплата (*чего?*) труда, работы, товара, заказа...

Осваивать/освоить (*что?*) профессию, специальность, метод работы...

Отрасль, *ж.* (*чего?*) экономики, хозяйства...

Переквалификация (*кого?*) сотрудников, специалистов, работников...

Подрабатывать/подработать (*где?*) на стройке, в кафе...

Показатель, *м.* (*чего?*) роста, снижения, динамики...

Потребление

Рабочие места, *мн.*

Рынок труда

Скрытая безработица

Сниматься/сняться с учёта (*где?*) на бирже труда

Социальная политика

Сфера (*чего?*) торговли, услуг

Трудоспособный человек

Увольняться/уволиться (*откуда?*) с работы, из фирмы

Устраиваться/устроиться (*куда?*) на работу, в фирму

Фактор (*чего?*) развития...

Финансовые средства

Численность, *ж.* = количество

142

БЕЗРАБОТИЦА В ЕВРОПЕ И В РОССИИ

В настоящее время в большинстве стран Европы безработица составляет более 10%, а в некоторых странах она ещё выше.

Что же делают правительства этих стран, чтобы решить проблему безработицы? С целью создания большего числа рабочих мест в Польше и Словакии строят современные, высокого качества автомагистрали. Чехия уже несколько лет не проводит приватизацию. Украина и Румыния до сих пор поддерживают предприятия с устаревшей технологией производства, что приводит к скрытой безработице.

Скрытая безработица — это социальное явление, при котором на предприятии, ставшем убыточным, неэффективным в результате спада производства, сохраняется излишнее количество работников. Рабочая сила на заводе, на фабрике используется не полностью, но и не увольняется, получая очень маленькую зарплату. Это формально занятые, но фактически безработные люди. Скрытую безработицу пополняют люди, которые работают неполный рабочий день или неделю, которые потеряли надежду найти работу и отказались регистрироваться на биржах труда.

Но пока ни один из названных методов борьбы не дал положительного результата, и безработица остаётся одной из главных проблем в европейских странах. Особенно велика безработица среди молодёжи. Это опасно тем, что может появиться целое поколение людей без опыта работы и квалификации. Трудоспособное население, не работающее длительное время, сейчас составляет 50% общего числа безработных в Центральной Европе.

Безработица является социальной проблемой, и поэтому для её решения со стороны государства необходимы действия в сфере социальной политики. Большинство стран уже разработали и проводят региональную политику, предлагающую налоговые льготы инвесторам, вкладывающим инвестиции в организацию новых предприятий в беднейших районах. Это должно способствовать созданию там новых рабочих мест.

Существуют планы по освоению новых профессий, переквалификации работников, а также планы по улучшению транспортной системы, что облегчит перевозку населения на работу из бедных районов в более богатые районы с развитой промышленностью.. Необходимо также решение жилищного вопроса: создание государственных жилищных программ по строительству дешёвого, доступного жилья для населения.

В России безработица тоже приобрела массовый характер, стала одной из острейших проблем для страны. Причём, это касается не Москвы и столичного региона, а остальных регионов. Столица — это особое место в государстве, в ней сосредоточены большие финансовые средства, крупные предприятия, развита сфера торговли и услуг. В столицу всё время прибывает рабочая сила, создавая иллюзию почти полной занятости. Но Москва — это не вся Россия. В провинции ситуация совершенно иная — там нет сферы применения рабочей силы, нет финансовых средств для оплаты труда.

По официальным данным Государственного комитета статистики, общая численность безработных в России в настоящее время составляет 9—10% экономически активного населения. По экспертным же оценкам действительная величина безработицы в России выше и составляет 13—14. Это означает, что в России практически каждый четвёртый трудоспособный человек — безработный.

В Советском Союзе до 1991 года официальной безработицы не было. В наше время безработица — реальный и серьёзный фактор в экономике и социальной жизни России.

В чём же состоят особенности национальной безработицы в России?

Во-первых, по сравнению с западными странами в России небольшой процент официально зарегистрированных безработных — около 40%. В зарубежных странах этот показатель составляет — примерно 80%. Причём, в России безработными в основном являются женщины. Почему? Женщина, например, увольняется с предприятия, где она получала не слишком большую зарплату, идёт на биржу труда и регистрируется. При этом, получая пособие примерно равное её бывшей заработной плате, женщина может ещё где-то подрабатывать. Мужчины же, которые работают, в основном получают бо́льшую, чем женщины зарплату, поэтому получать маленькое пособие им не только не выгодно, но и унизительно.

Во-вторых, среди российских безработных очень высок процент специалистов с высшим образованием, до примерно 40%. В этом кардинальное отличие безработицы в России от зарубежных стран. На Западе именно малоквалифицированные работники составляют основную массу безработных, что упрощает решение проблемы занятости. Согласитесь, что легче обеспечить работой разнорабочего, чем найти её для специалиста генетика или физика.

Для решения проблемы безработицы российское правительство предприняло ряд неотложных мер, включающих переквалификацию работников, стимулирование малого и среднего предпринимательства, расширение участия населения в работе транспортной системы и других общественно значимых работах. При условии выполнения этих мер государство сможет контролировать безработицу в стране. Однако, по мнению социологов и экономистов, безработица будет существовать до тех пор, пока не начнётся экономический рост и подъём производства во всей стране.

В каких же отраслях народного хозяйства в России существует наибольшая потребность в рабочей силе? По мнению специалистов Института труда, изучающих проблему безработицы, будущее за отраслями, связанными с потреблением. Это значит, надо развивать пищевую, лёгкую промышленность, сферу услуг и торговлю. Именно там будет расти потребность в работниках и специалистах.

(По материалам еженедельника «Работа сегодня»)

Вопросы к тексту.

1. Каков уровень безработицы в странах Европы?

2. Что делают правительства таких стран, как Польша, Словакия, Чехия, Украина и Румыния, для решения проблемы безработицы?

3. Среди какой возрастной группы населения уровень безработицы наиболее высок? Чем это опасно для общества?

4. Существует ли разница между безработицей в Москве и в других регионах России? В чём она проявляется?

5. Каковы национальные особенности безработицы в России?

6. Кому легче найти работу в России — высококвалифицированному специалисту или работнику с низкой квалификацией?

7. Какие меры предпринимает российское правительство для решения проблемы безработицы?

8. В каких отраслях, по мнению специалистов, будет особенно нужна рабочая сила в России в ближайшее время?

2. Выделите общую часть в словах.

безработица	занятость	трудиться	зарегистрированный
работа	заниматься	сотрудник	регистрироваться
работать	занятый	труженик	регистрация
подрабатывать	занятие	труд	регистратор
безработный	занят	трудный	регистрационный
работник	перезаниматься	трудовой	перерегистрация

3. Проанализируйте сложные слова из текста. Скажите, от каких слов они образованы.

Автомагистраль, трудоспособное (население), зарплата, малоквалифицированный (работник), разнорабочий.

4. Выделите приставку в словах *переквалификация* **и** *переобучение*. **Скажите, какое значение вносит эта приставка в слова, к которым она присоединяется. Образуйте с помощью этой приставки слова от следующих существительных.**

Расчёт, монтаж, выборы, воспитание, избрание, подготовка, вооружение, стройка.

5. Соедините близкие по значению слова и словосочетания.

в настоящее время	транспортировка
численность	осуществлять политику
проводить политику	количество
инвестиции	использование
доступное жильё	необходимость
потребность	бизнес
перевозка	недорогое, дешёвое жильё
сократиться	в наше время, сегодня
предпринимательство	снизиться, уменьшиться
применение	финансовые средства, капитал

6. Подберите антонимы к словам, используя материал для справок.

показатель ниже — ...

современная технология производства — ...

негативный результат — ...

богатые районы — ...

затруднить перевозку — ...

дорогое жильё — ...

провинция — ...

высокий процент — ...

устраиваться на работу — ...

высококвалифицированный работник — ...

падение, спад производства — ...

Материал для справок:

столица, дешёвое жильё, низкий процент, позитивный результат, устаревшая технология, бедные районы, увольняться с работы, показатель выше, облегчить перевозку, малоквалифицированный работник, подъём производства.

Обратите внимание!

Похожие слова имеют разное значение.

Предлага́ть «Давать кому-либо для выбора, для обсуждения, для выполнения работы» (*предлагать работу, товары, услуги, продукцию предприятия, льготы*)

Предполага́ть «Делать догадку, думать, что будет именно так» (*предполагать действия, поведение, реакцию, поступок, ответ, решение, ход событий*)

Национа́льный, -ая, -ое «Свойственный данной нации, выражающий её характер» (*национальный костюм, обычай, праздник; национальное блюдо; национальная кухня, традиция*)

Националисти́ческий, -ая, -ое «Свойственный национализму — идеологии и политике, основанных на идее превосходства одной нации над другими» (*националистическая идея, теория; националистические взгляды, выступления*)

7. Дополните предложение подходящим по смыслу словом в правильной форме.

предлага́ть, предполага́ть

1. Социологи ... сокращение рабочих мест и рост безработицы в период экономического кризиса.

2. Торговая фирма ... покупателям широкий ассортимент товаров и услуг.

национа́льный, националисти́ческий

3. ... партии запрещены во всех демократических государствах.

4. Туристы, приезжающие в другую страну, должны уважать ее ... традиции.

8. Употребите слова в скобках в правильной форме.

Поддерживать/поддержать *что?* (предприятие, завод, фабрика, малый бизнес, предпринимательство);

рост *чего?* (безработица, уровень жизни, благосостояние, население, число безработных);

организация *чего?* (предприятие, завод, фабрика, малый бизнес, фирмы, компании);

рынок *чего?* (рабочая сила, труд, товары потребления, услуги, автомобили, одежда, обувь, предметы домашнего обихода);

оплата *чего?* (труд, работа, услуги, сервис, жильё, транспорт, питание);

увольняться/уволиться *откуда?* (предприятие, завод, фабрика, компания, фирма, банк);

заработная плата *кого?* (работник, рабочий, сотрудник, специалист, директор, менеджер, президент компании);

подрабатывать/подработать *где?* (предприятие, завод, фабрика, компания, фирма, банк, магазин, ресторан, кафе, стройка);

процент *кого? чего?* (работники, рабочие, сотрудники, специалисты; предприятия, заводы, фабрики, компании, фирмы, банки);

потребность *в ком? в чём?* (работники, рабочие, сотрудники, специалисты; рабочая сила, инвестиции, финансовые средства).

Запомните!

Глагол + В. п.		Отглагольное существительное + Р. п.	
создавать (*что?*)		создание (*чего?*)	
развивать (*что?*)		развитие (*чего?*)	
использовать (*что?*)		использование (*чего?*)	
готовить (*кого? что?*)		подготовка (*чего?*)	
привлекать (*кого? что?*)		привлечение (*кого? чего?*)	
организовывать (*кого? что?*)	+ В. п.	организация (*чего?*)	+ Р. п.
регистрировать (*кого? что?*)		регистрация (*кого? чего?*)	
разрабатывать (*что?*)		разработка (*чего?*)	
внедрять (*что?*)		внедрение (*чего?*)	
оценивать (*что?*)		оценка (*чего?*)	
получать (*что?*)		получение (*чего?*)	
проводить (*что?*)		проведение (*чего?*)	

9. Укажите на противоречие между условием выполнения действия и результатом действия, используя грамматическую конструкцию *«несмотря на + В.п.»* **и слова в скобках в правильной форме в простом предложении вместо синонимичного сложного предложения.**

М о д е л ь:

> **Несмотря на то что правительство стремится** решить проблему занятости населения, безработица остаётся. (стремление) —
>
> **Хотя правительство стремится** решить проблему занятости населения, безработица остаётся. (стремление) —
>
> *Несмотря на стремление правительства решить проблему занятости населения, безработица остаётся.*

1. Несмотря на то что в Европе экономика развивается высокими темпами, там существует проблема безработицы. (развитие)

2. Хотя в Польше созданы рабочие места на строительстве автомагистралей, число безработных там большое. (создание)

3. Несмотря на то что используются разные методы борьбы с безработицей, ни один не дал положительного результата. (использование)

4. Хотя молодёжь во всех странах активна и энергична, безработица среди молодёжи особенно велика. (активность, энергичность)

5. Несмотря на то что университеты готовят специалистов, целое поколение молодых людей может остаться без опыта работы. (подготовка)

6. Хотя страны проводят политику по привлечению инвестиций в бедные районы, проблема занятости населения остаётся острой. (проведение)

7. Несмотря на то что принята государственная программа доступного жилья, для многих жителей купить квартиру слишком дорого. (принятие)

8. Несмотря на то что специалисты получают высокую квалификацию, им труднее найти работу, чем малоквалифицированным работникам. (получение)

10. Потренируйтесь в письме.

1. Используя информацию из текста, дайте определение научному понятию «скрытая безработица».

2. Сформулируйте и запишите две особенности национальной безработицы в России.

3. Запишите список мер для борьбы с безработицей, которые проводит российское государство.

4. Составьте и запишите план статьи «Безработица в Европе и в России».

Готовимся к дискуссии

Как привести примеры, аргументы, факты

Позвольте привести один пример. ...
Вот несколько примеров, подтверждающих правильность данной точки зрения.
Приведу следующие аргументы в пользу своей позиции.
Хочу напомнить несколько фактов, подтверждающих данный вывод.

11. **Примите участие в дискуссии. Используйте выражения, с помощью которых в ходе обсуждения вы приведёте конкретные примеры, аргументы, факты в пользу своей точки зрения.**

1. Существует ли проблема безработицы в вашей стране? Где легче найти работу в вашей стране: в столице и больших городах, в маленьких городах, в сельских районах?

2. Существуют ли в вашей стране биржи труда, где регистрируют безработных? Кто может зарегистрироваться на бирже труда как безработный? Какое социальное пособие и в течение какого времени может получать безработный в вашей стране?

3. Какие возрастные группы населения вашей страны наиболее страдают от безработицы? Кого больше среди безработных в вашей стране: мужчин или женщин?

4. Какие меры принимает правительство вашей страны для решения проблемы безработицы? Достаточны ли, на ваш взгляд, действия правительства, направленные на решение проблемы безработицы? Аргументируйте своё мнение.

ГРАММАТИКА

1. ВЫРАЖЕНИЕ УСТУПИТЕЛЬНЫХ ОТНОШЕНИЙ
(в простом предложении)

Уступительные отношения обозначают противоречие между условиями, обстоятельствами выполнения действия и результатом действия.

Уступительные отношения в русском языке выражаются разными способами:

а) в простом предложении с помощью предлогов (предложно-падежных конструкций);

б) в сложном (сложноподчинённом) предложении с помощью специальных союзов.

Уступительные отношения в простом предложении выражаются с помощью следующих предложно-падежных конструкций.

1. Предлог **НЕСМОТРЯ НА** + **В. п.** существительного.

В о п р о с : несмотря на что?

Данный предлог указывает на противопо ставление по смыслу одних слов во фразе другим, одной информации во фразе другой: препятствия, трудности не мешают совершению действия и достижению результата.

Если в состав конструкции с предлогом **несмотря на что** включаются слова с отрицательным значением, то глагол обозначает действие с положительным результатом. Если в состав данной конструкции включаются слова с положительным значением, то глагол обозначает действие с отрицательным результатом.

П р и м е р ы : **Несмотря на плохую подготовку**, спортсмен **победил** на соревнованиях.

149

Несмотря на хорошую подготовку, спортсмен **не победил** на соревнованиях.

В составе конструкции с предлогом **несмотря на** обычно выступают существительные с абстрактным значением — образованные от глаголов и прилагательных, а также обозначающие явления природы. Например, слова: *старания, помощь, болезнь, отсутствие опыта, победа, достижения, ум, талант, трудолюбие, усталость, успех, финансовый кризис, дождь, гроза, жара, холод, плохие условия* и др.

Предлог **несмотря на что** может стоять в начале и в конце предложения.

Констукция с предлогом **несмотря на** стилистически нейтральна, она употребляется для выражения уступительных отношений в разговорной и книжной (письменной) речи. Данная конструкция наиболее употребительна.

П р и м е р ы: Я позвонил другу, **несмотря на обиду**.

Несмотря на совет родителей, он не стал поступать на медицинский факультет.

Несмотря на усилия договаривающихся сторон, компромисс между ними не был достигнут.

2. Предлог **ВОПРЕКИ** + Д. п. существительного.

В о п р о с: вопреки чему?

Конструкция с предлогом **вопреки** указывает на сознательное нарушение субъектом принятых норм, правил, традиций.

В составе конструкции с предлогом **вопреки** обычно выступают существительные с абстрактным значением: *ожидание, опасение, надежда, прогноз, предсказание, мнение, логика, правила, традиция, обычаи, обещание, требование, совет, рекомендация* и др.

Предлог **вопреки** может стоять в начале и в конце предложения.

Конструкция с предлогом **вопреки** употребляется для выражения уступительных отношений преимущественно в книжной (письменной) речи.

П р и м е р ы: **Вопреки прогнозам** экономистов инфляция в стране усилилась.

Страна продолжала нарушать международные договорённости **вопреки рекомендациям** Организации Объединённых Наций (ООН).

3. Предлог **НЕЗАВИСИМО ОТ** + Р. п. существительного.

В о п р о с: независимо от чего?

В конструкции с предлогом **независимо от** субъект указывает, что условия не будут иметь значения для выполнения действия, для достижения результата.

В составе конструкции с предлогом **независимо от** обычно выступают существительные с абстрактным значением: *результат, решение, итоги, мнение, соглашение, подписанный договор, рекомендация, требование* и др.

Конструкция «**независимо от** + Р. п.» может стоять в начале и в конце предложения.

Конструкция «**независимо от** + Р. п.» обычно употребляется для выражения уступительных отношений в книжной (письменной) речи.

Примеры: **Независимо от результатов** выборов президента демократический курс развития страны сохранится.

Террористические акты на Ближнем Востоке продолжаются независимо от решения ООН, осуждающего подобные действия.

4. Конструкция **ПРИ ВСЁМ (ВСЕЙ, ВСЕХ) + П. п.** существительного.

Вопрос: при каких условиях?

Конструкция **«при всём (всей, всех) + П. п.»** указывает на противоречивость условия или качества с характером последующего действия.

Эта конструкция обязательно включает определительное местоимение (**всём, всей, всех**) и существительные, обозначающие отношение одного лица к другому (*уважение, любовь, симпатия*), обозначающие качества или чувства лиц (*терпение, ум, талант, гениальность, достоинства, недостатки, доброта, опыт, трудолюбие, желание* и др.).

Конструкция с предлогом **при** чаще стоит в начале предложения.

Конструкция **«при всём (всей, всех) + П. п.»** обычно употребляется в разговорной речи для выражения уступительных отношений в вежливой форме.

Примеры: **При всём уважении** к вам, профессор, я не могу с вами согласиться.

При всех недостатках этого человека нужно отметить его высокий профессионализм.

ЗАДАНИЯ

1. **Дополните предложения, выражающие уступительные отношения, употребив слова в скобках в правильной форме.**

Модель:

Вопреки ... (прогнозы) специалистов сильная жара стояла весь месяц. — *Вопреки прогнозам специалистов сильная жара стояла весь месяц.*

Несмотря на ... (холодная погода), мы пошли кататься на лыжах. — *Несмотря на холодную погоду, мы пошли кататься на лыжах.*

1. Вопреки ... (совет) родителей я не стал поступать в университет.

2. Строители закончили работу, несмотря на ... (трудности).

3. Несмотря на ... (усталость), туристы продолжили поход в горы.

4. При ... (все негативные оценки) критиков я с удовольствием посмотрел новый фильм.

5. Независимо от ... (мнение большинства) он решил осуществить свой проект.

6. Несмотря на ... (старость), отец много работал в саду.

7. При ... (все высокие оценки) этой работы коллегами её автор не был доволен результатом.

8. Несмотря на ... (короткая остановка) поезда, мы успели купить газеты на станции.

151

9. Этот человек сделал блестящую карьеру вопреки ... (мнение) о нём как о неудачнике.

10. Вопреки ... (все трудности) он достиг поставленной цели.

11. Независимо от ... (решение городских властей) демонстрация состоится.

2. Укажите на противоречие между условием выполнения действия и результатом действия, употребив подходящие по смыслу слова в скобках в правильной форме.

М о д е л ь :

Несмотря на ... (прекрасная погода — плохая погода), туристы продолжали поход. —

Несмотря на плохую погоду, *туристы продолжали поход.*

1. Вопреки ... (удачи — трудности) этот человек сделал блестящую карьеру.

2. Несмотря на ... (хорошее настроение — плохое настроение), я всё же пошёл с друзьями в кино.

3. Вопреки ... (желание — сопротивление) родителей он пошёл работать на завод.

4. Несмотря на ... (победа — поражение) на соревнованиях, спортсмен решил тренироваться ещё больше.

5. Вопреки ... (национальная традиция – случай) этот молодой человек женился на иностранке.

6. Несмотря на ... (успех — неудача) на международном конкурсе, пианист продолжал упорно работать.

7. Несмотря на ... (большой опыт — отсутствие опыта), молодой сотрудник фирмы проявил себя хорошим менеджером.

8. Вопреки ... (совет врача — запрет врача) больной продолжал курить.

3. Укажите на противоречие между условием выполнения действия и результатом действия, используя конструкцию «*при всём (всей, всех)* + Т. п.» **и поставив слово** *весь* **и слово в скобках в правильной форме.**

М о д е л ь :

При ... (образованность) он не знал этого исторического факта. —
При всей образованности *он не знал этого исторического факта.*

1. При ... (желание) я ничем не мог ему помочь.

2. При ... (старание) Анна не смогла стать победителем музыкального конкурса.

3. При ... (разнообразие товаров) на прилавках магазинов мы не нашли то, что искали.

4. При ... (внешнее сходство) братья были абсолютно разными по характеру.

5. При ... (уважение) к научным заслугам этого учёного я не разделяю его точку зрения.

6. При ... (везение и удачливость) на этот раз он проиграл в споре.

7. При ... (многочисленные ошибки) он был прав в главном.

8. При ... (возможные плюсы и выигрыши) реализация проекта была связана с огромным финансовым риском.

4. Закончите предложения со значением уступки.

1. Несмотря на трудности, этот человек ...
2. При всех достоинствах этого человека ...
3. Вопреки ожиданиям родителей он не стал ...
4. Несмотря на лёгкость задачи, он ...
5. Вопреки мнению окружающих людей ...
6. При всех организаторских способностях Андрей ...
7. Вопреки просьбам избирателей депутат ...
8. Независимо от результата последнего футбольного матча команда...
9. При всей своей занятости этот человек нашёл время ...
10. Независимо от твоего мнения я ...
11. При всём многообразии товаров в супермаркете я ...
12. Несмотря на сильный холод, ...

5. Выскажите отказ в вежливой форме, используя уступительные конструкции со словами *уважение, симпатия, желание.*

М о д е л ь:

— Принеси мне, пожалуйста, завтра журнал со статьёй профессора.

— ***Извини, но при всём желании*** *я не смогу это сделать. Я уже сдал этот журнал в библиотеку.*

1. — Ты не мог бы одолжить мне тысячу рублей до стипендии?
   — К сожалению, нет, ...

2. — Простите, вы не могли бы разменять мне сто рублей?
   — К сожалению, не могу, ...

3. — Извините, вы не могли бы помочь моему другу устроиться на работу в вашу фирму?
   — К сожалению, нет. ...

4. — Послушай, ты член жюри на конкурсе красоты. Ты не мог бы помочь моей подружке получить призовое место?
   — Извини, ...

5. — Почему ты не хочешь обратиться за поддержкой к Петрову? Он очень влиятельный человек.
   — К сожалению, ...

6. — Ты не мог бы отвезти меня завтра в аэропорт на своей машине?
   — Извини, ...

7. — Вы не могли бы дать мне почитать вашу последнюю статью?
   — К сожалению, ...

8. — Я предлагаю вам встретиться завтра у меня в офисе и обсудить этот вопрос.
   — Извините, ... У меня назначена деловая встреча как раз на этот день.

2. ВЫРАЖЕНИЕ УСТУПИТЕЛЬНЫХ ОТНОШЕНИЙ
(в сложном предложении)

В сложных (сложноподчинённых) уступительных предложениях информация в зависимой части противоречит информации в главной части. Зависимая часть, выражающая уступительные отношения, чаще всего стоит в начале предложения, но может стоять также в середине предложения.

Зависимая часть, выражающая уступку, отвечает на вопросы: **несмотря на что? вопреки чему?**

Зависимая часть присоединяется к главной части при помощи специальных союзов: **хотя**, **несмотря на то что**, **независимо от того, (что, какой, где)**.

1. Союз ХОТЯ.

В о п р о с ы: несмотря на что? вопреки чему?

П р и м е р ы: Студенты перевели текст быстро, **хотя** он был трудным.

              Хотя договор между странами подписан, одна из сторон нарушила его.

Союз **хотя** указывает на противоречие между условием, выраженным в зависимой части, и действием, выраженным глаголом в главной части сложного предложения.

В главной части сложного предложения могут стоять союзы **а**, **но, зато** или частицы **всё же**, **всё-таки**, **тем не менее**, которые усиливают противопоставление. В таких случаях зависимая уступительная часть всегда стоит в начале сложного предложения.

П р и м е р ы: **Хотя** все страны выступили против, **тем не менее** Иран решил продолжить работу по созданию ядерного оружия.

              Хотя мы не виделись со студенческих лет, **но** сразу узнали друг друга.

Союз **хотя** — стилистически нейтрален, он употребляется и в разговорной, и в книжной речи. Это наиболее употребительный союз уступки.

2. Союз НЕСМОТРЯ НА ТО ЧТО.

В о п р о с: несмотря на что?

П р и м е р ы: **Несмотря на то что** шёл сильный дождь, на стадионе было много зрителей — футбольных болельщиков.

              Демонстрация состоялась, **несмотря на то что** власти запретили её проведение.

Союз **несмотря на то что** указывает на противопоставление условия в зависимой части действию в главной части предложения. Этот союз чаще употребляется в книжной речи.

3. Союз НЕЗАВИСИМО ОТ ТОГО, (ЧТО, КАКОЙ, ГДЕ).

В о п р о с: независимо от чего?

Примеры: Мы отправимся в туристическую поездку, **независимо от того, какой** будет погода.

Независимо от того, кого выберут президентом, демократический курс развития страны сохранится.

Союз **независимо от того, что** указывает на характер условий (в зависимой части), которые не влияют на совершение действия (в главной части).

Зависимая часть с союзом **независимо от того, что**, выражающая уступительные отношения, может стоять как в начале, так и в середине сложного предложения. Этот союз чаще употребляется в книжной речи.

Обратите внимание!

Простое предложение со значением уступки с предлогами **несмотря на** и **независимо от** можно заменять сложными предложениями с союзами **несмотря на то что**, **независимо от того, что (какой, кто, где …)**. При этом необходимо сделать следующее:

- отглагольное существительное заменить соотносительным однокоренным глаголом (*знание — знать, опоздание — опоздать, окончание — окончить* и т. д.);
- прилагательное при отглагольном существительном заменить соотносительным однокоренным наречием (*плохое знание — плохо знать, значительное отставание — значительно отставать, успешное окончание — успешно окончить* и т. д.);
- существительное, образованное от прилагательного, заменить соотносительным прилагательным или наречием и глаголом-связкой **быть** (*старость — **быть** старым, талант — **быть** талантливым, трудность — **быть** трудным* и т. д.).

Примеры: **Несмотря на плохое знание** русского языка, он перевёл статью. – **Несмотря на то что он плохо знал** русский язык, он перевёл статью.
Несмотря на трудности, мы победили. – **Несмотря на то что нам было трудно**, мы победили.
Независимо от результата игры команда попадёт в финал. – **Независимо от того, каким будет результат** игры, команда попадёт в финал.

ЗАДАНИЯ

1. Укажите на противоречие между условием выполнения действия и результатом действия, используя конструкцию с союзом *хотя* **вместо синонимичной конструкции с союзом** *несмотря на то что*.

Модель:

Несмотря на то что зрители высоко оценили новый спектакль, в театральных журналах его критиковали. —
Хотя зрители высоко оценили новый спектакль, в театральных журналах его критиковали.

1. Несмотря на то что новый инженер совсем молод, его уважают на заводе.
2. Несмотря на то что у него были неудачи, этот человек не потерял оптимизма.

155

3. Спортсмен верил в победу в чемпионате, несмотря на то что потерпел поражение в последней игре.

4. Растения в саду не погибли, несмотря на то что были сильные заморозки.

5. Несмотря на то что вокруг этого фильма был скандал, жюри присудило ему главный приз.

6. Несмотря на то что были приняты новые законы, инвестиционный климат в стране не улучшился.

7. Социальная напряжённость в стране нарастала, несмотря на то что правительством были приняты разные меры.

8. Несмотря на то что правительство ввело закон об иммиграции, число нелегальных иммигрантов в России растёт.

2. Укажите на противоречие между условием выполнения действия и результатом действия, объединив два простых предложения в одно сложное и используя союзы *хотя* **или** *несмотря на то что*.

М о д е л ь:

Мы потеряли дорогу. У нас была карта местности. —
*Мы потеряли дорогу, **хотя у нас была карта местности***.

1. Студент не сдал экзамен. Он долго готовился к нему.

2. Девушка много занимается. Экзамены будут ещё не скоро.

3. Он не знал иностранного языка. Он всё же сумел приспособиться жить в чужой стране.

4. Число граждан Китая увеличивается. Правительство страны принимает ограничительные меры.

5. Климат на планете меняется. За короткий период времени это не заметно.

6. Ученик решил задачу. Она была трудная.

7. В стране слабо развивается малый бизнес. Государство поддерживает его.

8. Эта профессия очень привлекает его. Она не связана с творчеством.

9. В этом году собрали хороший урожай. Была сильная засуха.

3. Укажите на противоречие между условием выполнения действия и результатом действия, заменив простые предложения со значением уступки синонимичными сложными с союзами *хотя, несмотря на*.

М о д е л ь:

Несмотря на совет родителей, сын не стал поступать в университет. —
***Хотя родители советовали** сыну, он не стал поступать в университет.*
***Несмотря на то что родители советовали** сыну, он не стал поступать в университет.*

1. Несмотря на помощь друзей, он не справился с заданием.

2. Несмотря на хорошую подготовку, он не решил эту задачу.

3. Несмотря на усталость, все работали до конца.

4. Несмотря на мою просьбу, мне отказали.

5. Несмотря на обиду, друзья простили его.

6. Несмотря на молодость, он поступал как взрослый и опытный человек.

7. Несмотря на старания, спортсмену не удалось стать чемпионом.

8. Несмотря на наш многодневный труд, мы не достигли успеха.

9. Несмотря на радость встречи после многих лет, друзья с грустью вспоминали молодость.

10. Несмотря на поддержку этого кандидата руководством города, мэром столицы был избран другой человек.

11. Несмотря на контроль государством въезда в страну иностранных граждан, число нелегальных мигрантов постоянно растёт.

4. Укажите на условие, которое противоречит действию в главной части. Используйте союзы *хотя, несмотря на то что, независимо от того, что*.

М о д е л ь :

... , выборы будут признаны состоявшимися. —

Независимо от того, сколько *граждан придёт, выборы будут признаны состоявшимися.*

1. ... , он ходит на занятия в университет.

2. ... , она так и не стала актрисой.

3. ... , страна переходит на рыночные отношения в экономике.

4. ... , он не смог приехать.

5. ... , рыбаки вышли в море.

6. ... , я всё же поехал отдыхать за границу.

7. ... , я буду поступать на медицинский факультет.

8. ... , я всё же была рада встрече с этим человеком.

9. ... , он тем не менее сделал всё по-своему.

10. ... , правительство не приняло эффективных мер против экономического кризиса.

11. ... , врачи не смогли спасти пострадавшего в транспортной аварии человека.

12. ... , закончить строительство новой школы к 1 сентября строителям не удалось.

5. Выскажите мысль о совершении действия, несмотря на неблагоприятные условия. Используйте уступительные конструкции.

М о д е л ь :

Несмотря на то что будет дождь, ... —
Несмотря на то что будет дождь, мы всё же поедем на дачу.

1. Независимо от того, что решит руководство, ...

2. Хотя на воскресенье обещали плохую погоду, ...

3. Несмотря на то что концерт мало рекламировали, ...

4. Хотя девушка не была красавицей, ...

5. Несмотря на очень высокий конкурс на этот факультет, ...

6. Несмотря на плохие погодные условия в районе аэропорта, ...

7. Хотя билет на концерт было купить очень трудно, ...

8. Хотя жизнь в Москве для иностранцев очень дорогая, ...
9. Несмотря на то что он был самым слабым учеником в классе, ...
10. Хотя выступать с докладом на конференции было трудно, ...

6. **Работаем в парах. Задайте вопросы коллегам о занятости населения и безработице в их стране и попросите ответить на них, используя конструкции с уступительным значением.**

7. **Расскажите о проблемах безработицы в вашей стране. Используйте грамматические конструкции, выражающие уступительные отношения.**

УРОК 11

Речевая тема. Проблемы образования
Грамматическая тема. Выражение сравнительных отношений

ПРОБЛЕМЫ ОБРАЗОВАНИЯ

1. **Прочитайте текст. Перед чтением текста ознакомьтесь с активной лексикой урока. Уточните значение незнакомых слов по словарю и запишите их перевод на родной язык.**

АКТИВНАЯ ЛЕКСИКА УРОКА

Абитурие́нт
Аспиранту́ра
Аттеста́т зре́лости
Бакалавриа́т
Бюдже́т
Вступи́тельные экза́мены, *мн.*
Выпускни́к (*чего?*) шко́лы, университе́та...
Вы́сшее уче́бное заведе́ние (вуз)
Гимна́зия
Дипло́м
Досту́пность, *ж.* (*чего?*) образова́ния
Еди́ный госуда́рственный экза́мен (ЕГЭ)
Инновацио́нный, -ая, -ое
Комме́рческий, -ая, -ое
Лице́й
Магистрату́ра
Медали́ст
Меда́ль, *ж.* (*какая?*) золота́я, серебря́ная...
Образова́ние (*какое?*) вы́сшее, сре́днее...

Олимпиа́да (*какая?*) междунаро́дная, росси́йская...; (*по какому предмету?*) по матема́тике, по геогра́фии...
Оце́нка (*какая?*) отли́чная, хоро́шая, удовлетвори́тельная...
Пла́тный, -ая, -ое
Прести́жный, -ая, -ое
Приорите́тный, -ая, -ое
Прое́кт
Реализа́ция (*чего?*) прое́кта, пла́на...
Ре́ктор (*чего?*) университе́та, институ́та...
Систе́ма (*чего?*) образова́ния, подгото́вки, обуче́ния...
Старшекла́ссник
Уча́щийся (*чего?*) шко́лы, те́хникума...
Учени́к (*чего?*) сре́дней шко́лы, 2-го кла́сса...
Факульте́т (*чего?*) университе́та, институ́та...
Финанси́рование (*чего?*) прое́кта, програ́ммы...

СИСТЕМА ОБРАЗОВАНИЯ В РОССИИ

Образование — это не только важнейшая общественная сфера жизни, касающаяся практически каждой семьи, но и важнейший компонент развития и процветания страны, её экономической мощи и государственной безопасности. Вот почему государство всегда внимательно следит за тем, как осуществляется образование людей в стране, как функционирует система обучения в средней школе, насколько эффективна подготовка высококвалифицированных специалистов в университетах.

Россия всегда гордилась своими учёными, которые внесли огромный вклад в мировую науку. Следует признать, что в Советском Союзе, несмотря на идеологизацию всей системы среднего и высшего образования, профессиональный уровень подготовки всегда был очень высоким. Это объясняет и то обстоятельство, почему так много учёных — выходцев из России — получили мировое признание и были удостоены престижных международных премий за выдающиеся научные открытия.

Современная система образования в России включает основное общее образование и высшее образование. В соответствии с Конституцией РФ основное общее образование в стране является обязательным. Основное общее образование с общим сроком обучения 11 лет состоит из трех ступеней: начального общего образования (1—4 годы обучения), базового общего образования (5—9 годы обучения) и среднего (полного) общего образования (10—11 годы обучения).

До 90-х годов XX века всё образование в Советском Союзе было государственным, бесплатным. С началом политических и экономических реформ возникли новые формы средних учебных заведений: лицеи и гимназии, а также негосударственные учебные заведения — частные школы, обучение в которых стало платным. Позже и в университетах появились коммерческие отделения с платной формой обучения. В настоящее время в российских вузах больше половины студентов учится бесплатно (их учёбу оплачивает государство), а остальные сами оплачивают своё обучение.

Выпускник школы получает аттестат о среднем образовании — официальный документ об окончании средней школы. Лучшие выпускники школы, которые за время учёбы показали самые высокие результаты по всем предметам, получают золотую медаль. Обычно университеты предоставляют медалистам преимущественное право при поступлении. Но в большинстве престижных вузов предпочтение при поступлении отдаётся победителям международных и республиканских олимпиад по разным наукам: математике, физике, химии, биологии, географии, литературе и другим. Олимпиады позволяют выявить наиболее талантливых, одарённых учащихся. Таким образом Россия стремится повысить свой рейтинг в международных исследованиях по качеству образования.

Для решения проблем в сфере образования правительство РФ разработало приоритетный национальный проект «Образование», реализация которого началась с 2006 года. Он направлен на повышение качества образования, придание ему инновационного характера, на обеспечение доступности высшего образования для всех граждан, включая молодых людей из малообеспеченных семей. В соответствии с проектом к сети Интернет будут подключены все школы России. Это даст молодёжи равные возможности учиться с помощью современных образовательных технологий. Будет увеличено бюджетное финансирование университетов, ставших победителями конкурса инновационных вузов (17 вузов из Москвы, Санкт-Петербурга, Томска, Ростова и других городов). Таким образом будет обеспечено опережающее развитие ряда отечественных вузов, как центров интеграции науки и образования для подготовки высокопрофессиональных кадров. Университет в современной России станет учебно-научным инновационным комплексом, реально интегрированным в экономику.

Если при поступлении в университет всегда проводились вступительные экзамены по основным предметам факультета, то с 2009 г. в России вводится обязательный для всех Единый государственный экзамен (ЕГЭ), на основании результатов которого выпускники школ будут поступать по конкурсу в любой вуз страны без вступительных экзаменов. Но наиболее престижным университетам, например МГУ (Московский государственный университет), разрешено проводить дополнительное вступительное испытание для абитуриентов.

Высшее образование в России до недавнего времени представляло собой многоуровневую систему, включающую пятилетний курс обучения, в то время как Западная Европа после принятия двадцатью девятью государствами Болонской декларации, подготовленной правительствами Великобритании, Германии, Италии и Франции в 1999 г., перешла к единой модели — двухуровневой системе высшего образования.

В России в ведущих вузах страны — МГУ и СПГУ (Санкт-Петербургский государственный университет) — была апробирована западная двухуровневая система образования. По мнению министра образования РФ, она дала хороший результат: бакалавры обоих университетов оказались востребованными на рынке труда. Закон о введении в России двухуровневой системы образования — бакалавриата и магистратуры, как на Западе, вступил в силу в РФ с 1 января 2009 г.

Однако следует признать, что в российском обществе западная модель образования имеет как своих сторонников, так и противников.

В российских школах и университетах принята пятибалльная система оценки знаний: максимально высокая оценка 5 — «отлично», 4 — «хорошо», 3 — «удовлетворительно», 2 — «неудовлетворительно». Неудовлетворительная оценка на экзамене в период экзаменационной сессии означает для студента необходимость пересдачи этого экзамена. Студент, который в течение всего времени обучения в вузе получал самые высокие баллы, оканчивая университет, получает красный диплом — документ, подтверждающий его отличную учёбу в университете. Обладателям красных дипломов отдают предпочтение при поступлении в университетскую аспирантуру или при устройстве на престижную работу.

Учебный год во всех образовательных учреждениях России традиционно начинается 1 сентября. Этот день объявлен в России Днём знаний.

(По материалам российской прессы)

Вопросы к тексту.

1. Какие ступени (этапы) включает система образования в России?

2. Каким (платным или бесплатным) было образование в Советском Союзе?

3. Какие новые формы средних учебных заведений появились в России в 90-е годы XX в.?

4. Когда и с какой целью правительство России разработало и начало реализовывать национальный проект «Образование»?

5. Какие меры приняты правительством РФ в соответствии с национальным проектом «Образование»?

6. Что такое ЕГЭ?

7. Какая система оценки знаний принята в России?

8. Когда в российских школах и университетах начинается учебный год?

2. Выделите общую часть в словах.

учиться	экзаменовать	знать	специалист
обучение	экзамен	познание	специфика
учитель	экзаменатор	знание	специализироваться
учёба	экзаменационный	знаток	специализация
учащийся	переэкзаменовка	разузнать	специальность
ученик	экзаменуемый	знающий	специальный

3. Проанализируйте сложные слова из текста. Скажите, от каких слов они образованы.

Высококачественное (образование), малообеспеченная (семья), разнообразные (школы), пятибалльная (система оценок), старшеклассник.

4. Выделите приставку в словах *бесплатный, безопасный.* **Скажите, от каких прилагательных образованы эти слова. Определите общее значение прилагательных с этой приставкой. Образуйте с помощью данной приставки прилагательные от слов.**

Законный, конечный, сердечный, срочный, успешный, шумный, сильный, полезный, грамотный, надёжный, ошибочный, вредный, нравственный.

5. Соедините близкие по значению слова и словосочетания.

равные права	бедная семья
достижение	тот, кто сдаёт вступительные экзамены
материальная поддержка	успех, хороший результат
малообеспеченная семья	спросить
коммерческое отделение	финансовая помощь
высшее учебное заведение	одинаковые права
абитуриент	платное отделение
задать вопрос	университет, институт, вуз

6. Подберите антонимы к словам, используя материал для справок.

платное обучение — ...

неравные права — ...

государственный университет — ...

городская школа — ...

низкая оценка — ...

ухудшить результат — ...

маленький конкурс — ...

провалиться на экзамене — ...

неудача — ...

сторонник — ...

Материал для справок:

удача, бесплатное обучение, частный университет, равные права, высокая оценка, большой конкурс, улучшить результат, сдать экзамен, противник, сельская школа.

Обратите внимание!

Похожие слова имеют разное значение.

Образова́ние 1. «Процесс усвоения знаний, обучение, просвещение» (*система образования, право на образование, развитие образования, народное образование*). 2. «Все знания, полученные в процессе систематического обучения» (*среднее, высшее, техническое, медицинское образование*)

Образо́ванность «Степень владения знаниями, наличие знаний, культурность» (*образованность человека, студента, девушки; показать, продемонстрировать образованность*)

Оте́чественный, -ая, -ое «Находящийся в отечестве — стране, где родился человек и гражданином которой он является» (*отечественная промышленность, продукция; отечественное производство, сельское хозяйство; отечественные товары*)

Оте́ческий, -ая, -ое «Связанный с отцом, отцовский, родительский» (*отеческая забота, любовь, поддержка, помощь; отеческий совет; отеческое наставление*)

Ко́мплекс 1. «Группа предметов, объединённых общей функциональной идеей» (*комплекс проблем, вопросов, задач, зданий; торговый, медицинский, архитектурный комплекс*). 2. «Все связанные между собой производственные отрасли» (*образовательный, сельскохозяйственный, медицинский, топливно-энергетический, транспортный комплекс*).

Компле́кт «Полный набор предметов, составляющих что-либо целое» (*комплект учебников, оборудования, приборов, журналов, белья*)

7. Дополните предложение подходящим по смыслу словом в правильной форме.

образова́ние, образо́ванность

1. ... и эрудиция этого человека сразу были видны каждому, кто с ним общался.

2. Получение высшего ... открывает для человека возможность профессионального роста.

оте́чественный, оте́ческий

3. Многие россияне убеждены в лучшем качестве ... продуктов питания по сравнению с импортными.

4. Подростку очень нужны ... поддержка и внимание.

ко́мплекс, ко́мплект

5. В школу поступил ... учебных пособий для учащихся: учебник, словарь, рабочая тетрадь, компакт-диск.

6. В городе построен новый торгово-развлекательный ...

8. Употребите слова в скобках в правильной форме.

Стремление *к чему?* (учение, получение знаний, цель, победа, успех);

учиться *где?* (школа, университет, факультет, вуз, институт, консерватория, лицей, гимназия, третий класс, первый курс);

изучать *что?* (наука, русский язык, английская литература, филология, история, химия, физика, математика);

интерес *к чему?* (учёба, наука, знания, творчество, литература, история);

обучение *где?* (школа, университет, факультет, вуз, институт, консерватория, лицей, гимназия, третий класс, первый курс);

закон *о чём?* (образование, здравоохранение, наука, права, социальная поддержка);

специалист *по чему?* (русская литература, восточные языки, математика, экономика, строительство, менеджмент, сельское хозяйство);

поступать/поступить *куда?* (школа, университет, факультет, вуз, институт, консерватория, лицей, гимназия);

кончать/окончить *что?* (школа, университет, факультет, вуз, институт, консерватория, лицей, гимназия);

ученик *чего?* (школа, гимназия, лицей, училище, первый класс);

студент *чего?* (университет, институт, вуз, консерватория, филологический факультет, первый курс).

9. Укажите на подобие предметов и явлений по одному и тому же признаку, употребив конструкцию с союзом *«подобно + Д.п.»* **вместо сравнительной конструкции с союзом** *как.*

М о д е л ь :

Я решил стать врачом, **как мои родители.** —
*Я решил стать врачом **подобно моим родителям.***

1. В России тоже есть платное образование, как на Западе.

2. В России действует пятибалльная система оценки знаний, как было в Советском Союзе.

3. В современной России также действует двухуровневая система высшего образования, как в европейских странах.

4. В сфере российского образования провели реформы, как реформы в сфере политики и экономики.

5. Частные российские университеты предоставляют возможность получить высшее образование, как и государственные университеты.

6. Победители российских олимпиад также получают предпочтение при поступлении в университет, как победители международных олимпиад.

7. Региональные школы также будут подключены к сети Интернет, как столичные школы.

8. Выпускники российских школ сдают единый государственный экзамен, как выпускники средних школ западных стран.

10. Потренируйтесь в письме.

1. Используя информацию из текста, запишите, из каких ступеней состоит основное общее образование в России.

2. Запишите полный вариант сокращённых названий: ЕГЭ, МГУ, СПГУ, РФ. Дайте определение понятию «аттестат о среднем образовании» и понятию «красный диплом».

3. Перечислите меры, проводимые российским государством в соответствии с национальным проектом «Образование».

4. Составьте и запишите план статьи «Система образования в России».

Готовимся к дискуссии

Как выразить вопрос

Скажите, какие факторы влияют на этот процесс?
Ответьте на вопрос: «Каков главный вывод Вашего исследования?»
Известна ли Вам другая точка зрения на решение этой проблемы?
Знаете ли Вы, что профессор Иванов имеет другую точку зрения?

---

11. Примите участие в дискуссии. Используйте выражения, которые помогают в ходе дискуссии задать вопрос другому участнику.

1. Существуют ли в вашей стране частные школы и университеты? Каковы, на ваш взгляд, плюсы и минусы учёбы в частных и в государственных университетах? С дипломом какого университета легче найти работу: государственного или частного?

2. Является ли среднее образование обязательным в вашей стране? Сколько лет учатся дети в начальной школе и сколько лет — в средней? Возможно ли, по вашему мнению, найти интересную и высокооплачиваемую работу, имея лишь среднее образование?

3. Имеют ли равные возможности учащиеся сельских и городских школ при поступлении в университет в вашей стране? Доступно ли, на ваш взгляд, высшее образование большинству граждан вашей страны?

4. Какая система оценки знаний существует в вашей стране? Какова самая высокая оценка и самая низкая оценка в школе и в университете? Трудно ли стать «отличником» в средней школе?

5. Когда в вашей стране начинается учебный год и когда он заканчивается? Когда проводятся вступительные экзамены в университеты? Как относятся родители и знакомые к тем, кто не поступил в университет? Есть ли возможность у абитуриента попытаться поступить в тот же университет на следующий год?

ГРАММАТИКА

1. ВЫРАЖЕНИЕ СРАВНИТЕЛЬНЫХ ОТНОШЕНИЙ
(в простом предложении)

Сравнительные отношения в русском языке выражаются как в простом, так и в сложном предложении. В зависимости от характера сравнения выделяются два их типа.

1. Реальное сравнение. Оно основывается на реальном сходстве предметов, на том, что действительно происходило, происходит или будет происходить.

П р и м е р: Помогай жене, **как** ты всегда помогал матери.

2. Нереальное (предполагаемое) сравнение. Оно основывается на чём-либо похожем, напоминающем сравниваемое, но при этом только возможном, не реальном, а лишь воображаемом.

П р и м е р: Я волновался, **будто** ученик, который впервые сдаёт экзамен.

Указанное различие в характере сравнения выражается различными союзами.

Выражение реального сравнения

Реальное сравнение в простом предложении выражается с помощью союзов, сравнительных конструкций и лексических средств.

1. Союз **КАК** указывает на сходство, подобие лиц, предметов, признаков, действий.

П р и м е р ы : Девушка была красавицей, **как** её мать в молодости.

На соревнованиях он выступил, **как** опытный спортсмен.

На выходные дни, **как** обычно, семья поехала на дачу.

Мы работали, **как** работают строители в последний день перед сдачей объекта.

2. Союзы КАК И... ; ТАКОЙ ЖЕ..., КАК И...; ТАК ЖЕ..., КАК И... указывают на подобие предметов и лиц по одному и тому же признаку.

П р и м е р ы : Оля, **как и** её сестра, учится в медицинском институте.

Она **такая же** красивая, **как и** её старшая сестра.

Он **такой же** человек, **как и** все.

За обедом он ел **так же** быстро, **как и** говорил.

Данные союзы образуются, если для усиления сравнения к объекту сравнения присоединяются слова **такой же, так же**, а к союзу **как** — союз **и**.

3. Союз КАК... , ТАК И указывает на полное сходство лиц, предметов, признаков, действий.

П р и м е р ы : Русская природа прекрасна **как** летом, **так и** зимой.

Как в молодости, **так и** сейчас я всегда отдыхаю в родной деревне.

4. СРАВНИТЕЛЬНЫЕ КОНСТРУКЦИИ указывают на наличие признака или качества в большей или меньшей степени:

а) сравнительная степень прилагат. и наречий + **Р.п.** сущ. (личн. мест.)

П р и м е р ы : Сестра была **старше** брата.

Классическая музыка нравится мне **больше** современной музыки.

б) сравнительная степень прилагат. и нареч. + **ЧЕМ + И.п.** сущ. (личн. мест.)

П р и м е р ы : Сестра была **старше**, чем брат.

Классическая музыка нравится мне **больше**, **чем** современная музыка.

Союз **чем** стилистически нейтрален, данная конструкция употребляется в разных стилях речи.

5. ЛЕКСИЧЕСКИЕ СРЕДСТВА:

а) похож (-а, -е, -и) + **НА + В.п.** сущ. (личн. мест.)

П р и м е р ы : Ребёнок был **похож** на отца.

Здание **похоже** на огромную стеклянную пирамиду.

Конструкция со словом **похож** указывает на сходство предметов, лиц, действий.

б) кто (что) + **напоминáет** + **В.п.** сущ.(личн. мест.) + **Д.п.** сущ. (личн. мест.)

П р и м е р ы : Эта незнакомая девушка **напоминает** мне мою школьную подругу.

Природа этой страны **напомнила** нам родину.

Конструкция с глаголом **напоминать/напомнить** указывает на отдалённое сходство предметов, лиц, фактов.

167

в) **подобно** + Д.п. сущ. (личн. мест.)

П р и м е р ы : **Подобно** старшему брату он выбрал профессию лётчика.

Озеро Байкал, огромное и глубокое, **подобно** морю.

Конструкция со словом **подобно** указывает на подобие лиц, предметов по одному и тому же признаку.

Выражение нереального (предполагаемого) сравнения

Для выражения предполагаемого, возможного сравнения используются союзы **БУДТО (БЫ)**, **КАК БУДТО**, **СЛОВНО**, **ТОЧНО**.

Эти союзы могут взаимно заменять друг друга и употребляются обычно в сравнительных оборотах образного характера.

П р и м е р ы : Природа вдруг затихла, **будто** перед грозой.

Отец посмотрел на меня вопросительно, **как будто** строгий судья.

Озеро блестело на солнце, **словно** зеркало.

От страха он дрожал, **точно** лист на ветру.

Союзы **будто** или **как будто** указывают на приблизительное сравнение и чаще встречаются в живой разговорной речи. Союзы **словно** и **точно** указывают на значительное сходство явлений, предметов, они более характерны для книжной речи.

Запомните!

Устойчивые сравнительные обороты (сравнение с животным), характеризующие человека, его состояние, поведение, которые традиционно используются в речи.

Голодный как волк.   Трусливый как заяц.   Коварная как змея.

Упрямый как осёл.   Хитрый как лиса.   Важный как индюк.

Здоровый как бык.   Злой как собака.   Трудолюбивый как пчела.

---

2. ВЫРАЖЕНИЕ СРАВНИТЕЛЬНЫХ ОТНОШЕНИЙ
(в сложном предложении)

В сложных (сложноподчинённых) предложениях со значением сравнения то, о чём говорится в главной части, поясняется при помощи сравнения в зависимой части предложения. При этом используются те же сравнительные союзы, что и в простом предложении. Зависимая часть, которая называется сравнительной, присоединяется к главной части с помощью союзов.

Выражение реального сравнения

Реальное сравнение в сложном предложении выражается с помощью сравнительных союзов.

1. Союз **КАК** указывает на достоверное, реальное сравнение; на сходство, подобие предметов, лиц, фактов, действий. Союз **как** является наиболее употребительным для выражения реального сравнения.

168

П р и м е р ы :   Я хочу учиться на медицинском факультете, **как** учился мой брат.

Россия стремится развивать рыночную экономику, **как** это делают все развитые страны мира.

Сравнительные зависимые предложения с союзом **как** могут стоять перед главным предложением или следовать за ним. Обычно они ставятся перед главным предложением, когда к ним необходимо привлечь особое внимание.

П р и м е р :   **Как** это часто бывает с незнакомыми людьми, после поездки в одном купе поезда они расстаются добрыми знакомыми.

2. Союз **КАК... , ТАК И** указывает на полное сходство лиц, предметов, признаков, действий. Зависимое сравнительное предложение с этим союзом всегда стоит перед главным предложением.

П р и м е р ы :   **Как** ребёнок доверчив к новому миру, **так и** этот человек доверял всем людям.

Как грубое слово обижает человека, **так и** несправедливость убивает веру человека в добро.

3. Союзы **ТАК... , КАК**; **ТАК ЖЕ... , КАК (И)...** .

Для усиления к объекту сравнения могут быть присоединены слова **так**, **так же**, а к союзу **как** — союз **и**:

П р и м е р ы :   Трава зеленела **так ярко, как** это бывает только весной.

Никто **так** громко не смеялся, **как** смеялся этот человек.

Он спорил и возмущался, **так же как** возмущались другие люди.

После окончания университета девушка уехала работать в деревню, **так же как и** её родители 25 лет назад.

4. Союз **ПОДОБНО ТОМУ КАК** выражает сравнительные отношения в предложениях, имеющих книжный характер. Эти конструкции малоупотребительны.

П р и м е р ы :   Советская империя распалась, **подобно тому как** распались другие империи в истории человечества.

Люди стремятся к постижению неизвестного, **подобно тому как** ребёнок стремится узнать незнакомый мир.

5. Союз **ЧЕМ** присоединяет зависимое предложение, которое поясняет объект сравнения в главной части, выраженный формой сравнительной степени наречия или прилагательного, а также наречиями **прежде**, **раньше**, **лучше**, **скорее**.

Зависимое предложение указывает на то, с чем сравнивается объект в главном предложении.

Зависимое предложение с союзом **чем**, когда в главном предложении имеется сравнительная степень прилагательного или наречия, всегда следует за главным предложением.

П р и м е р ы :   Мой собеседник оказался **интереснее, чем** мне показалось вначале.

Туристы хотели прийти в лагерь **прежде, чем** скроется солнце.

Ситуация после наводнения оказалась **хуже, чем** предполагали.

Союз **чем** по своей стилистической характеристике является нейтральным, он употребляется как в книжной, так и в разговорной речи.

Выражение нереального (предполагаемого) сравнения

Для выражения не реального, а лишь возможного, предполагаемого сравнения зависимое предложение присоединяется к главному с помощью следующих союзов: **БУДТО, КАК БУДТО, СЛОВНО, ТОЧНО.**

Эти союзы могут взаимно заменять друг друга.

Союзы **будто** и **как будто** чаще встречаются в живой разговорной речи.

Союзы **словно** и **точно** более характерны для книжной речи.

П р и м е р ы: Многие люди не думают о своём здоровье, **будто** надеются жить вечно.

Отец посмотрел на меня вопросительно, **как будто** спрашивал меня о чём-то важном.

Голос певца звучал, **словно (точно)** соловей пел в саду.

В главном предложении возможны указательные слова **так**, **такой** для усиления сравнения.

П р и м е р ы: Он разговаривал с людьми **так**, **как будто** отдавал приказы.

Я шёл в театр с **таким** чувством, **как будто** ожидал праздника.

Сравнительные зависимые предложения с союзами **будто**, **как будто**, **словно**, **точно** обычно следуют за главным предложением.

Запомните!

Устойчивые образные выражения русского языка — идиомы со значением сравнения, которые русские люди традиционно используют в речи.

Как ве́тром сду́ло — говорят, когда кто-то мгновенно исчез, пропал.

Как грибы́ по́сле дождя́ — говорят, когда что-то появляется, возникает очень быстро, стремительно.

Как гром среди́ я́сного не́ба — говорят, когда что-то неприятное случается неожиданно, внезапно.

Как две ка́пли воды́ — говорят, когда кто-то или что-то очень сильно похожи.

Как за ка́менной стено́й — говорят, когда кто-то находится под чьей-либо надёжной защитой, покровительством (обычно о жене под защитой мужа).

Как из ведра́ — говорят, когда идёт очень сильный дождь.

Как из-под земли́ вы́рос — говорят, когда кто-то появляется внезапно, неожиданно.

Как ко́шка с соба́кой — говорят, когда люди живут в постоянной ссоре, вражде, конфликте.

Как не́бо и земля́ — говорят, когда хотят подчеркнуть полную противоположность сравниваемых людей или предметов.

Как ры́ба в воде́ — говорят, когда кто-то чувствует себя свободно, комфортно, непринуждённо.

Как свои́ пять па́льцев — говорят, когда кто-то знает человека, проблему или ситуацию очень хорошо, во всех деталях.

Как снег на́ голову — говорят, когда кто-то приходит совершенно неожиданно.

Как сквозь зе́млю провали́лся — говорят, когда человек или вещь пропали, потерялись, бесследно исчезли.

ЗАДАНИЯ

1. Укажите на сходство лиц и предметов, употребив слова в скобках в правильной форме.

Он **похож** *на кого?* (отец, мама, дедушка, бабушка, дядя, сестра, брат).

Она **напоминает** *кого? что?* (героиня романа, кошка, березка, маленький ребёнок; шар, старое дерево, родной дом, море).

Оно **подобно** *чему?* (море, океан, буря, ветер, прекрасный цветок).

2. Сравните предметы и признаки, соединив начало предложений в левой колонке с подходящими словами (окончаниями предложений) в правой колонке.

Глаза девушки сверкали, словно	старик.
Характер у него был твёрдый, как	настоящий музыкант.
Я любил его, как	за́мок.
Он выглядел слабым, словно	камень.
Дом стоял за высоким забором, точно	звёзды.
Он играл на гитаре, как	снег.
Каникулы пролетели быстро, как	родного брата.
Белый пух летел с деревьев, словно	один день.

3. Употребите подходящие по смыслу устойчивые сравнения с животными, используя материал для справок.

1. Этот работник трудолюбивый как ... Его уважают все коллеги.
2. — Не спорь со старшими. Не будь упрямым как ...
3. Я пришёл с работы голодный как ... и сразу полез в холодильник.
4. Эта женщина хитрая как ... Она всегда получает то, что хочет.
5. Он стал большим начальником и теперь ходит важный как ...
6. — Это злая женщина, не доверяй ей. Она коварная как ...
7. — Разве это мужчина?! Ведь он всего боится, он трусливый как ...
8. Он регулярно занимается спортом, поэтому он здоровый как ...
9. Вчера он был злой как ... Я задал ему вопрос, а он ответил мне очень грубо.

Материал для справок:
заяц, индюк, бык, лиса, собака, змея, пчела, волк, осёл.

4. Сравните два объекта, употребив конструкцию с союзом *чем* вместо конструкции со сравнительной степенью прилагательного.

Модель:

Я старше сестры. —

Я старше, **чем** сестра.

1. Москва мне кажется красивее Петербурга.

2. Физика сложнее биологии.

3. Телебашня выше моего дома.

4. Куст ниже этого дерева.

5. Лес больше городского парка.

6. Рыба полезнее мяса.

7. Самолёт движется быстрее скорого поезда.

8. Россия расположена севернее Украины.

9. Территория России больше территории Индии.

10. Темпы роста населения Индии выше темпов роста населения России.

5. Сравните два объекта, объединив два предложения в одно.

М о д е л ь :

> Сегодня весь день идёт дождь. Вчера тоже весь день шёл дождь. —
> Сегодня, *как и вчера, весь день идёт дождь.*

1. Я люблю острую пищу. Все в нашей семье любят острую пищу.

2. Корейцы во время обеда едят палочками. Все жители стран Юго-Восточной Азии едят палочками.

3. Моя бабушка очень любит своих внуков. Все бабушки любят своих внуков.

4. Он стал всемирно известным учёным. Все ученики этого профессора стали известными учёными.

5. В России численность населения уменьшается. В большинстве стран Европы численность населения уменьшается.

6. Успешное развитие российской экономики зависит от иностранных инвестиций. Во всех странах успех развития экономики зависит от инвестиций.

7. Выпускник музыкальной школы поступил в консерваторию. Многие выпускники музыкальных школ поступают в консерваторию.

8. Этот человек всегда мечтал жить в столице. Многие жители провинции мечтают жить в столице.

6. Сравните два объекта, употребив конструкцию с союзом *как... , так и* **вместо конструкции с союзом** *так же как (и).*

М о д е л ь :

> Чехов, **так же как и** Достоевский, является наиболее известным русским писателем за рубежом. —
> **Как** Достоевский, **так и** Чехов является наиболее известным русским писателем за рубежом.

1. Санкт-Петербургский университет, так же как и Московский государственный университет, является крупнейшим центром науки и образования в России.

2. Занятия спортом, так же как и правильное питание, влияют на здоровье человека и его долголетие.

3. Так же как Большой театр в Москве, Мариинский театр в Петербурге — старинный и известный театр оперы и балета в России.

4. Русский музей в Петербурге, так же как Третьяковская галерея в Москве, является самым большим хранилищем картин выдающихся русских художников.

5. Культурные связи, так же как экономическое сотрудничество, служат укреплению взаимопонимания и дружбы между странами.

6. Миграционные процессы, так же как рождаемость и смертность людей, — это важнейшие факторы, влияющие на рост или уменьшение численности населения страны.

7. Сравните два объекта, употребив подходящие по смыслу союзы реального сравнения (*как, так же как*) **или нереального сравнения** (*будто, словно*).

1. Его лицо стало красным, ... огонь.

2. Эта семья жила просто и скромно, ... большинство людей вокруг.

3. На первомайские праздники прошли демонстрации, ... в советские времена.

4. Женщина шла медленно ... во сне.

5. Жан, ... и Пьер, приехал в Россию из Франции.

6. Во время концерта любимой рок-группы зрители в зале вели себя, ... безумные.

7. ... Пушкин, русский поэт Лермонтов был убит на дуэли.

8. Я мечтаю поступить в университет, ... мой старший брат.

9. Крыша здания раскинулась над рекой, ... крылья большой птицы.

10. Он был силён и здоров ... бык.

8. Сравните два объекта, употребив сравнительные союзы *чем* **или** *как и.*

Модель:

Здание университета больше, ... здание школы. —
*Здание университета больше, **чем** здание школы.*

1. В нашей семье младшая сестра учится в университете, ... старшая сестра.

2. Принцип государственной целостности страны так же важен, ... принцип нации на самоопределение.

3. Психологические проблемы романа оказываются не менее значимыми для писателя, ... его сюжет.

4. Реальные усилия человека для достижения цели часто оказываются важнее, ... простая удача.

5. Мой дом такой же высокий, ... соседний.

6. Обычно импортные товары стоят дороже, ... отечественные.

7. Психологические факторы жизни в мегаполисе так же негативны для человека, ... экологические.

8. Кино более популярно, ... театр, у массового зрителя.

9. Как правило, молодёжь страны легче принимает всё новое, ... представители старшего поколения.

10. Давно замечено, что оптимисты достигают большего успеха в жизни, ... пессимисты.

173

9. Сравните два объекта, употребив подходящие по смыслу идиомы. Используйте материал для справок.

1. Я знаю Москву ...., очень хорошо. Ведь я родился в этом городе.
2. Я обыскал весь дом, но письма не нашёл. Оно ...
3. — Твой брат похож на тебя по характеру? — Нет, мы совершенно разные, ...
4. В этой семье не было любви и согласия, муж и жена жили ...
5. — Повезло тебе в семейной жизни! — Да я живу со своим мужем ...
6. Мы с сестрой близнецы. Все говорят, что мы похожи друг на друга ...
7. Неожиданно черная туча закрыла небо и полил дождь ...
8. Я гулял по парку, вдруг передо мной ... огромная собака.
9. Туристические фирмы в России растут очень быстро, ...
10. Финансовый кризис начался ... , неожиданно для всех.
11. При появлении милиции хулиганов на улице ...
12. Новый ученик чувствовал себя в классе очень свободно, ...
13. Гости пришли поздно вечером, неожиданно ...

Материал для справок:

как ветром сдуло; как грибы после дождя; как гром среди ясного неба; как две капли воды; как за каменной; как из ведра; как из-под земли выросла; как кошка с собакой; как небо и земля; как рыба в воде; как свои пять пальцев; как снег на голову; как сквозь землю провалился.

10. Работаем в парах. Задайте вопросы коллегам, попросив их сравнить:

а) систему школьного образования в их стране и в России;
б) систему оценки знаний, принятую в их стране и в России;
в) систему высшего образования в их стране и в России.

11. Расскажите о системе среднего и высшего образования в вашей стране, сравнив её с системой образования в России.

Речевая тема.   Наука и мораль
Грамматическая тема.   Выражение сопоставительных
отношений

НАУКА И МОРАЛЬ

1. **Прочитайте текст. Перед чтением текста ознакомьтесь с активной лексикой урока. Уточните значение незнакомых слов по словарю и запишите их перевод на родной язык. Ответьте на вопросы после текста.**

АКТИВНАЯ ЛЕКСИКА УРОКА

Актуа́льный, -ая, -ое
Взаимоде́йствие (*чего с чем?*)
Влия́ние (*на кого? на что?*) на челове́ка,
    на приро́ду ...
Глоба́льный, -ая, -ое = всеми́рный, -ая,
    -ое
Грани́ца (*какая?*) госуда́рственная, про-
    стра́нственная, временна́я
Гуманисти́ческий, -ая, -ое
Диссиде́нт, *м.*
Достиже́ния, *мн.* (*какие?*) научные, тех-
    ни́ческие...
Жизнеде́ятельность, *ж.*
Зако́н (*чего?*) приро́ды, фи́зики, нау́ки...
Земледе́лие
Информацио́нные техноло́гии, *мн.*
Иссле́дование
Клони́рование
Коммуникацио́нные се́ти, *мн.*
Культу́ра
Матема́тика
Мора́ль *ж.* = нра́вственность, *ж.*
Нау́ка (*какая?*) гуманита́рная, есте́ст-
    венная, универса́льная...

Нра́вственный, -ая, -ое
Откры́тие (*какое?*) нау́чное, географи́-
    ческое, истори́ческое...
Отождествля́ть (*что?*) нау́ку и культу́-
    ру ...
Пропаганди́ровать (*что?*) иде́и, филосо́-
    фию, взгля́ды...
Проце́сс
Сре́дства ма́ссовой информа́ции (СМИ)
    = масс-медиа
Ста́тус = положе́ние (*кого?*) челове́ка,
    сотру́дника...
Судохо́дство
Су́щность, суть, *ж.* (*чего?*) вопро́са, про-
    бле́мы, тво́рчества...
Тво́рчество
Утилита́рный, -ая, -ое
Филосо́фия
Фо́рма (*чего?*) культу́ры, иску́сства...
Формирова́ть (*что?*) обще́ственное мне́-
    ние, взгля́ды...
Цивилиза́ция (*какая?*) дре́вняя, совре-
    ме́нная, восто́чная...

175

НАУКА И МОРАЛЬ В СОВРЕМЕННОМ МИРЕ

Наука возникла и развивалась в древнейших цивилизациях нашей планеты. В то время наука полностью отождествлялась с культурой. Первой наукой принято считать философию. Именно она изначально выступала в качестве универсальной науки, изучающей и пропагандирующей гуманистическое содержание жизнедеятельности античного человека, его богатый внутренний мир. В таком понимании философия целиком относилась к сфере культуры. Но уже в те древние времена многие научные открытия применялись в обычной жизни с практическими целями. Например, астрономия помогала людям заниматься прибрежным судоходством и земледелием, математика использовалась в строительном деле, в музыке.

Наука может оказывать двойственное влияние на культуру, приводить как к позитивным, так и к негативным результатам. Положительна роль науки в создании технической базы культуры, в расширении её разнообразных форм (изобразительного искусства, музыки, театрального искусства, искусства кино), в распространении культуры в обществе и влиянии её на общество.

Особенно важную роль в этом процессе сыграли такие научно-технические достижения, как средства массовой коммуникации: пресса, радио, кинематограф, телевидение, Интернет. Они превратили частные связи между отдельными людьми и социальными группами в глобальные, всемирные.

Развитие информационных технологий очень характерно для современного мира. Но этот на первый взгляд позитивный аспект имеет и негативную сторону. Средства массовой коммуникации, предоставляя обществу информацию, имеют возможность её трактовать, оценивать и в конечном счёте доводить до массового потребителя в особом, не всегда объективном виде.

Проблема взаимодействия морали и средств массовой информации (СМИ) сегодня является чрезвычайно актуальной в мире. Средства массовой информации, воздействуя на общество, не только предоставляют возможность получить информацию, но весьма часто способствуют выработке к ней особого отношения, формируя определённым образом общественное мнение.

Открытия учёных всегда привлекали внимание общества, особенно политиков и руководителей государств, которые стремились использовать новые достижения науки в интересах своих стран. Например, в конце Второй мировой войны многие учёные и политики считали важным шагом на пути сохранения мира создание нового оружия массового поражения для устрашения фашистской Германии. США предоставили самым известным учёным-физикам из Европы и Америки научный центр в Лос-Аламосе для проведения научных исследований в области ядерной физики. Среди приглашённых туда физиков были такие всемирно известные учёные, как Оппенгеймер, Бор и другие. Физик Н. Бор до конца жизни испытывал глубокие нравственные переживания из-за того, что как гениальный учёный он участвовал в создании самого разрушительного оружия на планете. Поэтому столь логичен вывод, сделанный этим учёным в конце 1950-х годов в одном из писем своему другу: «Квантовая теория больше не влечёт меня к своим проблемам. Ныне первостепенная проблема этическая — поиски пути к ядерному миру».

Такая же нравственная проблема стояла и перед выдающимся советским учёным-физиком А.Д. Сахаровым, по проекту которого была создана первая термоядерная бомба и который впоследствии стал известным диссидентом, борцом за права человека в Советском Союзе, лауреатом Нобелевской премии Мира. Как и Нильса Бора, Андрея Сахарова волновал вопрос: с какой целью будет использовано научное открытие — на благо общества или для его уничтожения? Поэтому А.Д. Сахаров постоянно напоминал обществу об огромной ответственности учёных перед будущими поколениями людей.

В конце XX в., когда стало возможно клонирование живых существ, популярной темой научных дискуссий в мире стала проблема возможности подобного эксперимента над человеком. Общество стал волновать вопрос: клонирование принесёт пользу человеку или грозит несчастьем, размеры которого общество ещё не в состоянии оценить? В процессе научной дискуссии высказывались мнения «за» и «против». Очевидно, решать подобные вопросы следует с точки зрения нравственности, общественной морали.

Остановить развитие науки, прогресс невозможно. Однако наука и мораль в современном мире всё чаще вступают в конфликт, в противоречие. Многие учёные считают, что естественно-научное знание сегодня становится агрессивным. Это ведёт к разрыву между культурой и цивилизацией, развитие которой основано на научно-техническом прогрессе. Науки о природе, естественные науки стали в большей степени тяготеть к цивилизации с её утилитарно-прагматическими потребностями. Современная наука, имеющая доступ к ключевым вопросам жизни и смерти, теснейшим образом связана с моралью. В современных условиях проблема нравственного выбора в науке является очень важной.

Наука динамична, устремлена вперёд, для неё в большей степени характерны бескомпромиссность и радикализм. На рубеже XIX — XX вв. человечество узнало два новых слова, два новых научных термина: «квант» и «ген», и именно они стали ключевыми моментами в развитии современной науки о строении пространства и человека — квантовой физике и генетике. В отличие от науки, для нравственности как порождению культуры характерны стабильность, здоровый консерватизм, компромисс. Наука имеет строгие границы, в рамках которых может развиваться рациональное знание. Культура же представляет собой более открытую систему, она может включать вместе с научным знанием и другие формы культурного бытия, например мифологические.

У многих людей, которых волнует будущее нашей планеты, вызывает опасение тот факт, что достижения науки могут использоваться некоторыми безнравственными учёными и политиками не на пользу, а во вред человечеству.

(По материалам статьи «Наука и мораль». В кн.: Теория культуры: Учебное пособие для вузов / Авторы Оганов А.А., Хангельдиева И.Г.)

Вопросы к тексту.

1. Когда на нашей планете возникла наука?

2. Какую науку принято считать первой?

3. В каких практических целях использовались в древности астрономия и математика?

4. В чём проявляется положительное влияние науки на культуру и общество?

5. Какие научно-технические достижения сыграли особенно важную роль в общественном прогрессе?

6. В чём заключается негативное влияние СМИ на общество?

7. В какой стране мира и с какой целью был создан научный центр по созданию нового оружия массового поражения?

8. Какая научная тема стала наиболее популярной в научном мире и в обществе в конце XX века?

2. Выделите общую часть в словах.

мораль	философия	влиять	информация
моральный	философский	влияние	информировать
аморальный	философ	влиятельный	информационный
моралист	философствовать	повлиять	информатор

3. Проанализируйте сложные слова из текста. Скажите, от каких слов они образованы.

Жизнедеятельность, разнообразные (формы), судоходство, земледелие, взаимодействие, первостепенная (проблема), противоречие.

4. Выделите приставку и суффикс в слове *прибрежный*. **Скажите, от какого существительного образовано это прилагательное? Какое значение имеет данная приставка? Образуйте с помощью данной приставки и суффикса прилагательные от следующих существительных.**

Вокзал, озеро, школа, кровать, дорога, город, станция, глагол.

178

5. Соедините близкие по значению слова и словосочетания.

древнейшая цивилизация	область культуры
изначально	общественный статус
социальный статус	самая древняя цивилизация
сфера культуры	использоваться
применяться	негативное влияние
мораль	масс-медиа
отрицательное влияние	по законам
средства массовой информации	нравственность
в соответствии с законами	с самого начала

6. Подберите антонимы к словам, используя материал для справок.

современные цивилизации — ...

бедный мир — ...

теоретические цели — ...

отрицательная роль — ...

сузить границы — ...

индивидуальный потребитель — ...

субъективный взгляд — ...

мнение «против» — ...

нравственный поступок — ...

Материал для справок:

расширить границы, безнравственный поступок, практические цели, бога-тый мир, положительная роль, древние цивилизации, массовый потреби-тель, мнение «за», объективный взгляд.

Обратите внимание!

Похожие слова имеют разное значение.

Гуманисти́ческий, -ая, -ое «Характеризующийся человечностью и человеколю-бием в общественной деятельности, в отношениях к людям» (*гуманистические идеи, взгляды, идеалы, поступки*)

Гуманита́рный, -ая, -ое «Связанный с науками о человеке и культуре» (*гумани-тарные науки, знания, факультеты университета; гуманитарное образование*)

Гума́нный, -ая, -ое «Человечный, добрый, внимательный к другим людям» (*гу-манный поступок, действие; гуманное общество, решение*)

Практи́ческий, -ая, -ое «Связанный с практикой — работой, реально преобра-зующей окружающий мир, действительность» (*практический опыт; практическая деятельность, работа, польза, помощь; практическое занятие, преподавание*)

Практи́чный, -ая, -ое «Деловитый, умеющий разбираться в жизненных делах» (*практичный человек, подход, метод, расчёт; практичное решение*)

---

7. Дополните предложение подходящим по смыслу словом в правильной форме.

гуманисти́ческий, гуманита́рный, гума́нный

1. В наше время ... факультеты университета стали более популярными, чем естественные.

2. Музыкант совершил ... поступок – он передал все средства от своего концерта в детский дом.

3. ... идеи всегда владели умами учёных-философов.

практи́ческий, практи́чный

4. Он очень ... человек, он всегда продумывает каждый свой поступок.

5. По понедельникам у студентов бывает лекция по русской литературе и ... занятия по русскому языку.

8. Употребите слова в скобках в правильной форме.

Выступать/выступить в качестве *кого? чего?* (эксперт, судья, консультант, помощник, советчик; универсальная наука, эталон, идеал, модель, образец, норма);

содержание *чего?* (статья, фильм, рассказ, текст, книга, программа);

относиться/отнестись *к чему?* (сфера искусства, политика, экономика, наука, культура);

процесс *чего?* (развитие, разрушение, создание, формирование, переговоры);

заниматься *чем?* (судоходство, земледелие, рыболовство, строительство, наука, искусство, бизнес, сельское хозяйство, фермерство);

оказывать/оказать влияние, влиять/повлиять *на кого? на что?* (человек, люди, современники, молодёжь, общество, культура, наука, жизнь);

расширять/расширить *что?* (возможности, граница, рамки, сфера влияния, поле деятельности, сотрудничество, контакты);

предоставлять/предоставить информацию *кому?* (человек, люди, общество, граждане, молодёжь);

привлекать/привлечь внимание *кого? чего?* (учёные, политики, лидеры государств, люди, общество, граждане, молодёжь);

напоминать/напомнить *о чём?* (ответственность, долг, прошлое, ошибки, результаты, война).

9. Сопоставьте предметы или явления, употребив конструкцию «в отличие от + Р.п.» в простом предложении вместо синонимичного сложного предложения. При этом замените глаголы причастными оборотами.

М о д е л ь:

Если наука даёт рациональный взгляд на мир, то культура даёт образное представление мира. —

В отличие от науки*, дающей рациональный взгляд на мир, культура даёт образное представление мира.*

1. Если античные люди отождествляли науку с культурой, то современные люди считают науку самостоятельной.

2. Если астрономия помогала людям заниматься судоходством, то математика использовалась в строительстве и в музыке.

3. Если наука оказывает двойственное (положительное и отрицательное) влияние на общество, то культура оказывает на него только положительное влияние.

4. Если учёные использовали научные открытия в интересах общества, то политики стремились использовать их в личных интересах.

5. Если XIX век способствовал развитию частных связей между людьми, то XXI век благодаря Интернету способствует развитию глобальных связей.

6. Если одни учёные поддерживают научные исследования по клонированию живых существ, то другие выступают против этого.

7. Если наука отличается динамичностью и устремлённостью в будущее, то мораль отличается стабильностью и консерватизмом.

8. Если наука имеет строгие границы, то культура представляет собой открытую систему.

10. Потренируйтесь в письме.

1. Используя информацию из текста, запишите, в чём состоит положительное влияние науки на культуру.

2. Перечислите и запишите виды средств массовой коммуникации, существующие в современном мире.

3. Используя информацию из текста, сформулируйте и запишите, в чём состоит конфликт науки и морали.

4. Составьте и запишите план статьи «Наука и мораль в современном мире».

Готовимся к дискуссии

Как выразить последовательность информации, фактов, аргументов

Во-первых, ... Во-вторых, ... В-третьих, ...
Перечислю всё по порядку. Первое. ... .Второе. ... .Третье. ... .И наконец, ...
Прежде всего (сначала) необходимо отметить следующее. ... Затем остановлюсь на другом моменте (обстоятельстве). ... И наконец, последнее. ...
Назову причины (аргументы, факты, доказательства...) по порядку. ...

---

11. Примите участие в дискуссии. Используйте выражения, которые помогают в ходе обсуждения выразить информацию, факты, аргументы в логической последовательности.

1. Согласны ли вы с мнением о том, что наука может оказывать двойственное влияние на культуру, окружающий мир и общество? Приведите примеры положительного и отрицательного влияния науки на окружающий мир и общество.

2. Считаете ли вы, что средства массовой информации способны по-своему трактовать и оценивать события и, таким образом, формировать определённое общественное мнение. Что нужно сделать в обществе, чтобы СМИ не смогли предлагать обществу лишь одну точку зрения на события?

3. Как вы считаете, открытия в ядерной физике принесли миру больше пользы (атомная энергия) или больше вреда (атомная бомба)?

4. Если бы вы участвовали в научной дискуссии о клонировании человека, какой была бы ваша позиция: клонирование принесёт пользу и эксперименты нужно продолжать или клонирование принесёт вред и эксперименты нужно остановить? Приведите аргументы в пользу вашей точки зрения.

5. Согласны ли вы с тем, что в наше время проблема нравственного выбора в науке является очень важной?

ГРАММАТИКА

1. ВЫРАЖЕНИЕ СОПОСТАВИТЕЛЬНЫХ ОТНОШЕНИЙ
(в простом предложении)

Сопоставительные отношения в русском языке выражаются как в простом, так и в сложном предложении (сложносочинённом и сложноподчинённом) с помощью специальных союзов.

Сопоставительные отношения в простом предложении выражаются при помощи предложно-падежных конструкций — сопоставительных предлогов и существительного (или личного местоимения) в определённой падежной форме, а также при помощи вводных оборотов.

Выделяются следующие предложно-падежные конструкции, выражающие значение сопоставления объектов — лиц, предметов, явлений, процессов.

1. Предлог **ПО МЕРЕ + Р. п.** отглагольного существительного.

Вопрос: по мере чего?

В качестве отглагольных существительных выступают слова со значением динамики процесса: *рост, развитие, расширение, увеличение, уменьшение, снижение, падение, улучшение, ухудшение* и др.

Конструкция указывает на сопоставление по нарастанию или убыванию признака. Используются только глаголы несовершенного вида (НСВ).

П р и м е р ы: **По мере развития** экономики страны растёт и благосостояние народа.

По мере развития общества философия превращалась из универсальной науки в общественную.

По мере продолжения изучения иностранного языка лучше понимаешь другую культуру.

Сопоставительная конструкция с предлогом **по мере** (чего) используется для выражения количественного и качественного сопоставления в книжной (письменной) речи.

2. Предлог **С + Т. п.** отглагольного существительного.

В о п р о с: с чем?

Сопоставительная конструкция «**с + Т.п.**» используется для выражения сопоставления по нарастанию или убыванию признака. Обычно употребляются глаголы несовершенного вида (НСВ).

П р и м е р ы: **С ростом** экономики страны растёт и благосостояние народа.

С расширением производства увеличивается объём продукции.

С развитием общества философия превращалась из универсальной науки в общественную.

С появлением Интернета частные связи стали глобальными. Данная конструкция используется в книжной (письменной) речи.

3. Предлог **В ОТЛИЧИЕ ОТ** + Р. п. существительного (личного местоимения).

В о п р о с ы: в отличие от кого? в отличие от чего?

Сопоставительная конструкция с предлогом **в отличие** (от чего) указывает на несходство сопоставляемых объектов.

П р и м е р ы: **В отличие от Москвы** Петербург — город европейской архитектуры.

В отличие от науки искусство даёт образное представление действительности.

В отличие от коллег мне было трудно понимать докладчика.

Данная конструкция используется в книжной речи.

4. Предлог **В ПРОТИВОПОЛОЖНОСТЬ** + Д. п. существительного (личн. мест.).

В о п р о с: в противоположность чему?

Сопоставительная конструкция с предлогом **в противоположность** (чему) подчёркивает противоположность сопоставляемых объектов.

П р и м е р ы: **В противоположность науке** искусство даёт образное представление действительности.

В противоположность искусству наука может приводить как к позитивным, так и к негативным результатам.

Простые предложения со значением сопоставления характерны для книжной речи: официально-делового, научного и публицистического стилей.

5. Вводные обороты **С ОДНОЙ СТОРОНЫ**, **С ДРУГОЙ СТОРОНЫ**.

Эта конструкция указывает на противоречия одного и того же предмета или лица, сопоставляя его разные стороны и свойства.

Оборот **с одной стороны** может стоять в начале и в середине сопоставительной части предложения. Оборот **с другой стороны** обычно стоит в начале сопоставительной части предложения.

П р и м е р ы: **С одной стороны**, Пушкин всемирно известный поэт, **с другой стороны** — мастер реалистической прозы.

Пушкин, **с одной стороны**, всемирно известный поэт, **с другой стороны** — мастер реалистической прозы.

По своей стилистической характеристике данные конструкции нейтральны, их используют как в книжной, так и в разговорной речи. Но чаще обороты **с одной стороны** и **с другой стороны** употребляются в книжной речи.

П р и м е р ы: Я, **с одной стороны**, понимаю поведение этого человека, **с другой стороны**, никогда так не поступил бы сам.

Действия антиглобалистов, **с одной стороны**, вызывают протест в обществе, **с другой стороны**, оправдываются многими людьми.

2. ВЫРАЖЕНИЕ СОПОСТАВИТЕЛЬНЫХ ОТНОШЕНИЙ
(в сложном предложении)

Сложные сопоставительные предложения употребляются гораздо чаще, чем простые предложения со значением сопоставления. Сопоставительные отношения выражаются как в сложносочинённом предложении, так и в сложноподчинённом предложении.

Выражение сопоставительных отношений
в сложносочинённом предложении

Это самый распространённый способ выражения сопоставительных отношений в русском языке, наиболее употребительный в разговорной речи.

Сопоставительные отношения в сложносочинённом предложении выражаются при помощи сопоставительного союза **а** и частицы **же**, которые соединяют две части сложного предложения. Союз **а** стоит в самом начале второй части предложения. Частица **же**, выполняющая роль союза, следует непосредственно после субъекта, стоящего в самом начале второй части предложения.

П р и м е р ы: Я учусь на физическом факультете, **а** мой друг учится на медицинском.

Анна любит классическую музыку, **а** Катя — современную.

Дима приехал в Москву из Питера, я **же** — из Новосибирска.

Катин любимый писатель — Толстой, мой **же** — Гоголь.

Союз **а** и частица **же** по своей стилистической характеристике нейтральны. Сложносочинённые предложения с·ними, выражающие сопоставительные отношения, активно используются в разговорной речи.

Выражение сопоставительных отношений
в сложноподчинённом предложении

В сложноподчинённых предложениях со значением сопоставления содержание главной части сопоставляется с тем, о чём говорится в зависимой части. Сопоставление может проводиться по времени и по количеству и может дополняться оттенками противопоставления или уступительности.

Сопоставительные отношения в сложноподчинённом предложении выражаются при помощи следующих союзов, которые соединяют две части сложного предложения.

1. Союз ЕСЛИ... , ТО...

Предложения с союзом **если.., то...** используются для выражения различия сопоставляемых объектов — лиц, предметов, явлений. При использовании союза **если.., то...** после **то** в главной части даётся описание предмета, который сопоставляется с предметом в зависимой части.

П р и м е р ы: **Если** произведения массовой культуры понятны всем, **то** для понимания произведений классической культуры нужна подготовка.

Если университет даёт глубокие научные знания, то школа даёт лишь основы научных знаний.

184

2. Союз В ТО ВРЕМЯ КАК.

Предложения с союзом **в то время как** имеют оттенок противопоставления или используются для выражения сопоставления по времени.

Зависимая часть с союзом **в то время как** может стоять как перед главной частью, так и после неё.

П р и м е р ы: **В то время как** экологи заботятся о сохранении природы, бизнесмены больше интересуются получением прибыли.

Бизнесмены больше интересуются получением прибыли, **в то время как** экологи заботятся о сохранении природы.

В то время как школа даёт лишь основы научных знаний, университет даёт глубокие научные знания.

Университет даёт глубокие научные знания, **в то время как** школа даёт лишь основы научных знаний.

3. Союз ТОГДА КАК.

Предложения с союзом **тогда как** имеют оттенок противопоставления или используются для выражения сопоставления по времени.

Зависимая часть с союзом **тогда как** всегда стоит за главной частью предложения.

П р и м е р ы: Телевидение обычно развлекает зрителей, **тогда как** литература учит читателей думать.

Университет даёт глубокие научные знания, **тогда как** школа даёт лишь основы научных знаний.

4. Союз ПО МЕРЕ ТОГО КАК.

Предложения с союзом **по мере того как** используются для выражения качественного и количественного сопоставления. При этом сопоставляются два параллельных процесса, выраженные глаголами несовершенного вида.

Зависимая часть с союзом **по мере того как** может стоять после главной части и перед главной частью.

П р и м е р ы: **По мере того как** мы узнаём мир, у нас появляется всё больше вопросов.

У нас появляется всё больше вопросов, **по мере того как** мы узнаём мир.

По мере того как растёт население, увеличивается потребность в жилье.

Потребность в жилье увеличивается, **по мере того как** растёт население.

5. Союз ЧЕМ... , ТЕМ...

Предложения с союзом **чем... , тем** указывают на сопоставление по нарастанию или убыванию признака.

Зависимая часть с союзом **чем** стоит перед главной частью предложения, а **тем** стоит перед зависимой частью. В данной конструкции обязательно использование сравнительной степени.

Примеры: **Чем** больше мы узнаём мир, **тем** больше у нас появляется вопросов.

Чем лучше знаешь историю, **тем** лучше понимаешь современность.

Чем раньше я начну работу, **тем** быстрее я её закончу.

Союз **чем... , тем...** по своей стилистической характеристике нейтрален, он активно используется как в книжной, так и в разговорной речи.

Сложноподчинённые предложения со значением сопоставления более характерны для книжной (письменной) речи, они обычно используются в официально-деловой речи, в научной речи и в публицистике.

ЗАДАНИЯ

1. Употребите слова в скобках в правильной форме.

По мере *чего?* (развитие, формирование, возникновение, увеличение, снижение, повышение, ухудшение, улучшение, совершенствование, укрепление, усиление, рост, открытие, закрытие, поступление, движение);

с чем? (развитие, формирование, возникновение, увеличение, снижение, повышение, ухудшение, улучшение, совершенствование, укрепление, усиление, рост, открытие, закрытие, поступление, приезд);

в отличие *от кого? от чего?* (брат, сестра, отец, друг, оптимист, философ, писатель, Пушкин, Гоголь, Цветаева, Россия; дом, школа, университет, экзамен, литература, философия, каникулы, трудолюбие, активность);

в противоположность *чему?* (дом, школа, университет, наука, литература, философия, искусство, естественные науки).

2. Сопоставьте предметы, процессы, явления, употребив конструкцию с союзом *а* **в сложном предложении вместо синонимичной конструкции с частицей** *же.*

Модель:

Сергей любит математику, я **же** — литературу. —
*Сергей любит математику, **а** я — литературу.*

1. Европейцы за обедом пользуются вилкой и ножом, японцы же — палочками.

2. Город Смоленск находится на западе России, Хабаровск же — на востоке.

3. Пушкин знаменит как великий поэт, Толстой же — как великий писатель.

4. Люди, живущие в северных странах, более спокойные, жители же южных стран более эмоциональные.

5. Мамин любимый цвет синий, мой же — красный.

6. Брат с друзьями любит отдыхать в горах, я же — на море.

7. Андрей в ресторане всегда заказывает мясо, я же больше люблю рыбу.

8. Население России сокращается, население же Китая растёт.

9. Я хочу стать художником, сестра же хочет стать актрисой.

10. Зимой дни короткие, ночи же длинные.

3. Сопоставьте предметы, процессы, явления, составив из двух предложений одно. Используйте вводные обороты *с одной стороны, с другой стороны.*

М о д е л ь:

Я доверял этому человеку. Что-то не нравилось мне в нём. —

Я, с одной стороны, доверял этому человеку, с другой стороны, что-то не нравилось мне в нём.

1. Мне очень нравится жить в большом городе. Иногда мне здесь неуютно и одиноко.

2. Он хотел бы стать врачом. Он понимал, как трудна эта профессия.

3. Климат в России хороший. Но в России слишком долго длится зима.

4. Русская природа очень красива. Она не такая яркая, как южная природа.

5. Народ поддерживает политику правительства. Он хочет большего внимания к социальным проблемам со стороны государства.

6. Он очень талантливый человек. Он мало трудится, мало работает.

7. Я очень рад, что окончил школу. Всё же грустно расставаться с друзьями.

8. Летать самолётами быстро и удобно. Существует опасность авиакатастрофы.

4. Сопоставьте предметы, процессы, явления, употребив союз *по мере того как* **в сложном предложении вместо синонимичного простого предложения. При этом замените отглагольные существительные однокоренными глаголами.**

М о д е л ь:

По мере роста мегаполисов увеличивается опасность экологических проблем. (расти) —

По мере того как растут мегаполисы, увеличивается опасность экологических проблем.

1. По мере овладения иностранным языком чужая страна открывается всё больше. (овладевать)

2. По мере развития ребёнка проявляется его интерес к миру. (развиваться)

3. Экономика страны успешно растёт по мере становления рыночных отношений. (устанавливаться)

4. По мере развития малого и среднего бизнеса в обществе происходит формирования среднего класса. (развиваться)

5. По мере увеличения строительства жилья снижаются цены на квартиры. (увеличиваться)

6. Редакция газеты отвечает на письма читателей по мере поступления читательских писем. (поступать)

7. Успех новой модели автомобиля у покупателей определяется по мере её продажи. (продаваться)

8. Шансы спортсмена стать чемпионом выясняются по мере улучшения его выступлений на международных соревнованиях. (улучшаться)

5. Сопоставьте предметы, употребив союз *чем…* , *тем* **в сложном предложении вместо конструкции «с + Т.п.» в простом предложении. При этом замените отглагольные существительные однокоренными глаголами.**

Модель:

С ростом строительства жилья снижаются цены на квартиры. —
Чем быстрее *растёт* ***строительство*** *жилья,* ***тем быстрее*** *снижаются цены на квартиры.*

1. С развитием туристического бизнеса растёт число желающих посетить другие страны.

2. С увеличением числа тренировок растёт мастерство футбольной команды.

3. С уменьшением числа местного населения возрастает значение миграции для экономики региона.

4. С ростом незаконной иммиграции ухудшается криминальная ситуация в стране.

5. Со снижением рождаемости уменьшается численность население страны.

6. С расширением производства увеличивается объём продукции.

7. С увеличением числа автомобилей у жителей городов растёт количество транспортных пробок на улицах.

8. С увеличением числа двусторонних контактов растёт взаимное доверие между странами.

6. Сопоставьте предметы, процессы, явления, объединив два простых предложения в одно сложное. Используйте союз *тогда как.*

Модель:

Популярную музыку понимаешь легко. Пониманию классической музыки нужно учиться. —
Популярную музыку понимаешь легко, ***тогда как*** *пониманию классической музыки нужно учиться.*

1. Численность населения в большинстве стран мира уменьшается. Количество жителей Китая и Индии стремительно растёт.

2. В России отмечается высокая смертность населения. Рождаемость населения в России низкая.

3. Книги воспитывают ребенка с раннего детства. Живопись и серьёзная музыка входят в жизнь человека позже.

4. Средняя продолжительность жизни мужчин в России составляет 59 лет. Средняя продолжительность жизни мужчин в Китае — 68 лет.

5. В списке богачей журнала Forbes в 2010 году первое место занимают США. Россия занимает третье место по количеству миллиардеров.

6. В сельской местности людям трудно найти работу. Город даёт большие возможности получить работу.

7. В современной России граждане должны покупать жильё. В Советском Союзе жильё для населения было бесплатным.

8. У бедных людей в обществе нет возможности путешествовать за границей. Богатые люди могут поехать отдыхать и путешествовать в любую страну.

7. Сопоставьте предметы, процессы, явления, объединив два простых предложения в одно сложное и употребив соответствующие стилю (разговорному или официально-деловому) сопоставительные союзы — *а* или *тогда как*.

М о д е л ь:

Завтра по радио обещали сильные дожди. Сегодня хорошая погода. — *Завтра по радио обещали сильные дожди, **а** сегодня хорошая погода.*

1. Глобализация выгодна развитым странам. Слаборазвитые страны мира несут потери от глобализации.

2. Я добираюсь до университета пешком. Мой друг едет в университет на метро.

3. Молодые люди уезжают в большие города. Старые люди хотят жить в деревне.

4. Человек может защитить природу от технологического влияния. Предотвратить землетрясения, тайфуны, цунами человек не может.

5. Я увлекаюсь теннисом. Мой брат любит играть в футбол.

6. Русские люди мало думают о рациональном питании. Правильный режим питания помогает сохранить здоровье.

7. Я поеду в командировку в Питер на поезде. Мой коллега собирается лететь в Питер самолётом.

8. В современной России профессия учёного не является престижной. В Советском Союзе учёные были одними из самых уважаемых и высокооплачиваемых людей.

9. Мои друзья любят американские фильмы. Я предпочитаю французское кино.

8. Сопоставьте две ситуации, объединив два простых предложения в одно:
   а) сложное с союзом *по мере того как*;
   б) простое с предлогом *по мере (чего)*, заменив глаголы отглагольными существительными.

М о д е л ь:

Снижаются налоги. Повышается жизненный уровень населения. —

*а) **По мере того как** снижаются налоги, повышается жизненный уровень населения.*

*б) **По мере снижения** налогов повышается жизненный уровень населения.*

1. Укрепляются деловые контакты между странами. Открываются новые совместные предприятия.

2. Растёт число предприятий малого и среднего бизнеса. Развивается рыночная экономика.

3. Растёт число студентов в университетах. Увеличивается число квалифицированных специалистов.

4. Распространяется спутниковое телевидение. Растёт количество телевизионных каналов.

5. Строятся новые заводы и фабрики. Появляются новые рабочие места.

6. В страну поступают иностранные инвестиции. Открываются новые совместные предприятия.

189

7. Развивается демократия в обществе. Страна становится более открытой.

8. Моё знание иностранного языка улучшается. Увеличивается число прочитанных книг на иностранном языке.

9. Человек регулярно занимается спортом. Здоровье укрепляется.

10. Человек увлекается путешествиями в другие страны. Кругозор человека расширяется.

9. Работаем в парах. Задайте вопросы коллегам о двух объектов. Попросите их сопоставить:

две страны, два города, двух своих друзей, два фильма, две известные фирмы, двух политиков, двух популярных певцов.

10. Расскажите о современной науке, сопоставляя открытия в области естественных и гуманитарных наук, научные достижения прошлого и современности, научные открытия на Востоке и Западе. Используйте грамматические конструкции, выражающие сопоставление.

УРОК 13

Речевая тема. Кризис культуры в современном мире
Грамматическая тема. Выражение временны́х отношений
в простом предложении

КРИЗИС КУЛЬТУРЫ
В СОВРЕМЕННОМ МИРЕ

1. Прочитайте текст. Перед чтением текста ознакомьтесь с активной лексикой урока. Уточните значение незнакомых слов по словарю и запишите их перевод на родной язык. Ответьте на вопросы после текста.

АКТИВНАЯ ЛЕКСИКА УРОКА

Адапти́роваться

Антигума́нный, -ая, -ое

Барье́р (*какой?*) психологи́ческий, культу́рный...

Восприя́тие

Гармони́чный, -ая, -ое

Генети́ческий, -ая, -ое

Глоба́льный, -ая, -ое

Грани́ца

Индивидуа́льный, -ая, -ое

Интеграти́вный, -ая, -ое = объедини́-
тельный, -ая, -ое

И́стинно = по́длинно

Ка́чество

Коммуникацио́нное простра́нство

Консервати́вность, *ж.*

Кри́зис (*чего?*) культу́ры, эконо́мики...

Культу́ра, *ж.* (*какая?*) высо́кая, низова́я

Лицо́ = о́блик (*чего?*) культу́ры, о́бще-
ства...

Ма́ссовый, -ая, -ое

Но́рма (*чего?*) поведе́ния...

Обогаща́ть/обогати́ть

Общечелове́ческий, -ая, -ое

Оце́нка

Повседне́вность, *ж.*

Подчине́ние

Поп-культу́ра

Преоблада́ть

Разруша́ться/разру́шиться

Распростране́ние = тиражи́рование

Распространённый, -ая, -ое

Расцве́т

Смысл = значе́ние

Стаби́льный, -ая, -ое

Стереоти́п

Тво́рчество

Тенде́нция

Фа́ктор

Це́нности, *мн.* (*какие?*) жи́зненные, мо-
ра́льные...

Цивилиза́ция

Элита́рность, *ж.*

Этало́н = идеа́льный образе́ц

Ядро́ = центра́льная часть

ГЛОБАЛЬНОЕ КОММУНИКАЦИОННОЕ ПРОСТРАНСТВО И КРИЗИС КУЛЬТУРЫ

В современном мире благодаря Интернету происходит становление глобального коммуникационного пространства, которое оказывает огромное влияние на все стороны жизни общества, особенно на культуру. Признавая науку и коммуникацию главным фактором современной цивилизации, многие учёные в то же время говорят о кризисе культуры. С чем связаны такие заключения?

Культура представляет собой единство противоположных тенденций — массовой и элитарной. В основе классической культуры всегда лежал принцип отбора, основанный на длительной адаптации новых произведений, которые позже могли стать общечеловеческими ценностями. Ядро такой культуры на протяжении столетий оставалось неизменным, его основное содержание передавалось от поколения к поколению. Моделью культуры традиционного классического типа является университет. Именно консервативность и элитарность характерны для классической культуры: она далека от повседневности, а её восприятие требует определённой подготовки. Классическая культура стабильна, это базис общечеловеческой культуры, он закрыт для низовой культуры.

«Диалог культур» — это познание другой культуры через свою, а своей — через другую. Главным средством этого процесса выступает язык. Зная иной язык, человек адаптирует (переводит) смыслы другой культуры. Сопоставляя разные культуры, человек лучше понимает ценность и своеобразие собственной культуры. В результате культуры обогащают друг друга, развивая общечеловеческую культуру в целом.

В конце XX — начале XXI в. ситуация изменилась. Вместо постепенной адаптации новых произведений к общей системе культуры сегодня происходит процесс адаптации всей системы культуры к глобальному информационному пространству. В результате начинается разрушение классического характера культуры. Коммуникационное пространство само создаёт правила и способы общения, стереотипы коммуникации, вынуждая культуру говорить на этом языке.

«Кризис культуры» понимается учёными как разрушение границы между культурами и создание нового культурного единства. Это проявляется в том, что в мировом общении начинают преобладать интегративные языковые тенденции, в результате происходит подчинение всех языков тому языку, который наиболее распространён в силу политических, научно-технических и других условий.

В едином коммуникационном поле преобладают общие стереотипы, оценки, нормы поведения. Сужается область неодинакового (но потому и интересного) в культурах, подчиняя их искусственной суперкультуре (например, компьютерной культуре с единым языком). Суперкультура поглощает разнообразие отдельных национальных культур. Общее коммуникативное поле, не имея границ и языковых барьеров, значительно расширяет возможности диалога, но одновременно упрощает его. Это порождает общение ради общения, общения без смыслов, что свидетельствует о кризисе культуры.

«Кризис культуры» понимается учёными и как быстрое разрушение старых ценностей. Всем понятно, что изменение культуры закономерно. Человечество меняет одежду и привычки, традиции и формы общения. Новые культурные ценности всегда утверждаются через критику традиций и отказ от некоторых «старых» ценностей. Оценка нового в культуре всегда происходила как бы из прошлого, ориентируясь на классический эталон. Так было всегда. Но на современную культуру стал оказывать огромное влияние научно-технический прогресс, который изменил сами способы общения между людьми, а некоторые из них, например письма, совсем исчезают из жизни.

В мире стремительно растёт число новых произведений, но их адаптация к традиционной системе происходит слишком быстро. Нарушается синхронизация культуры: новое не успевает приспособиться к традиционной системе.

Наиболее резкие изменения происходят в соотношении высокой и низовóй культуры. Низовáя культура становится массовой не только по числу её потребителей, но и по упрощению самих произведений. Низовýю культуру представляет массовая культура и наиболее распространённый её вариант — поп-культура, имеющая почти мгновенные формы воспроизведения и распространения. Важнейшим фактором её существования оказывается не смысл или качество произведения, а система его распространения (тиражирования).

Расцвет поп-культуры происходит в период мощного развития новых средств коммуникации, она сразу становится достоянием общества. Одним из её признаков является то, что произведения поп-культуры неотделимы от воспринимающей её массы людей и средств технического воспроизведения. Исполняющий поп-музыку и слушающий её — это одно целое, их невозможно представить друг без друга, что и обозначается в современной музыке как шоу. В шоу доминирует не индивидуальное творчество, а реализуется принцип одновременного участия. Участие само становится формой коммуникации, без необходимости передачи какого-то смысла. Поэтому и знание языка здесь практически не нужно.

Таким образом, нарушается баланс между высокой и низовóй культурой, и низовáя культура начинает выступать в виде официальной культуры. Характерные признаки низовóй культуры заключаются в широкой тиражируемости произведений и массовости их потребления.

Для преодоления кризиса в сфере культуры необходимы меры со стороны государства и общества. Прежде всего следует совершенствовать систему школьного образования, знакомя учащихся с лучшими образцами национальной и мировой культуры, чтобы приучить молодёжь к восприятию духовных ценностей, истинного искусства. Возможно, следует ввести запрет на распространение произведений массовой культуры, антигуманных по своему содержанию. Необходимо также развивать диалог между высокой и низовóй культурами. Это даст импульс для развития культуры в целом.

(По материалам статьи В.В. Миронова «Глобальное коммуникационное пространство и кризис культуры», журнал «Вопросы философии»)

Вопросы к тексту.

1. Благодаря чему появилось глобальное коммуникационное пространство?

2. Какой принцип отбора произведений искусства лежал в основе классической культуры?

3. Какие две черты характерны для классической культуры?

4. Что такое «диалог культур» и что является главным инструментом в этом процессе?

5. Как понимают учёные «кризис культуры»? В чём он выражается?

6. Какой традиционный способ общения между людьми постепенно исчезает из современной жизни?

7. В чём проявляется нарушение синхронизации культуры?

8. Какие меры, по мнению автора статьи, необходимы со стороны государства и общества для преодоления кризиса культуры?

2. Выделите общую часть в словах.

культура	ценность	классический	кризис
культурный	ценный	классика	кризисный
некультурный	бесценный	классицизм	бескризисный
культивировать	оценивать	классик	предкризисный

3. Проанализируйте сложные слова из текста. Скажите, от каких слов они образованы.

Общечеловеческие (ценности), повседневность, суперкультура, разнообразие, одновременное (участие), взаимоотношения.

4. Выделите приставку в слове *противогосударственный*. **Скажите, от какого прилагательного образовано это слово и какое значение имеет эта приставка? С помощью этой приставки образуйте слова от следующих прилагательных.**

Законный, естественный, вирусный, атомный, воспалительный, газовый, пожарный, воздушный.

5. Соедините близкие по значению слова и выражения.

глобальное пространство

коммуникация

длительная адаптация

ядро

основное содержание

стабильная ситуация

сопоставлять культуры

адаптация

преобладать

баланс

главное содержание

мировое пространство

устойчивая, постоянная ситуация

общение

продолжительная адаптация

центральная часть

доминировать

равновесие

сравнивать культуры

приспособление

6. Подберите антонимы к словам, используя материал для справок.

старая цивилизация — ...

прогрессивность — ...

однонаправленные тенденции — ...

массовая культура — ...

обеднять — ...

создание — ...

расширяться — ...

усложнять диалог — ...

низова́я культура — ...

гуманный по содержанию — ...

М а т е р и а л   д л я   с п р а в о к :

высокая культура, разрушение, элитарная культура, упрощать диалог, разнонаправленные тенденции, консерватизм, современная цивилизация, обогащать, сужаться, антигуманный по содержанию.

Обратите внимание!

Похожие слова имеют разное значение.

Класси́ческий, -ая, -ое «Принадлежащий к разряду выдающихся, образцовых, общепризнанных произведений искусства — к классике» (*классическая музыка, литература; классическое произведение*)

Кла́ссовый, -ая, -ое «Относящийся к определённой социальной группе людей в системе общественного производства и с определённой ролью в общественной организации труда» (*классовый подход; классовое общество, противоречие*)

Информацио́нный, -ая, -ое «Относящийся к информации — сведениям об окружающем мире, воспринимаемым человеком или специальными устройствами: радио, телевидением, Интернетом» (*информационное пространство, поле; информационная программа; информационный канал*)

Информати́вный, -ая, -ое «Характеризующий степень насыщенности информацией» (*информативный доклад; информативная беседа, передача, программа*)

Иску́сственный, -ая, -ое «Сделанный наподобие настоящего, природного; неестественный» (*искусственный камень, мрамор; искусственные цветы*)
Иску́сный, -ая, -ое «Умелый, тонко знающий своё дело специалист» (*искусный мастер, стрелок, хирург, ювелир*)

7. Дополните предложение подходящим по смыслу словом в правильной форме.
класси́ческий, кла́ссовый

1. ... музыка, как и ... литература являются вечным достоянием мировой культуры.

2. В обществе, разделённом на классы, существуют ... противоречия.
информацио́нный, информати́вный

3. Все, кто слушал доклад учёного, признали этот доклад ... и интересным.

4. Глобализация – это объединение в мировом масштабе экономического, финансового и ... пространства.
иску́сственный, иску́сный

5. Древнерусские храмы и монастыри строили ... мастера.

6. Новая станция метро отделана ... мрамором.

8. Поставьте слова в скобках в правильной форме.

благодаря́ *чему? кому?* (интернет, государство, развитие, взаимодействие, сотрудничество, помощь, поддержка, правильное решение);

ока́зывать/оказа́ть влия́ние, влия́ть/повлия́ть *на что?* (жизнь, общество, государство, культура, политика, экономика, сотрудничество, развитие);

при́нцип *чего?* (отбор, деятельность, отношения, действия, сотрудничество);

ба́зис, осно́ва чего? (культура, экономика, политика, система, жизнь, деятельность, взаимодействие);

сопоставля́ть/сопоста́вить *что?* (культура и наука, условия жизни, моральные принципы, экономика и политика);

разруше́ние *чего?* (культура, экономика, система, жизнь, система, социальная сфера, инфраструктура);

свиде́тельствовать *о чём?* (кризис, неблагополучие, ошибки, неверное решение, принципы деятельности;

число́, коли́чество *кого? чего?* (люди, граждане, политики, учёные, произведения искусства, музеи, выставки);

измене́ния *в чём?* (экономика, культура, политика, жизнь, существование, социальная сфера, государство, общество).

9. Укажите на временно́й период с помощью конструкций с предлогами *в течение* + Р. п., *на протяжении* + Р. п. **вместо синонимичной конструкции.**

М о д е л ь:
Ученые **много лет** исследовали эту проблему. —
Учёные в течение (на протяжении) многих лет исследовали эту проблему.

1. В современном мире за последние десятилетия произошло становление глобального коммуникационного пространства.

2. . Последние двадцать лет глобальное коммуникационное пространство оказывает огромное влияние на общество и культуру.

3. Новые произведения классической культуры адаптировались к общей системе культуры длительный период времени.

4. Ядро классической культуры многие столетия оставалось низменным.

5. Последние десять лет происходит процесс адаптации всей системы культуры к глобальному информационному пространству.

6. За последние двадцать лет письмо как традиционный способ общения почти исчезло из жизни.

7. За весь период обучения детей в школе нужно знакомить их с лучшими образцами культуры.

8. Длительный период времени необходимо развивать диалог между высокой и низово́й культурами.

10. Потренируйтесь в письме.

1. Используя информацию из текста, перечислите и запишите характерные особенности классической культуры.

2. Используя информацию из текста, дайте научное определение понятию «диалог культур».

3. Дайте полное определение понятию «кризис культуры», как его формулируют некоторые учёные.

4. Перечислите и запишите характерные особенности низово́й культуры.

5. Составьте и запишите план статьи «Глобальное коммуникационное пространство и кризис культуры».

Готовимся к дискуссии

Как уточнить правильность понимания услышанной информации
Извините, я хотел бы уточнить некоторые моменты.
Простите, я хотел бы убедиться, правильно ли я Вас понял.
Если я Вас правильно понял, Вы утверждаете, что ...
Возможно, Вы правы, но я хотел бы уточнить некоторые детали.
Уважаемый коллега, Вы действительно убеждены в правильности этого вывода?

---

11. Примите участие в дискуссии. Используйте выражения, которые при обсуждении вопросов помогают уточнить правильность понимания услышанной информации.

1. Согласны ли вы с утверждением, что Интернет оказывает огромное влияние на жизнь общества, что он изменил жизнь общества? Какую роль играет Интернет в вашей жизни?

2. Считаете ли вы, что единое коммуникационное пространство само создаёт правила и способы общения и вынуждает культуру принять их, и таким образом культура оказывается в зависимости от глобальной информационной сети? Пишите ли вы письма друзьям и родственникам, посылая их по обычной почте?

3. Как вы оцениваете влияние глобальной информационной сети на культуру: положительно или отрицательно? Грозит ли, на ваш взгляд, кризис вашей национальной культуре, грозит ли разрушение старым национальным и мировым ценностям культуры?

4. Являетесь ли поклонником поп-культуры или вам больше нравится классическое искусство? Видите ли вы угрозу поглощения поп-культурой классического мирового и национального искусства?

5. Нужно ли государству и обществу активно влиять на развитие национальной культуры? Какие шаги, на ваш взгляд, должно предпринять государство для поддерживания и развития национальной культуры?

ГРАММАТИКА

ВЫРАЖЕНИЕ ВРЕМЕННЫ́Х ОТНОШЕНИЙ В ПРОСТОМ ПРЕДЛОЖЕНИИ

Обозначение момента или периода, в течение которого совершается действие

Обозначение момента или отрезка времени, в течение которого совершается действие, передаётся с помощью следующих грамматических конструкций.

1. Предлог **В + В. п.** количественного числительного (в сочетании с существительным) или существительного с определением.

В о п р о с ы :   когда? во сколько?(разг.)

В разговорной речи для уточнения времени используется вопрос: во сколько?

В данной конструкции используются существительные, называющие отрезки времени (час, день, год...), которые обычно имеют определение.

П р и м е р ы :   — Договорились. Завтра встречаемся **в девять** на вокзале.

Самолёт совершил посадку **в одиннадцать часов**.

Экономические реформы в России начались **в девяностые годы**.

Я познакомился с этой девушкой **в студенческие годы**.

2. Предлог **В/НА + П. п.** существительного.

В о п р о с :   когда?

В данной конструкции используются существительные, называющие временны́е единицы (год, месяц, неделя...), которые могут иметь определение.

П р и м е р ы :   **В прошлом году** я отдыхал на море.

На следующей неделе у нас будет экзамен по литературе.

Новый учебный год в России начинается **в сентябре**.

3. Р.п. числительного и существительного.

В о п р о с :   когда?

С помощью конструкции **Р.п. без предлога** обозначается точная дата события (указывается число и месяц, а также год). Все составные части даты: число, месяц, год стоят в **Р.п.**

198

Примеры: Я родился **второго июня тысяча девятьсот девяносто пятого года**.

Первый в мире космонавт Юрий Гагарин полетел в космос 12.04.1961. (**двенадцатого апреля тысяча девятьсот шестьдесят первого года**)

Мы уезжаем отдыхать **первого июля**.

Друг прилетает в Москву **двадцатого февраля**.

Запомните!

– Когда́ бу́дет (бы́ло) собра́ние? – Собра́ние бу́дет (бы́ло) второго марта.
НО: – Како́е сегодня число́? – Сего́дня второе марта.

4. В. п. количественного числительного без предлога.

Вопросы: как долго? сколько времени?

Количественное числительное употребляется в сочетании с существительным, называющим временны́е единицы (час, день, год...). Конструкция обозначает отрезок времени. Употребляются глаголы несовершенного вида (НСВ) или глаголы совершенного вида (СВ) с приставками **по-, про-**.

Примеры: Я **учился** в университете **шесть лет**.

Андрей **прослужил** в армии **два года**.

5. Предлог ВО ВРЕМЯ + Р. п. существительного (возможно с определением).

Вопрос: когда?

Примеры: **Во время занятия** мы говорили о новой книге писателя.

Во время переговоров обсуждались вопросы политики.

Во время футбольного матча болельщики поддерживали свою команду.

Во время нашего разговора он всё время курил.

6. Предлоги В ТЕЧЕНИЕ + Р. п. существительного или числительного;

НА ПРОТЯЖЕНИИ + Р. п. существительного или числительного.

Вопросы: когда? в течение какого времени? в течение скольких дней (лет, часов, месяцев...)? на протяжении какого времени? как долго?

Примеры: **В течение семестра** студенты должны написать курсовую работу.

В течение всего года этот студент занимался много и усердно.

Я не мог до вас дозвониться **в течение тридцати минут.**

Культура народа формируется **на протяжении тысячелетий.**

В конструкциях с предлогами **в течение** и **на протяжении** числительные употребляются в сочетании с существительными, обозначающими отрезки времени.

Конструкция с предлогом **на протяжении** обычно используется для обозначения длительных отрезков времени, периодов истории (*на протяжении веков, столетий, тысячелетий, многих десятилетий...*). Употребляются глаголы НСВ.

Примеры: **В течение двух часов** не было ни одного телефонного звонка.

На протяжении многих лет учёный занимался исследованием древних текстов.

199

Эти конструкции характерны для официально-делового, публицистического и научного стилей речи.

7. Предлог **ЗА** + **В. п.** количественного числительного, существительного.

В о п р о с ы :   за сколько времени (дней, лет, часов, минут...)?

Количественное числительное используется в сочетании с существительным, обозначающим отрезки времени (час, день, неделя, месяц). Конструкция употребляется для обозначения результата действия, при этом используются глаголы совершенного вида (СВ).

П р и м е р :   Я выучил новые слова урока **за один час.**

Друзья добежали до школы **за десять минут**.

Мы сделали работу **за неделю**.

8. Предлог **НА** + **В. п.** существительного, числительного.

В о п р о с :   на сколько времени (дней, недель, лет)?

В данной конструкции количественные числительные употребляются в сочетании с существительными, обозначающими отрезки времени. Эта конструкция используется для обозначения предполагаемого отрезка времени, необходимого для совершения действия.

П р и м е р ы :   Отца послали в командировку **на неделю**.

Дети уехали отдыхать в деревню **на всё лето**.

В библиотеке мне выдали книгу **на две недели**.

Запомните!

С глаголами **назначать/назначить** («устанавливать/установить время, срок, дату события или действия»), **переносить/перенести** («изменять/изменить время, срок, дату события или действия») всегда употребляется конструкция **«на + В. п.»**:
назначить   на + **В. п.** числительного или существительного;
перенести   на + **В. п.** числительного или существительного.

П р и м е р ы :   Встреча руководителей двух стран была назначена **на десятое октября**.

Консультацию по истории перенесли **на среду**.

---

9. Предлог **С** + **Р. п.** числит. или сущ. + **ДО** + **Р. п.** числительного или существительного.

В о п р о с :   когда?

Эта конструкция используется для точного обозначения начала и конца отрезка времени. Время после предлога **до** не включено в отрезок времени.

П р и м е р ы :   Магазин работает **с восьми до двадцати двух часов**.

Рабочий день продолжается **с десяти до девятнадцати часов**.

Он работал **с утра до поздней ночи**.

10. Предлог **С (СО)** + **Р. п.** числит. или сущ. + **ПО** + **Р. п.** числит. или сущ.

В о п р о с ы :   когда? с какого и по какое время?

В этой конструкции числительные употребляются в сочетании с существительными, называющими месяцы (*январь, февраль, март, апрель...*) или годы. Она используется для точного обозначения начала и конца отрезка времени. Время после предлога **по** включено в отрезок времени.

П р и м е р ы: Кинофестиваль продлится **с двадцатого по двадцать восьмое июля**.

Художественная выставка открыта **со второго по двадцатое сентября**.

Студенческая практика продлится **с июля по сентябрь**.

Я работал в этой фирме **с двухтысячного по две тысячи третий год**.

11. Т. п. существительного без предлога.

В о п р о с: когда?

Данная конструкция используется при обозначении отрезка времени, связанного с определённым возрастным периодом жизни людей. В ней используются существительные, обозначающие возраст людей (*ребёнком, подростком, юношей, стариком...*), род деятельности людей (*студенткой, инженером, журналистом, министром, пенсионером...*)

П р и м е р ы: **Ребёнком** я серьёзно увлекался шахматами.

Журналистом он объехал всю страну.

Ещё **студенткой** она начала писать стихи.

12. Наречия времени.

В о п р о с: когда?

Это лексический способ обозначения времени. Наречия называют времена года (*зимой, весной, летом, осенью*), часть суток (*утром, днём, вечером, ночью*), день (*вчера, сегодня, завтра*).

П р и м е р ы: **Вечером** мы пойдём в театр.

Сегодня стоит сильная жара.

Ночью была сильная гроза.

Весной природа оживает.

Обозначение времени повторяющегося действия

При обозначении повторяющегося действия употребляются глаголы несовершенного вида (НСВ). Используются следующие конструкции.

1. Предлог ПО + Д. п. (мн. ч.) существительного.

В о п р о с: когда?

Существительные, входящие в состав этой грамматической конструкции обозначают дни недели (*понедельник, вторник, среда...*) и часть суток (*утро, день, вечер, ночь*).

П р и м е р ы: **По вторникам** я играю в теннис.

По вечерам мы гуляем в парке.

201

2. Т. п. (мн. ч.) существительного без предлога.

В о п р о с :   как долго? сколько времени?

Эта конструкция используется при обозначении неопределённо-длительного времени. В ней используются существительные, называющие временны́е единицы (*час*, *день*, *месяц*, *год*) или часть суток (*вечер*, *ночь*, *день*, *утро*).

П р и м е р ы :   **Часами** мы сидим перед телевизором, а это вредно для здоровья.

Вечерами мы обычно гуляли в парке.

Месяцами не было известий от сына.

3. КАЖДЫЙ (-ая, -ое, -ые) + В. п. существительного.

В о п р о с :   когда?

В данной конструкции используются существительные, которые обозначают отрезок или период времени (*секунда*, *минута*, *час*, *день*, *неделя*, *месяц*, *зима*, *весна*, *лето*, *осень*, *год...*).

П р и м е р ы :   **Каждое утро** я бегаю на стадионе.

Каждое лето родители отправляли детей на отдых в деревню.

Обозначение времени или действия,
после которого совершится другое действие

Средством выражения данных временны́х отношений являются следующие грамматические конструкции.

1. Предлог **ЧЕРЕЗ + В. п.** числительного, существительного;
   предлог **ЧЕРЕЗ + много, несколько** (в сочетании с существительным).

В о п р о с ы :   когда? через сколько времени?

В данной конструкции количественные числительные и слова **много, несколько** употребляются в сочетании с существительными, называющими отрезки времени (*час*, *день*, *месяц*, *год...*)

П р и м е р ы :   **Через двадцать минут** лекция закончится.

Я надеюсь вернуться в эти места **через год**.

Через много лет старые друзья встретились.

2. Предлог **С+ Т. п.** отглагольного существительного.

В о п р о с :   когда?

Конструкция с существительными действия (*развитие*, *переход*, *начало...*) обозначает следование действия с определенного момента. Она может иметь причинный оттенок.

П р и м е р ы :   **С учением** к человеку приходиит умение.

С развитием Интернета возросла скорость обмена информацией.

3. Предлог **СПУСТЯ + В. п.** числительного, существительного;
   предлог **СПУСТЯ + много, несколько** (в сочетании с существительным).

В о п р о с :   когда?

В данной конструкции количественные числительные и слова **много**, **несколько** употребляются в сочетании с существительными, называющими отрезки времени (*час, день, месяц, год...*).

Конструкция с предлогом **спустя** синонимична конструкции с предлогом **через**, но менее употребительна и характерна для книжной речи.

П р и м е р ы: Я окончил университет в 2002 году и **спустя два года** защитил диссертацию.

Он ушёл, но **спустя час** вернулся.

Конструкция используется в контексте прошедшего времени, когда речь идёт об уже совершённом действии, то есть о событиях, фактах, имевших место до момента речи.

По стилю эта конструкция характерна для книжной, письменной речи.

П р и м е р ы: **Спустя два года** сын вернулся из армии домой.

Спустя пять минут раздался телефонный звонок.

Спустя годы он вернулся в родной город.

Спустя много лет школьные друзья встретились вновь.

4. Предлог ПОСЛЕ + Р. п. существительного или числительного.

В о п р о с ы: когда? в какое время?

В данной конструкции употребляются существительные, обозначающие действия, процессы (*обед, учёба, работа, прогулка, занятия...*), названия учреждений (*школа, университет, институт...*), отрезки времени (*начало, окончание, завершение...*) в сочетании с другими словами.

Данная грамматическая конструкция стилистически нейтральна.

П р и м е р ы: **После обеда** друзья пошли погулять в парк.

После концерта все отправились в ресторан.

После окончания университета он будет работать инженером.

После пяти (часов) он обычно бывает дома.

5. Предлог ПО + П. п. отглагольного существительного.

В о п р о с ы: когда? в какое время?

В данной конструкции употребляются отглагольные существительные в сочетании с другими словами. Данная конструкция синонимична по значению конструкции «после + Р. п.», но отличается от неё стилистически: она используется в официально-деловом стиле, в письменной речи.

П р и м е р ы: **По окончании официальных переговоров** был дан обед в честь высокого гостя.

По возвращении на родину глава государства ответил на вопросы журналистов.

По истечении срока действия договор о сотрудничестве был продлён.

6. Предлог ЧЕРЕЗ + В. п. числит. или сущ. **+ ПОСЛЕ + Р. п.** сущ.

В о п р о с ы: когда?

В данной конструкции количественные числительные употребляются в сочетании с существительными, называющими отрезки времени (*час*, *день*, *месяц*, *год*...). Данная конструкция стилистически нейтральна.

П р и м е р ы : **Студент вошёл в аудиторию через десять минут после начала лекции.**

Через год после начала работы в фирме я понял, что ошибся в выборе профессии.

Обозначение времени или действия, до которого совершается другое действие

Средством выражения этих временны́х отношений являются следующие грамматические конструкции.

1. Предлог **ДО** + **Р. п.** существительного, количественного числительного.

В о п р о с ы : когда? до какого времени?

При указании точного времени (часов, минут) используется вопрос: До какого времени?

Данная конструкция используется для обозначения отрезка времени, расположенного раньше момента действия, но не обязательно вблизи него.

П р и м е р ы : **До поступления** на работу он учился в университете.

До службы в армии этот молодой человек нигде не работал.

Магазин работает **до десяти часов**.

В этой конструкции существительное может дополняться словом **самый**.

2. Предлог **ДО** + **Р. п.** слова **самый** (в сочетании с существительным).

Данная конструкция обозначает непрерывно длящееся действие. При использовании этой конструкции обычно употребляется глагол в форме несовершенного вида (НСВ).

В о п р о с ы : как долго? до какого времени?

П р и м е р ы : После выпускного вечера молодёжь **до самого утра** гуляла по Москве.

До самого отъезда мы с друзьями говорили о жизни.

3. Предлог **ПЕРЕД** + **Т. п.** существительного.

В о п р о с ы : когда?

Данная конструкция используется для обозначения времени непосредственно перед началом момента действия.

П р и м е р ы : **Перед выступлением** я всегда очень волнуюсь.

Перед экзаменом студенты повторяют экзаменационные вопросы.

В этой конструкции существительное может дополняться словом **самый**.

4. Предлог **ПЕРЕД** + **Т. п.** слова **самый** (в сочетании с существительным).

В о п р о с : когда?

Данная конструкция обозначает отрезок времени, очень близкий к моменту действия. При использовании этой конструкции употребляется глагол в форме совершенного вида (**СВ**).

П р и м е р ы: Студент вошёл в аудиторию **перед самым началом** лекции.

Перед самой поездкой он неожиданно заболел.

5. Предлог ЗА + В. п. числительного **+ ДО + Р. п.** существительного.

В о п р о с ы: когда? за сколько времени до (начала, конца, лекции, экзамена...)?

П р и м е р ы: **За пять минут до начала** спектакля в зале погас свет.

За две недели до окончания сессии она заболела.

6. В. п. существительного, числительного **+ (ТОМУ) НАЗАД**.

В о п р о с ы: когда? сколько времени тому назад?

П р и м е р ы: **Неделю назад** я получил письмо от родителей.

Десять минут назад мне позвонил друг.

7. Предлог НАКАНУНЕ + Р. п. существительного.

В о п р о с: когда?

П р и м е р ы: **Накануне встречи** Большой восьмёрки в город съехались журналисты.

Накануне экзамена студент повторял трудные вопросы.

8. Предлог ПОД + В. п. существительного.

В о п р о с: когда?

В этой конструкции употребляются слова: *утро, вечер, праздник, Новый год, Рождество* и др.

П р и м е р ы: Туристы вернулись из путешествия **под вечер**.

Под утро пошёл дождь.

ЗАДАНИЯ

1. Укажите на время действия, употребив слова в скобках в правильной форме.

1. Лекции по истории бывают по ... (среда).

2. Во время ... (обсуждение) мы пришли к согласию.

3. Во время ... (лекция) у кого-то зазвонил мобильный телефон.

4. В течение ... (день) мы закончили работу.

5. По ... (окончание) заседания была объявлена свободная дискуссия.

6. По ... (прибытие) официальной делегации в столицу её принял президент страны.

7. По ... (возвращение) на родину победители спортивной Олимпиады были удостоены государственных наград.

8. Я вернусь домой после ... (восемь).

2. Укажите на повторяющееся действие, используя конструкцию «по + Д. п. мн. ч.» **вместо синонимичной конструкции со словом** *каждый*.

Модель:

Каждый вечер я гуляю с собакой в парке. —
По вечерам я гуляю с собакой в парке.

1. Я делаю зарядку каждое утро.
2. Мы с Андреем каждую среду ходим в бассейн.
3. Летом наша семья каждую субботу и воскресенье ездит на дачу.
4. Университетская футбольная команда каждую среду и пятницу тренируется на стадионе.
5. По расписанию каждый четверг у нас бывает лекция по истории культуры.
6. Летом каждую ночь в нашем саду поют птицы.

3. Укажите на время или действие, после которого совершится другое действие, используя конструкцию официально-делового стиля «по + Д. п.» **вместо синонимичной конструкции нейтрального стиля с предлогом** «после + Р. п.».

Модель:

После возвращения с международной встречи президент провёл пресс-конференцию. —
По возвращении с международной встречи президент провёл пресс-конференцию.

1. После окончания выставки была организована пресс-конференция.
2. После истечения действия контракта он будет продлён на пять лет.
3. После окончания университета я пойду работать в банк.
4. После возвращения на родину президент страны выступил в парламенте.
5. После завершения награждения лауреатов конкурса в их честь был устроен банкет.
6. После окончания конкурса были объявлены его победители.

4. Объедините два предложения в одно, указав:

а) на время или действие, после которого совершится другое действие. Используйте конструкцию «через ... после ...» **и слова в скобках;**

б) на время или действие, до которого совершается другое действие. Используйте конструкцию «за ... до ...» **и слова в скобках.**

Модель:

а) Конкурс закончился 20 ноября. На следующий день жюри объявило победителей.(окончание) —
Через день после окончания конкурса жюри объявило победителей.

б) Я познакомился с ним пять лет назад. Мы встретились вновь на конференции. (встреча) —
Я был знаком с ним за пять лет до встречи на конференции.

1. Студент прилетел в Москву 25 августа. Занятия в университете начались 1 сентября. (начало)

2. Занятия начинаются в девять часов. Я всегда прихожу в университет раньше на 15 минут. (начало)

3. Президенты двух стран провели двусторонние переговоры. Через два часа после этого они участвовали в пресс-конференции. (проведение)

4. В пятницу абитуриенты сдавали письменный экзамен по математике. Через три дня объявили результаты этого экзамена. (сдача)

5. Скоро праздник Нового года. Я всегда поздравляю друзей и родных с наступающим Новым годом на предпраздничной неделе. (праздник)

6. Парламент страны принял новый закон в октябре. Закон вступил в силу в ноябре. (принятие)

7. В воскресенье друг уехал на Кавказ. Накануне в субботу я разговаривал с ним по телефону. (отъезд)

8. В начале апреля был подписан официальный документ. Весь январь и февраль над документом работала согласительная комиссия. (подписание)

5. Укажите на период времени, связанный с возрастом человека, используя конструкцию «Т.п. существительного без предлога» **и слова в скобках в правильной форме вместо синонимичного предложения.**

М о д е л ь :

В детском возрасте она любила играть с животными. (ребёнок) —
Ребёнком *она любила играть с животными.*

1. Когда он учился в университете, он играл в студенческом театре. (студент)

2. Когда я была маленькой, я очень боялась собак. (ребёнок)

3. В юношеском возрасте он мечтал стать лётчиком. (юноша)

4. Когда он был министром, он реализовал крупный энергетический проект. (министр)

5. Ещё учась в школе, он проявил глубокий интерес к биологии. (школьник)

6. В студенческие годы я ездил в геологические экспедиции в Сибирь. (студент)

7. Во время стажировки я обошёл весь Петербург и полюбил этот город. (стажёр)

8. В школьные годы он много занимался спортом. (школьник)

6. Укажите на длительность действия, используя конструкции с предлогами официально-делового стиля в течение, на протяжении**.**

М о д е л ь :

Кинофестиваль открылся 20 июля, а закрылся 1 августа. —
Кинофестиваль ***продолжался в течение десяти дней***.

1. Саммит стран Большой восьмёрки открылся 15 июля, а закрылся 18 июля.

2. Раскопки на месте старинного города велись учеными-археологами десять лет.

3. Строительство моста через реку началось в 2005, а закончилось в 2007 году.

4. В музей поступали экспонаты, начиная с семнадцатого века и до наших дней.

5. Студенческая научная конференция открылась 12 марта и закрылась 19 марта.

6. Многие десятилетия учёные всего мира ищут пути борьбы с опасной болезнью.

7. С восьми до десяти часов утра на улицах города можно наблюдать транспортные пробки.

8. Занятия в университете начинаются в 9 часов утра, а заканчиваются в 14 часов дня.

7. Ответьте на вопросы, употребив слова в скобках в правильной форме.

1. За сколько времени начинается регистрация авиапассажиров в аэропорту? (три, час)

2. За сколько времени ты перевёл текст на русский язык? (два, час)

3. За сколько минут мы доедем до вокзала? (сорок, минута)

4. За сколько минут до начала спектакля дают последний звонок? (пять, минута)

5. За сколько дней дойдёт письмо из Москвы в вашу страну по обычной почте? (два, неделя)

6. За сколько времени дойдёт ваше письмо по электронной почте? (один, минута)

8. Работаем в парах. Задайте вопросы коллегам о времени начала события, о времени повторяющегося действия и о длительности событий по времени.

1. Когда состоится открытие кинофестиваля? (20, июль)

2. Когда ваша группа занимается в лингафонном кабинете? (каждый вторник)

3. Когда ваша семья ездит на дачу? (каждая суббота, каждое воскресенье)

4. Как долго вы будете отдыхать в спортивном лагере? (2, неделя)

5. Как часто вы ходите в спортивный клуб? (вторник, четверг, воскресенье)

6. Когда начинаются занятия в университете? (9, час)

7. Сколько времени продолжается лекция? (1, час, 30, минута)

8. Когда вы обычно идёте в столовую обедать? (12, час)

9. Расскажите о расписании вашей экзаменационной сессии, указав точную дату и время каждого экзамена.

10. Напишите список дел, которые вам необходимо сделать в один день. Укажите точное время, когда вы должны появиться в конкретном месте.

УРОК 14

Речевая тема. Досуг граждан как показатель развития общества

Грамматическая тема. Выражение временны́х отношений в сложном предложении

ДОСУГ ГРАЖДАН КАК ПОКАЗАТЕЛЬ РАЗВИТИЯ ОБЩЕСТВА

1. **Прочитайте текст. Перед чтением текста ознакомьтесь с активной лексикой урока. Уточните значение незнакомых слов по словарю и запишите их перевод на родной язык.**

АКТИВНАЯ ЛЕКСИКА УРОКА

Благосостоя́ние

Возмо́жность, *ж.*

Вы́ставка

Горнолы́жный, -ая, -ое

Да́ча

Досу́г

За́городный, -ая, -ое

Инвести́ции, *мн.*

Интере́с

Интересова́ться (*чем?*) спо́ртом, кино...

Кани́кулы, *мн.*

Кинотеа́тр

Обще́ние

Огоро́д

Оте́чественный, -ая, -ое

О́тпуск

Охо́та

Па́русный, -ая, -ое

Посвяща́ть/посвяти́ть

Посеще́ние (*чего?*) вы́ставки, музе́я...

Предпочте́ние

Привилегиро́ванный, -ая, -ое

Прогу́лка

Путеше́ствовать (*где?*) по Росси́и, за грани́цей...

Разви́тие (*какое?*) духо́вное, интеллекту́а́льное, физи́ческое...

Рефо́рмы (*мн.*) (*какие?*) полити́ческие, экономи́ческие, социа́льные...

Рыба́лка

Сад

Саморазви́тие

Свобо́дный, -ая, -ое

Состоя́тельный, -ая, -ое = бога́тый, -ая, -ое

Спорт

Стимули́ровать (*что?*) разви́тие, интере́с...

Теа́тр

Телепрогра́мма

Тури́зм

Увлека́ться (*чем?*) тури́змом, спо́ртом...

Увлече́ние

Экзоти́ческий, -ая, -ое

ДОСУГ РОССИЯН

Досуг – это свободное от работы время, когда люди могут посвятить себя любимым увлечениям, спорту, чтению, общению через Интернет, путешествиям — всему тому, что они выбирают не по обязанности, а по собственному желанию.

Человек проводит своё свободное время, исходя из собственных интересов, финансовых возможностей и количества свободного времени. То, как человек проводит своё свободное время, во многом говорит об уровне его образованности и культуры. Полноценный досуг даёт человеку самые широкие возможности: с одной стороны, для восстановления сил, а с другой — для саморазвития и самореализации. А если говорить о населении страны в целом, то это свидетельствует об уровне духовного развития общества, о нравственном здоровье нации, а также о материальном благосостоянии граждан.

Социологи исследовали, как проводят свой досуг современные россияне и каким формам досуга отдаётся предпочтение. Выяснилось, что на первом месте находится просмотр телепередач, на втором — занятия домашним хозяйством, детьми, работа в саду на даче, на третьем — встречи с друзьями, походы в гости, прогулки на природе, затем идут занятия спортом. Оказалось, что сфера интеллектуального досуга сокращается: чтение книг, посещение театров, выставок, концертов стоят в конце списка.

На основании социологического исследования учёные выделили три основных типа проведения досуга, типичных для современных россиян.

1. «Простой», не требующий никаких дополнительных затрат и включающий домашние формы проведения свободного времени (телевизор, радио, хозяйственные работы). (практикуют 15% опрошенных россиян)

2. «Традиционный» для россиян, включающий чтение книг, слушание музыки, занятия компьютером, походы в гости, общение с природой. (практикует большинство населения, 57% опрошенных россиян)

3. «Активный», включающий посещение кино, театров, музеев, концертов, клубов вне дома и требующий дополнительных затрат (как материального, так и интеллектуального плана). Это самый высокий уровень досуговой активно-

сти, показатель высокого качества жизни. (практикуют 28% опрошенных россиян)

Выбор модели досуга определяет «лицо» различных социальных групп населения, помогает лучше понять их предпочтения и ориентации в повседневной жизни. Так, молодёжь в возрасте 20—25 лет предпочитает активный досуг. Люди среднего возраста (от 31 года до 60 лет), наиболее активно включенные в трудовую деятельность и обременённые семейными заботами, практикуют простые формы досуга. А вот старшее поколение (от 61 года и старше) практикует традиционные формы досуга, связанные с культурой (театры, музеи).

Самый высокий показатель простого домашнего досуга среди сельских жителей (25%), а жители мегаполисов Москвы и Санкт-Петербурга предпочитают активный досуг (44%).

Важнейший фактор выбора досуга — уровень жизни людей, наличие у них финансовой возможности пользоваться спортивными и культурно-развлекательными центрами. Очевидна тенденция — чем выше доход и социальный статус опрошенных, тем чаще они выбирают активный досуг, направленный на культуру и саморазвитие, на развлечения и спорт.

Самыми популярными видами спорта у россиян всегда были футбол, хоккей, лыжи. Элитарные виды спорта — гольф, теннис, парусный спорт — популярны у состоятельных россиян. Гольф-клубы, яхт-клубы, теннисные корты, фитнес-центры есть сейчас в каждом крупном российском городе. Но в наше время в России регулярно занимается спортом меньше людей, чем в советские времена. Это связано с тем, что посещение спортивных клубов, школ, плавательных бассейнов, стадионов и других спортивных сооружений стало платным и стоит дорого.

У россиян всегда были популярны такие виды летнего отдыха, как рыбалка, охота, прогулки в лесу. Зимой они любят лыжные прогулки, горнолыжный спорт. Туризм по стране в России растёт из года в год. Любовь россиян к путешествиям по родной стране и высокая значимость туризма в социально-экономическом развитии регионов побудили правительство создать в России семь особых туристических зон и таким образом стимулировать развитие туристического бизнеса. Особые туристические зоны создаются на озере Байкал, в Алтайском крае, на Балтийском море, на Черноморском побережье Кавказа в городе Сочи, где в 2014 году проводились зимние Олимпийские игры.

Так правительство намерено стимулировать развитие индустрии отечественного и международного туризма. Особые туристические зоны получат инвестиции от государства и от частных инвесторов, включая иностранных, для создания там развитой инфраструктуры: первоклассных отелей и современных спортивных баз, горнолыжных трасс и морских пляжей, автодорог, коммуникаций и электросетей. Всё это выведет Россию на мировой уровень в сфере туристического бизнеса.

Говоря о ежегодном отпуске россиян, следует отметить, что в отличие от граждан многих стран, имеющих возможность отдыхать всего одну неделю в году, россияне находятся в привилегированном положении — их ежегодный отпуск составляет от четырнадцати до двадцати четырёх рабочих дней. К тому же по новому государственному закону (с 2005 года) все россияне получили новогодние каникулы, продолжающиеся с 1 по 7 января.

Если в советские времена поехать отдыхать за границу было большой редкостью для граждан, то сейчас туристов из России можно встретить по всему миру, даже в его самых отдалённых и экзотических уголках. Самыми популярными странами у туристов из России являются Франция, Испания, Италия, Греция, Египет, Таиланд, Турция.

Это свидетельствует о возросшем материальном уровне жизни россиян, о росте благосостояния российских граждан.

(По материалам российской прессы)

Вопросы к тексту.

1. Что такое досуг?

2. Какие формы досуга стоят у россиян на первом и втором местах, а какие — на самом последнем месте?

3. Какие три типа проведения досуга выделили учёные?

4. Какой тип досуга предпочитает российская молодёжь, какой — представители среднего возраста и какой — представители старшего поколения?

5. Какие виды спорта наиболее популярны у россиян?

6. Как российское государство стимулирует развитие туризма в стране?

7. Сколько дней составляет ежегодный отпуск гражданина России?

8. В каких странах мира любят отдыхать россияне?

2. Выделите общую часть в словах.

развлечение	отдохнуть	читать	турист
развлекаться	отдых	чтение	туристический
развлекательный	отдыхающий	читатель	туризм
развлечь	отдыхать	читальный	туристка

3. Проанализируйте сложные слова из текста. Скажите, от каких слов они образованы.

Саморазвитие, путешествие, телевизионная (передача), благосостояние, горнолыжный (спорт), ежегодный (отпуск), новогодние (каникулы), турфирма.

4. Выделите суффикс в словах *домик, садик.* **Скажите, от каких существительных образованы эти слова. Определите общее значение слов с этим суффиксом. Образуйте с помощью данного суффикса аналогичные существительные от следующих слов.**

Двор, стол, мост, завод, карандаш, ключ, лист, дождь, билет, вопрос, привет, словарь.

5. Соедините близкие по значению слова и словосочетания.

досуг	прогулки на лыжах
телепередача	с каждым годом
лыжные прогулки	свободное от работы время
из года в год	сильный интерес
состоятельный человек	социальные группы населения
советские времена	телепрограмма
увлечение	далеко находящиеся места
слои населения	богатый, обеспеченный человек
отдалённые уголки	времена Советского Союза

6. Подберите антонимы к словам, используя материал для справок.

занятое время — ...

работа — ...

на последнем месте — ...

пассивно — ...

старые люди — ...

дорого стоит — ...

нерегулярно заниматься спортом — ...

бесплатно — ...

зимний отдых — ...

короткий отдых — ...

М а т е р и а л д л я с п р а в о к:

отдых, свободное время, активно, на первом месте, молодые люди, за плату, дёшево стоит, летний отдых, долгий отдых, регулярно заниматься спортом

Обратите внимание!

Похожие слова имеют разное значение.

Туристи́ческий, -ая, -ое «Относящийся к туризму — виду спорта или путешествий» (*туристическая фирма, компания, поездка; туристический поход*)
Тури́стский, -ая, -ое «Относящийся к туристу — человеку, занимающемуся туризмом, к участнику похода или путешествия» (*туристская палатка; туристский маршрут; туристское снаряжение*)

Стари́нный, -ая, -ое «Древний, сохранившийся с древних времён» (*старинная живопись, музыка, картина, мебель, традиция; старинный обычай, дом*)
Ста́рый, -ая, -ое 1. «Не молодой по возрасту, достигший старости» (*старый человек, дедушка; старая знакомая, женщина*). 2. «Давно известный, не новый» (*старый друг; старая истина; старое здание*)

---

7. Дополните предложение подходящим по смыслу словом в правильной форме.

туристи́ческий, тури́стский

1. В магазине «Спорт-мастер» продаётся всё для спорта, включая и ... снаряжение.

2. ... фирмы предлагают россиянам путешествия в разные страны.

стари́нный, ста́рый

213

3. Русская пословица учит нас: ... друг лучше новых двух.

4. По ... русскому обычаю почётных гостей встречают хлебом-солью.

8. Употребите слова в скобках в правильной форме.

Проводить/провести *что?* (досуг, время, каникулы, отпуск, день, выходные, праздники, вечер, суббота, воскресенье);

посвящать/посвятить время *чему?* (отдых, спорт, увлечение, туризм, путешествие, прогулка, чтение, общение, работа, дело, футбол, теннис, лыжи);

заниматься, занятия *чем?* (спорт, искусство, живопись, театр, история, путешествия, физкультура, бизнес);

достаточно, хватит *чего?* (деньги, время, силы, желание, возможности, средства, здоровье, помощь, поддержка);

предпочитать/предпочесть *что-либо чему?* (кино, театр, комедия, классическая музыка, балет, опера, выставка, живопись, спорт, искусство);

увлекаться/увлечься, увлечение *чем?* (кино, театр, комедия, классическая музыка, балет, опера, выставка, живопись, спорт, искусство);

связано *с чем?* (возраст, ситуация, время, климат, политика, экономика, обстоятельства, интерес, увлечение);

виды *чего?* (досуг, отдых, спорт, увлечения, туризм, путешествия);

представление *о чём? о ком?* (жизнь, работа, мир, страна, отдых; человек, политик, иностранец, личность);

много, множество *кого? чего?* (люди, граждане, отдыхающие, дачники, туристы, путешественники, спортсмены, студенты; виды спорта, группы населения, интересы, увлечения, развлечения).

9. Укажите на одновременность действий, используя союз *когда* **в сложном предложении вместо синонимичного простого предложения. При этом замените отглагольное существительное однокоренным глаголом НСВ.**

М о д е л ь:

Во время проведения досуга люди занимаются любимым увлечением. — *Когда люди* **проводят** *досуг, они занимаются любимым увлечением.*

1. В процессе развития общества меняются формы досуга граждан.

2. Во время отдыха молодёжь любит путешествовать.

3. При проведении социологического опроса выяснилось, что Интернет вытеснил книги из досуга молодёжи.

4. При создании в России особых туристических зон будет построено много спортивных сооружений.

5. С наступлением лета многие горожане переезжают на свои дачи.

6. С ростом уровня жизни многие россияне могут ездить отдыхать за границу.

7. Во время путешествия туристы знакомятся с историей и культурой страны.

8. Во время проведения Олимпийских игр в Россию приедет много туристов из разных стран мира.

9. При строительстве олимпийских объектов будут привлекаться российские и иностранные инвестиции.

10. С переходом страны к рыночной экономике посещение спортивных клубов для граждан становится платным.

10. Потренируйтесь в письме.

1. Используя информацию из текста, дайте определение понятию «досуга».

2. Перечислите и запишите виды отдыха, наиболее популярные у россиян в летнее и зимнее время.

3. Перечислите и запишите виды спорта, популярные у большинства россиян и у состоятельных граждан.

4. Составьте и запишите план текста.

Готовимся к дискуссии

Как процитировать учёного, привести цитату из статьи, книги

Как пишет профессор Иванов, «…»
По словам профессора Иванова, «…»
Приведу цитату из статьи (книги) профессора Иванова. «…»
Вот слова (цитата) из статьи Иванова. «…»
Позвольте процитировать профессора Иванова. «…»

---

11. Примите участие в дискуссии. Используйте выражения, с помощью которых можно процитировать учёного, привести цитату из статьи или книги автора.

1. Много ли у вас свободного времени для досуга? Где и как лучше проводить свой досуг? Какую цель вы преследуете, когда проводите где-либо своё свободное время? Объясните свои предпочтения.

2. Какие формы досуга наиболее популярны у молодёжи в вашей стране? Какие места для проведения свободного времени имеются в крупных городах?

3. Существуют ли в вашей стране специальные туристические зоны? Популярны ли они у граждан вашей страны и у иностранцев? Какие виды спорта являются самыми популярными в вашей стране? Дорого ли стоит посещение спортивного клуба, плавательного бассейна, спортивной секции?

4. Сколько дней продолжается ежегодный отпуск у граждан вашей страны? Как обычно граждане проводят свой ежегодный отпуск?

5. Любят ли граждане вашей страны путешествовать? Какие страны наиболее популярны у туристов? Приезжают ли в вашу страну туристы из России? Что больше всего интересует их в вашей стране? Какие места наиболее популярны у туристов?

ГРАММАТИКА

ВЫРАЖЕНИЕ ВРЕМЕННЫ́Х ОТНОШЕНИЙ В СЛОЖНОМ ПРЕДЛОЖЕНИИ

Сложные (сложноподчинённые) предложения, выражающие временны́е отношения, указывают на различное временно́е соотношение действий в главном и зависимом предложениях. В зависимости от временно́й соотнесённости действий в главной и зависимой частях выделяются 2 типа отношений.

1. Одновременность, то есть совпадение во времени. Одновременность может быть полной или частичной.

П р и м е р ы: **Когда** ты молод, жизнь кажется прекрасной.

Когда семья ужинала, раздался телефонный звонок.

2. Разновременность, когда действия следуют одно за другим. При разновременности наблюдается предшествование и последовательность действий.

П р и м е р ы: **Когда** сын окончил школу, он поступил в университет.

Перед тем как поехать в Италию, я много читала об этой стране.

Временны́е взаимоотношения в сложном предложении выражаются с помощью следующих грамматических способов.

1. Употребление различных временны́х союзов.

В сложном предложении с временны́м значением зависимая часть присоединяется к главной части союзами: **когда, пока, в то время как, по мере того как, до того как, после того как, с тех пор как, как только, лишь только, прежде чем, пока не, перед тем как, до того как, как вдруг** и др.

2. Соотношение видовых форм глаголов в главной и зависимой частях предложения.

3. Расположение главной и зависимой частей предложения имеет значение в некоторых случаях. Как правило, порядок следования частей в сложном предложении с временны́м значением свободный: зависимая часть может стоять после главной части, в середине главной части или перед ней. Обычно зависимое предложение предшествует главному предложению.

Зависимая часть сложного предложения в общем виде отвечает на вопрос: *когда?* Некоторые временны́е союзы могут иметь соотносительные вопросы: *до какого времени? с каких пор? до каких пор? как долго?*

Выражение одновременности действий

Одновременность во времени имеет разновидности:

- п о л н о е   с о в п а д е н и е   в о   в р е м е н и: действия в главной и зависимой частях предложения полностью совпадают во времени;
- п е р и о д и́ ч е с к о е   с о в п а д е н и е   в о   в р е м е н и: действия в главной и зависимой частях периодически повторяются и совпадают во времени при каждом их совершении;
- о д н о к р а т н о е   с о в п а д е н и е   в о   в р е м е н и: однократное действие в главной части совпадает во времени с моментом длительного действия в зависимой части.

Для выражения одновременности действий используются союзы: **когда, пока, в то время как, по мере того как**.

1. Союз **КОГДА** является наиболее распространённым грамматическим средством выражения полной и частичной одновременности.

216

А. Для выражения п о л н о г о с о в п а д е н и я в о в р е м е н и д л и т е л ь н ы х д е й с т в и й в главной и зависимой частях предикаты в главной и зависимой частях выражаются глаголами в форме несовершенного вида (НСВ).

КОГДА + глагол НСВ — глагол НСВ

П р и м е р ы: **Когда** родители смотрели телевизор, дети спали.

Хорошо, **когда** у человека есть близкие друзья.

Когда я буду ехать в поезде, я буду смотреть в окно.

Б. Для обозначения полностью совпадающих во времени повторяющихся действий в главную часть обычно вводятся слова: *каждый раз*, *всякий раз*, *в тех случаях*, *в то время* и др.

КОГДА + глагол НСВ — глагол НСВ

П р и м е р ы: **Каждый раз, когда** студент шёл на экзамен, он очень волновался.

Всякий раз, когда сотрудника вызывали к начальнику, у него ухудшалось настроение.

В тех случаях, когда я куда-то опаздываю, я беру такси.

В. Для обозначения действия в главной части, совершаемого в один из моментов действия в зависимой части, предикат в главной части выражается глаголом совершенного вида (СВ), а предикат в зависимой части выражается глаголом несовершенного вида (НСВ) (частичная одновременность).

КОГДА + глагол НСВ — глагол СВ

П р и м е р ы: **Когда** вся семья ужинала, раздался звонок в дверь.

Когда Аня делала домашнее задание, ей позвонила подруга.

Когда я ехал в автобусе, на улице произошла авария.

2. Союз **ПОКА** при основном значении одновременности показывает, что действие в главной части ограничено временем окончания действия в зависимой части предложения.

Предикат зависимой части обычно выражается глаголом несовершенного вида (НСВ).

А. Для обозначения совпадения действий на всём их протяжении предикаты в главном и зависимом предложениях выражаются глаголами несовершенного вида (НСВ) (полная одновременность).

ПОКА + глагол НСВ — глагол НСВ

П р и м е р ы: **Пока** родители разговаривали, их дети играли во дворе.

Пока мы ехали на дачу, шёл сильный дождь.

Пока я решал задачку по математике, сестра учила английский текст.

Б. Для обозначения совпадения действия в главном предложении только с одним из моментов длительного действия в зависимом предложении предикат в главном предложении выражается глаголом совершенного вида (СВ). А предикат в зависимом предложении выражается глаголом несовершенного вида (НСВ) (частичная одновременность).

ПОКА + глагол НСВ — глагол СВ

217

П р и м е р ы :   **Пока** муж отдыхал, жена приготовила ужин.

Вечером, **пока** все готовились к встрече гостей, я позвонил другу.

Пока я ждал друга, мой поезд ушёл.

3. Союз **В ТО ВРЕМЯ КАК** выражает одновременность двух действий, которые сопоставляются.

А. Для сопоставления одновременных действий на всём их протяжении или при их повторяемости (на это указывают слова: *всегда, постоянно, каждый раз* и др.) предикаты в главном и зависимом предложениях выражаются глаголами несовершенного вида (НСВ).

В ТО ВРЕМЯ КАК + глагол НСВ — глагол НСВ

П р и м е р ы :   **В то время как** другие студенты готовились к экзамену, он бездельничал.

Количество мегаполисов в мире растёт, **в то время как** экологическая обстановка в городах ухудшается.

В то время как старший брат всегда следовал советам родителей, младший брат каждый раз поступал по-своему.

Б. Для сопоставления уже законченного действия в зависимом предложении с продолжающимся действием в главном предложении предикат в главном предложении выражается глаголом несовершенного вида (НСВ), а предикат в зависимом предложении выражается глаголом совершенного вида (СВ).

В ТО ВРЕМЯ КАК + глагол СВ — глагол НСВ

П р и м е р ы :   **В то время как** все потеряли надежду, этот человек верил в успех.

В то время как все уже закончили ужин, Андрей продолжал есть.

В то время как я давно забыл о нашей ссоре, он помнил о ней.

В. Для обозначения частичной одновременности, когда действие в главной части совпадает только с одним из моментов длительного действия в зависимой части, предикат в главной части выражается глаголом совершенного вида (СВ), а предикат в зависимой части выражается глаголом несовершенного вида (НСВ).

Союз в **то время как** здесь синонимичен союзу когда и может заменяться им.

В ТО ВРЕМЯ КАК + глагол НСВ — глагол СВ

П р и м е р ы :   **В то время как** семья ужинала, кто-то позвонил в дверь.

В то время как я входил в квартиру, раздался телефонный звонок.

В то время как мы гуляли в парке, пошёл дождь.

В то время как шли переговоры, ситуация в стране резко обострилась.

В то время как продолжалась избирательная кампания, оппозиция провела демонстрацию.

4. Союз **ПО МЕРЕ ТОГО КАК** выражает постепенность, пропорциональность одновременных действий.

Предикаты в главном и зависимом предложениях выражаются только глаголами несовершенного вида (НСВ).

ПО МЕРЕ ТОГО КАК + глагол НСВ — глагол НСВ

Примеры: **По мере того как** в стране развивается малый бизнес, растёт средний класс.

По мере того как я взрослел, росло моё увлечение классической музыкой.

Знания человека об окружающем мире расширяются, **по мере того как** он изучает этот мир..

Запомните!

1. Для усиления временно́го соотношения в главной части сложного предложения могут использоваться слова: *сейчас, тогда, в тех случаях, до тех пор, всякий раз, каждый раз* и др. Если в главной части имеются указанные слова, то зависимая часть предложения с союзами **когда, пока** всегда следует за этими словами.

Примеры: **До тех пор, пока** существует социальное неравенство в обществе, политика правительства не может быть поддержана всеми гражданами.

Сейчас, когда российское общество переживает переходный период, социальные проблемы приобретают особую остроту.

Всякий раз, когда я перевожу текст, я смотрю в словарь.

2. Постановка зависимого предложения перед главным усиливает значение зависимого предложения.

Зависимое предложение вставляется в середину главного предложения обычно тогда, когда оно раскрывает в главном предложении значение слова с временны́м значением: *прежде, раньше, потом, теперь, сейчас, давно, в детстве* и др., стоящие перед предикатом.

Примеры: **Прежде, когда** я был моложе, я много путешествовал по Кавказу.

Теперь, когда в России есть очень богатые люди, социальное неравенство особенно заметно.

Обратите внимание!

Возможна замена сложных предложений синонимичными простыми предложениями, и наоборот. При этом зависимая временна́я часть сложного предложения заменяется в простом предложении конструкцией «предлог + существительное (в нужном падеже)».

простое предложение	сложное предложение
во время + Р. п.	когда + глагол НСВ
по + П. п.	когда + глагол СВ
с + Т. п. отглагольного сущ.	когда + глагол НСВ или СВ

Примеры: **Во время** переговоров обсуждались вопросы политики. — **Когда** шли переговоры, обсуждались вопросы политики.

По окончании переговоров министр провёл пресс-конференцию. —

Когда переговоры окончились, министр провёл пресс-конференцию.

219

Если после предлога **во время** в простом предложении стоит отглагольное существительное, то в сложном предложении оно заменяется однокоренным глаголом несовершенного вида (НСВ).

П р и м е р : **Во время беседы** мы узнали много новой информации. — **Когда мы беседовали**, мы узнали много новой информации. (беседа, беседовать)

Если после предлога **во время** в простом предложении стоит неотглагольное существительное, то при замене в сложном предложении в зависимой части вводится глагол, соответствующий лексической сочетаемости существительного.

П р и м е р : **Во время экзамена** студентка очень волновалась. — **Когда студентка сдавала экзамен**, она очень волновалась. (сдавать экзамен)

ЗАДАНИЯ

1. Укажите на время действия, употребив подходящий по смыслу союз *когда* **или** *пока*.

1. ... в мире существует опасность терроризма, борьба с ним не прекратится.

2. ... люди долгое время общаются, они хорошо понимают друг друга.

3. ... солнце встало, туристы продолжили путь.

4. Только ... поживёшь в стране, язык которой изучаешь, можно говорить о свободном владении этим языком.

5. ... я учился в другом городе, мой школьный друг женился.

6. ... люди не станут терпимыми и доброжелательными друг к другу, конфликты будут продолжаться.

2. Укажите на одновременность действий, объединив два простых предложения в одно сложное, используя союз *когда*.

М о д е л ь :
Фирма выходит на мировой рынок. Она должна быть готова к конкурентной борьбе. —
Когда фирма выходит на мировой рынок, она должна быть готова к конкурентной борьбе.

1. В июне в Москве проходил международный кинофестиваль. В это время я был на просмотрах всех конкурсных фильмов.

2. Сейчас курс европейской валюты «евро» по отношению к российскому рублю растёт. Курс американского доллара падает.

3. Дети посещали зоопарк. Им особенно понравились обезьяны и медведи.

4. Человек увлекается экстремальными видами спорта. Он готов рисковать своей жизнью.

5. Летом все друзья уехали отдыхать за границу. Андрей захотел отдыхать в родной деревне.

6. Она была маленькой девочкой. Она мечтала стать актрисой.

3. Укажите на постепенность соотносительных во времени действий, объединив два простых предложения в одно сложное. Используйте союз *по мере того как.*

М о д е л ь :

Растут успехи страны в экономике. Степень доверия граждан к правительству повышается. —

***По мере того как** растут успехи страны в экономике, степень доверия граждан к правительству повышается.*

1. Страна добивается экономических успехов. Её авторитет в мире растёт.

2. Наблюдается потепление климата. Экологическая ситуация на планете ухудшается.

3. В мегаполисы приезжают люди из других районов страны. В городах-мегаполисах растёт спрос на жильё. .

4. Глобализация охватывает всё большие сферы деятельности. Движение антиглобалистов усиливается.

5. Растут инвестиции в сферу туризма. Туристический бизнес успешно развивается.

6. Развивается научное и культурное сотрудничество между странами. Растёт взаимный интерес и доверие.

4. Дополните предложения, употребив глагол совершенного или несовершенного вида, данный в скобках, в правильной форме.

М о д е л ь :

Пока Сергей был школьником, он ... классической музыкой, в университете он неожиданно .... современной музыкой (интересоваться/заинтересоваться, увлекаться/увлечься). —

*Пока Сергей был школьником, он **интересовался** классической музыкой, в университете он неожиданно **увлёкся** современной музыкой.*

1. Когда я ..., мой сосед по общежитию ... книгу (заниматься/позаниматься; читать/прочитать).

2. Когда мне грустно, я всегда ... своему другу (звонить/позвонить).

3. В то время как большинство граждан страны ... президента, оппозиция ... его отставки (поддерживать/поддержать; требовать/потребовать).

4. Пока экономика страны была слабой, ... инфляция (расти/вырасти).

5. Пока в обществе существует неравенство, социальная напряжённость ... (усиливаться/усилиться).

6. Когда в семье младшие уважают старших, роль семьи в обществе ... (расти/возрасти).

5. Укажите на одновременность действий, используя конструкцию «во время + Р.п.» **в простом предложении вместо синонимичного сложного предложения.**

М о д е л ь :

Когда были летние каникулы, дети подружились. —
Во время летних каникул дети подружились.

1. Когда мы отдыхали на море, мы много плавали и ловили рыбу.

2. Когда обсуждалось экономическое сотрудничество, было предложено подписать соглашение.

3. В то время как проходил футбольный матч, зрители поддерживали любимую команду.

4. По мере того как повышаются цены на жильё, надежды молодых семей на покупку квартиры уменьшаются.

5. Когда проходила научная дискуссия, учёные задавали друг другу различные вопросы.

6. Когда учёные проводили эксперимент, они сделали открытие.

7. Когда друзья путешествовали по горам, они потеряли дорогу.

6. Укажите на одновременность действий, используя союзы *когда, пока, по мере того как* **в сложном предложении вместо синонимичного простого предложения.**

М о д е л ь:

Во время учёбы в университете мы с Аней были близкими подругами. — *Когда мы учились в университете, мы с Аней были близкими подругами.*

1. В ходе дискуссии были высказаны разные точки зрения на проблему.

2. По мере работы над диссертацией у аспиранта возникали всё новые вопросы.

3. Во время поездки по Италии туристы познакомились с её культурой.

4. В течение переговоров между делегациями двух стран возникали разногласия по ряду вопросов.

5. При проведении эксперимента учёные сделали научное открытие.

6. С приходом в компанию нового руководителя увеличился объём продаваемой продукции.

7. При встрече лидеров ведущих стран мира были обсуждены важнейшие проблемы современности.

8. Во время подготовки к празднику город был украшен плакатами и флагами.

7. Укажите на одновременность действий, используя соответствующие союзы и конструкции, характерные для сложного предложения, вместо синонимичного простого предложения.

М о д е л ь:

Во время праздников я всегда звоню друзьям поздравить их. — *Когда бывают праздники, я всегда звоню друзьям поздравить их.*

1. Во время поездки в университет я вдруг увидел аварию на дороге: столкнулись две машины.

2. Во время сильной грозы самолёты в аэропорту не взлетали и не приземлялись.

3. Во время полёта на самолёте в разные страны я всегда прошу место у окна.

4. Во время просмотра по телевизору новостей я всегда смотрю спортивные новости.

5. Во время поступления в университет друг много занимался.

6. Во время проверки упражнения я нашёл ошибку.

8. Ответьте на вопросы, используя информацию в скобках и временные конструкции, характерные для сложного предложения.

Модель:

К какому выводу пришла комиссия **в процессе обсуждения** диссертации? (Рекомендовать диссертацию к защите) —

***Когда комиссия обсуждала** диссертацию, она пришла к выводу рекомендовать диссертацию к защите.*

1. Что ты делал во время показа по телевизору футбольного матча? (Болеть за российскую команду)

2. Какие страны входили в антигитлеровскую коалицию во время Второй мировой войны? (СССР, Великобритания, США)

3. Население каких стран мира стремительно растёт в начале XXI века? (Китай, Индия, Бразилия)

4. Какие контакты между странами укрепляются по мере развития экономического сотрудничества? (Культурные, научно-технические)

5. К какому соглашению пришли лидеры государств в процессе переговоров? (Совместная борьба с терроризмом)

6. Какие музеи вы посетили во время поездки в Петербург? (Эрмитаж, Русский музей)

Выражение разновременности действий.
Последовательность действий

Обычно действия в главной и зависимой частях предложения со значением последовательности действий выражаются глаголами в форме совершенного вида.

Для выражения последовательности действий используются союзы: **когда, после того как, с тех пор как, как только, лишь только.**

1. Союз **КОГДА** указывает на то, что действие в главной части следует за действием в зависимой части.

Предикаты и в главной и в зависимой частях выражаются глаголами совершенного вида (СВ).

КОГДА + глагол СВ — глагол СВ

Примеры: Гости разошлись, **когда** уже совсем стемнело.

Когда почтальон принёс телеграмму, все удивились.

Когда сын отслужил в армии, он пошёл работать на завод.

2. Союз **ПОСЛЕ ТОГО КАК** указывает на то, что действие в главном предложении произошло или произойдёт после действия в зависимом предложении.

Предикат в зависимом предложении всегда выражается глаголом совершенного вида (СВ).

А. Если предикат в главном предложении тоже выражается глаголом совершенного вида (СВ), то это указывает на законченность или однократность последующего действия.

ПОСЛЕ ТОГО КАК + глагол СВ — глагол СВ

П р и м е р ы: **После того как** я сделал домашнее задание, я пошёл с друзьями в кино.

После того как я сдал экзамены в университете, наша семья поехала отдыхать на море.

Б. Если же предикат в главном предложении выражается глаголом несовершенного вида (НСВ), то это указывает на длительность или повторяемость последующего действия.

ПОСЛЕ ТОГО КАК + глагол СВ — глагол НСВ

П р и м е р ы: **После того как** бабушка заболела, внучка постоянно ухаживает за ней.

После того как абитуриент сдаст письменный экзамен в университет, он будет сдавать устные экзамены.

После того как я стал студентом, я езжу к родителям на каникулы.

В предложениях с союзом **после того как** возможен временно́й интервал между действиями в главном и зависимом предложениях. Иногда это подчёркивается лексическими средствами: *через год*, *через два часа* и т. д.

П р и м е р: Я позвонил родителям, **через пять минут после того как** наш самолёт приземлился в аэропорту.

3. Союз **С ТЕХ ПОР КАК** указывает на то, что действие в главном предложении начало совершаться с определённого момента действия в зависимом предложении.

В сложных предложениях с союзом **с тех пор как** не употребляются формы будущего времени или императива.

Предикат в зависимом предложении чаще выражается глаголом совершенного вида (СВ), но может выражаться и глаголом несовершенного вида (НСВ).

А. Если предикат в главном предложении выражается глаголом совершенного вида (СВ), это указывает на законченность или результат последующего действия.

С ТЕХ ПОР КАК + глагол СВ (НСВ) — глагол СВ

П р и м е р ы: **С тех пор как** я побывал в Европе, я узнал много нового.

С тех пор как я окончил университет, я поменял несколько мест работы.

С тех пор как я дружу с Олегом, я очень изменился.

Б. Если предикат в главной части выражается глаголом несовершенного вида (НСВ), это указывает на длительность или повторяемость последующего действия.

С ТЕХ ПОР КАК + глагол СВ (НСВ) — глагол НСВ

П р и м е р ы: **С тех пор как** мы расстались, я постоянно думаю об этой девушке.

С тех пор как я окончил школу, я часто встречаюсь со своими бывшими одноклассниками.

С тех пор как наша семья живёт в Москве, мы считаем себя москвичами.

4. Союзы **КАК ТОЛЬКО, ЛИШЬ ТОЛЬКО** указывают на быстрое следование, мгновенную смену действий: действие в главном предложении совершается сразу после действия в зависимом предложении.

Предикаты главного и зависимого предложений выражаются глаголами совершенного вида (СВ), указывая на непосредственное следование, или глаголами несовершенного вида (НСВ) для обозначения повторяющихся последовательных действий.

КАК ТОЛЬКО, ЛИШЬ ТОЛЬКО + глагол СВ (НСВ) — глагол СВ (НСВ)

П р и м е р ы: **Как только** стемнело, пошёл сильный дождь.

Лишь только раздался звонок, все бросились открывать дверь.

Как только спадала жара, люди снова принимались за работу.

ЗАДАНИЯ

1. Укажите на последовательность действий, употребив глагол совершенного или несовершенного вида в правильной форме.

М о д е л ь:

После того как я ... в университет, я ... студенческий билет. (поступать/поступить; получать/получить) —

*После того как я **поступил** в университет, я получил студенческий билет.*

1. Студенты ... на летние каникулы, когда ... все экзамены (уезжать/уехать; сдавать/сдать).

2. После того как ... спектакль, зрители долго ... артистам (заканчиваться/закончиться; аплодировать/поаплодировать).

3. С тех пор как я ... регулярно ходить в плавательный бассейн, моё здоровье ... (начинать/начать; улучшаться/улучшиться).

4. Когда ... дождь, все люди ... прятаться под деревьями (идти/пойти; бежать/побежать).

5. С тех пор как дети ..., они редко ... к родителям в гости (расти/вырасти; приезжать/приехать).

6. После того как ... занятие, студенты ... в столовую (оканчиваться/окончиться; идти/пойти).

2. Укажите на последовательность действий во времени, объединив два простых предложения в одно сложное. Используйте временны́е союзы *когда, с тех пор как, как только*.

М о д е л ь:

Я познакомился с ним. Я понял, как много интересного он знает. —

***Когда** я познакомился с ним, я понял, как много интересного он знает.*

1. Произошёл финансовый кризис. Ситуация в стране резко изменилась.

2. Мы вышли из дома. Сразу пошел сильный дождь.

3. У нас родились дети. Семья стала ещё крепче.

4. Он бросил курить. Его здоровье улучшилось.

5. Дети увидели море. Они сразу бросились к нему.

6. Мы познакомились с этой девушкой. Я понял, какой она замечательный человек.

7. Преподаватель проверит работы студентов. Результаты письменного экзамена будут известны всем.

8. Я увидел работу пожарных. Я понял, какая это трудная профессия.

3. Укажите на последовательность действий, используя конструкции «после + Р. п.», «с + Т. п. отглагольного существительного» **в простом предложении вместо синонимичного сложного предложения.**

М о д е л ь:

С тех пор как семья переехала в другой город, её жизнь изменилась. — *С переездом в другой город жизнь семьи изменилась.*

1. После того как произошла встреча руководителей двух стран, расширилось сотрудничество между этими странами.

2. С тех пор как распался Советский Союз, прошло много лет.

3. С тех пор как мы познакомились в студенческом лагере, мы стали настоящими друзьями.

4. После того как выступили официальные лица, все желающие могли посмотреть новые станции метро.

5. Встреча школьных друзей произошла, после того как прошло десять лет.

6. С тех пор как я окончил университет, я стал профессиональным менеджером.

7. Семья переедет в новый дом, только после того как будет завершено его строительство.

8. С тех пор как я увлёкся русским фольклором, я каждое лето езжу в фольклорные экспедиции.

4. Укажите на последовательность действий, используя союзы *после того как, с тех пор как* **в сложном предложении вместо синонимичного простого предложения.**

М о д е л ь:

После сдачи последнего экзамена студенты отправились гулять в парк. — *Студенты, после того как сдали последний экзамен, отправились гулять в парк.*

1. С приходом нового директора ситуация на предприятии улучшилась.

2. После оформления пенсии отец продолжал работать на заводе ещё пять лет.

3. С отключением электричества жизнь в доме замерла.

4. С переходом на новую налоговую систему бизнес выиграл.

5. После выступления докладчика состоялась дискуссия.

6. С введением нового закона преступность в городе уменьшилась.

7. С началом рыночных реформ жизнь в России изменилась.

8. Сотрудничество двух фирм началось после знакомства их руководителей на международной выставке.

5. Ответьте на вопросы, используя информацию в скобках и союзы *после того как, с тех пор как.*

М о д е л ь:

Когда этот студент был отчислен из университета? —

После того как *он не сдал экзамены в летнюю сессию.*

1. С какого времени ты профессионально занимаешься волейболом? (Окончить школу)

2. Когда ты поедешь в Петербург? (Окончиться; летняя сессия)

3. С какого времени родители живут в деревне? (Стать пенсионером)

4. Когда студенты могут сдавать экзамен по специальности? (Подготовить реферат)

5. С какого времени этот студент не посещает занятия по физкультуре? (Заболеть)

6. Когда вы начали изучать русский язык? (Приехать в Россию)

Предшествование действия

Если действие в главной части сложного предложения происходит раньше действия в зависимой части, то есть предшествует ему, между главной и зависимой частями устанавливаются отношения предшествования.

Значение предшествования выражается при помощи союзов: **до того как, перед тем как, прежде чем, пока не, как вдруг.**

1. Союз **ДО ТОГО КАК** обозначает предшествование в общем виде, он указывает на возможный интервал во времени (часто большой) между действиями в главном и в зависимом предложениях. Этот интервал нередко конкретизируется словами: *задолго, за два года, за час, за неделю* и др.

Предикат в зависимой части обычно выражается глаголом совершенного вида (СВ), хотя может выражаться и глаголом несовершенного вида (НСВ).

ДО ТОГО КАК + глагол СВ (НСВ) — глагол СВ

П р и м е р ы: **До того как** объявить победителя конкурса, комиссия обсудила всех кандидатов.

За три месяца до того как началась конференция, учёный послал в оргкомитет тезисы своего доклада.

Я познакомился с этим человеком, **задолго до того как** он стал известным музыкантом.

До того как начинать писать реферат, нужно прочитать много научной литературы и составить план.

2. Союз **ПЕРЕД ТЕМ КАК** указывает на непосредственное предшествование одного действия другому или на совсем маленький интервал в следовании действий. В таком случае может конкретизироваться словами: *непосредственно*, *как раз*, *в последний момент*, *в последнюю минуту* и др.

Предикат в зависимой части обычно выражается глаголом совершенного вида (СВ), хотя может выражаться и глаголом несовершенного вида (НСВ). Предикат в главном предложении выражается глаголом несовершенного (НСВ), указывая на длительное предшествующее действие, и совершенного вида (СВ), указывая на единичное законченное действие.

Если субъект действия в главной и зависимой частях совпадает, то в зависимой части предикат выражается инфинитивом.

ПЕРЕД ТЕМ КАК + глагол СВ (НСВ) — глагол СВ (НСВ)

Примеры: **Перед тем как** приступить к работе, я составил план действий и обсудил его с коллегами.

В последний момент перед тем как перейти на новую работу, я изменил своё решение.

Как раз перед тем как прозвенел последний звонок, в зал театра вошёл ещё один зритель.

Перед тем как пойти купаться, дети играли в песке на берегу.

3. Союз **ПРЕЖДЕ ЧЕМ** указывает на необходимость совершения действия главной части раньше действия в зависимой части. Если субъект действия в главной и в зависимой частях совпадает, то в зависимой части предикат выражается инфинитивом.

Обычно предикат в зависимой части выражается глаголом совершенного вида (СВ), хотя может выражаться и глаголом несовершенного вида (НСВ). Предикат в главном предложении выражается глаголом совершенного вида (СВ), когда нужно показать результат действия, или глаголом несовершенного (НСВ), когда нужно показать длительность или повторяемость действия. Эти оттенки значения в главной части нередко выражаются и лексическими средствами — словами: *долго, много раз, не раз* и др.

ПРЕЖДЕ ЧЕМ + глагол СВ (НСВ) — глагол СВ (НСВ)

Примеры: **Прежде чем** сказать слова упрёка, нужно хорошо подумать.

Прежде чем отправиться в путешествие, он изучил карту региона.

Прежде чем поступать на этот факультет, **я не раз** советовался с родителями и друзьями.

Прежде чем стать чемпионом, он **много** тренировался.

4. Союз **ПОКА НЕ** указывает на ограничение, на окончание действия в главном предложении. Частица **не** в составе этого союза не имеет отрицательного значения. Зависимое предложение с союзом **пока не** отвечает на вопросы: *до какого времени? до каких пор?* и обозначает конкретное неповторяющееся действие.

В зависимом предложении предикат выражается только глаголом совершенного вида (СВ). В главном предложении предикат выражается глаголом несовершенного вида (НСВ), так как действие в главном предложении продолжается до начала действия в зависимом предложении.

ПОКА НЕ + глагол СВ — глагол НСВ.

Возможны две разновидности данной конструкции.

А. Союз **пока не** указывает на то, что действие в главном предложении прекращается действием в зависимом предложении.

Примеры: Школьники бегают по двору, **пока не** прозвенит звонок на урок.

На берегу я долго следил за кораблём, **пока** он **не** скрылся из вида.

Б. Союз **пока не** указывает на то, что действие в зависимом предложении происходит как результат действия в главном предложении.

Примеры: Я несколько раз повторял новые слова, **пока не** запомнил их хорошо.

Альпинисты долго лезли в гору, **пока не** поднялись на самую вершину.

Мы много раз меняли квартиру, **пока не** нашли подходящую.

Для подчёркивания границы действия в главном предложении добавляются указательные слова: *до тех пор*, *до того момента*, *до того времени* и др.

Примеры: Я **до тех пор** не прощу его, **пока** он **не** извинится передо мной.

До того времени, пока не доказана вина обвиняемого, он не считается виновным.

Игра продолжалась **до тех пор, пока не** объявили победителя.

Я верил ему **до того момента, пока** сам **не** убедился в его нечестности.

5. Союз **КАК ВДРУГ** указывает на неожиданность, внезапность или немотивированность действия в зависимом предложении. Неожиданное действие в зависимом предложении совершается в один из моментов продолжающегося предшествующего действия в главном предложении и прерывает его.

Предикат в зависимом предложении всегда выражается глаголом совершенного вида (СВ). Предикат в главном предложении обычно выражается глаголом несовершенного вида (НСВ), хотя в редких случаях может выражаться и глаголом совершенного вида (СВ). В таких случаях рядом с ним стоят слова: *только*, *уже*, *как раз* и др., указывающие на завершённость действия. Зависимое предложение с союзом **как вдруг** всегда следует после главного предложения.

Глагол НСВ (СВ) — КАК ВДРУГ + глагол СВ

Примеры: Отдых проходил прекрасно, **как вдруг** на побережье обрушился ураган.

Работа шла по плану, **как вдруг** инженер обнаружил ошибку в проекте.

Только я собрался уходить, **как вдруг** в дверь позвонили.

Я **уже** совсем потерял надежду, **как вдруг** старый знакомый помог мне.

В составе большинства союзов со значением предшествования и последовательности действий есть предлоги, которые служат для выражения соответствующего интервала времени в простом предложении:

сложное предложение		**простое предложение**
до того как	+ глагол	до + Р. п.
перед тем как	+ глагол	перед + Т. п.
после того как	+ глагол	после + Р. п.
		по + П. п. отглагольного сущ.
с тех пор как	+ глагол	с + Т. п. отглагольного сущ.

При замене простого предложения сложным используется соответствующий предлогу союз.

Если после предлога в простом предложении стоит отглагольное существительное, то в сложном предложении оно заменяется соответствующим глаголом.

Если после предлога стоит неотглагольное существительное, то в зависимую часть вводится глагол, выбор которого определяется существительным.

П р и м е р ы: 1. **До** решающей **игры** на теннисном турнире остался один день. — **До того как состоится** решающая **игра** на теннисном турнире, остался один день.

2. **Перед вступлением** страны во Всемирную торговую организацию в парламенте проходило обсуждение этого вопроса. — **Перед тем как** стране **вступить** во Всемирную торговую организацию, в парламенте проходило обсуждение этого вопроса.

3. **После показа** по телевидению **репортажа** с международной книжной ярмарки число её посетителей резко возросло. — **После того как** по телевидению **был показан репортаж** с международной книжной ярмарки, число её посетителей резко возросло.

4. **По окончании** договора фирма прекратила поставки продукции. — **После того как** договор **окончился**, фирма прекратила поставки продукции.

5 **С урегулированием** всех территориальных вопросов между странами активно развивается приграничная торговля. — **С тех пор как** все территориальные вопросы между странами **урегулированы**, активно развивается приграничная торговля.

ЗАДАНИЯ

1. Укажите на предшествование действия, употребив глагол совершенного или несовершенного вида, данный в скобках, в правильной форме.

Модель:

Пока студенты не ... экзамены, они не ... отдыхать. (сдавать/сдать; ехать/поехать) — *Пока студенты не **сдадут** экзамены, они не **поедут** отдыхать.*

1. Пока я не ... домашнее задание, я не ... гулять с друзьями (делать/сделать; пойти/ходить).

2. Дети ... на берегу реки, как вдруг ... гроза (играть/поиграть; начинаться/начаться).

3. Не спешите ... на вопрос, пока не ... его до конца (отвечать/ответить; слушать/дослушать).

4. Мы уже ... из дома, как вдруг ... телефон (выходить/выйти; звонить/зазвонить).

5. Пока мой брат не ... в армии, он не ... в университет (служить/отслужить; поступать/поступить).

6. Я не ... с тобой, пока ты не ... мне серьёзные аргументы (соглашаться/согласиться; приводить/привести).

7. Мы ... через поле на машине, как вдруг из кустов ... заяц (ехать/поехать; выскакивать/выскочить).

8. Говорят, что он стал министром и не общается со старыми друзьями. Пока я не ... его сам, ни за что не ... в это (видеть/увидеть; верить/поверить).

2. Укажите на предшествование действия, объединив два простых предложения в одно сложное и используя временны́е союзы *до того как, перед тем как, прежде чем.*

Модель:

Я написал реферат. До этого я прочитал много научной литературы. — ***Прежде чем** написать реферат, я прочитал много научной литературы.*

1. Я стал студентом медицинского факультета. До этого я мечтал стать врачом.

2. Учёные объявили о новом научном открытии. До этого они внимательно проверяли все результаты.

3. Я решил трудную задачу. Перед этим мне пришлось много поработать.

4. Стало ясно, какие команды вышли в финал. До этого на футбольном чемпионате прошли полуфинальные игры.

5. Президент компании согласился принять на работу этого сотрудника. До этого он внимательно изучал кандидатуры нескольких претендентов.

6. Фирма выпустила в продажу новую модель автомобиля. До этого фирма провела рекламную кампанию новой продукции.

7. Студенты хорошо сдали экзамен. Перед этим они много занимались.

8. Летом я наконец поехал в Италию. До этого я прочитал много книг об этой стране.

3. Укажите на предшествование действия, используя союз *пока не* **в сложноподчиненном предложении вместо синонимичного сложносочиненного предложения с союзом** *но*.

Модель:

Он станет специалистом, но сначала он должен получить диплом университета. — *Пока* **не** *получит диплом университета, он не станет специалистом*.

1. Он станет студентом, но прежде он должен пройти по конкурсу в университет.

2. Я пойду на дискотеку, но до этого нужно закончить все дела.

3. Студенты разъедутся летом на каникулы, но сначала они сдадут все экзамены.

4. Я готов положить деньги в этот банк, но прежде я должен проверить его надёжность.

5. Анна согласна выйти замуж за Андрея, но сначала она хочет лучше узнать его.

6. Покупатели готовы купить новый товар, но сначала они должны убедиться в его высоком качестве.

7. Иностранные инвесторы готовы вкладывать инвестиции в проект, но сначала они должны убедиться в выгодности таких вложений.

8. Я хочу принять участие в дискуссии, но прежде мне нужно серьёзно подготовиться к ней.

4. Укажите на предшествование действия, используя конструкции с предлогами *до + Р. п.* **и** *перед + Т. п.* **в простом предложении вместо синонимичного сложного предложения.**

Модель:

До того как служить в армии, он работал в фирме. —
До службы в армии он работал в фирме.

1. До того как приедут родители из отпуска, я уберусь в квартире.

2. Перед тем как придут гости, хозяйка приготовит угощение.

3. Перед тем как прослушать оперу, я еще раз прочитал произведение Пушкина.

4. До дого как начался спектакль, мы купили программку.

5. Перед тем как сдавать экзамены, студенты долго готовятся.

6. Перед тем как войти в буддийский храм, нужно снять обувь.

7. До того как окончатся каникулы, осталось две недели.

8. До того как завершится чемпионат по футболу, осталось два дня.

5. Укажите на предшествование действия, используя конструкции с союзами *до того как, перед тем как* **в сложном предложении вместо синонимичного простого предложения.**

Модель:

Подумайте **перед принятием решения**. —
Подумайте, перед тем как принять решение.

1. Перед консультацией по истории нужно подготовить вопросы.

2. Нам нужно успеть вернуться домой до начала дождя.

3. До отправления поезда осталось пять минут.

4. Перед началом выступления молодой артист очень волновался.

5. До ссоры они были неразлучными друзьями.

6. Удивительно красиво бывает в горах перед заходом солнца.

7. Мы со старым другом проговорили до наступления утра, вспоминая нашу молодость.

8. Перед посадкой самолёта пассажиров просят пристегнуть ремни безопасности.

9. Перед решающим выбором надо хорошо подумать.

10. Перед покупкой компьютера нужно изучить его технические характеристики.

6. Ответьте на вопросы, используя союзы *до того как, перед тем как.*

1. Где вы жили до приезда в Россию?

2. Где вы учились до поступления в университет?

3. С кем вы дружили на родине перед отъездом в Россию?

4. С кем из студентов вы вместе долго занимались перед экзаменом?

5. О чём вы особенно беспокоились перед поездкой в Россию?

6. Какой документ необходимо получить иностранцам перед поездкой в Россию?

7. Стараетесь ли вы узнать больше информации о чужой стране до поездки туда?

8. Где работал ваш дедушка до ухода на пенсию?

7. Работаем в парах. Задайте вопросы коллегам о том, как они проводят свой досуг.

8. Расскажите, как вы проводите свой досуг и каникулы. Расскажите, как обычно проводит свой досуг молодёжь в вашей стране. Используйте грамматические конструкции времени.

УРОК 15

Речевая тема. Женщины в современном мире.
Грамматическая тема. Выражение количественных отношений
(трудные случаи).

ЖЕНЩИНЫ В СОВРЕМЕННОМ МИРЕ

1. Прочитайте текст. Перед чтением текста ознакомьтесь с активной лексикой урока. Уточните значение незнакомых слов по словарю и запишите их перевод на родной язык.

В же́нских рука́х = у же́нщины
Влия́тельный, -ая, -ое
Воспита́ние (*кого?*) дете́й, ребёнка...
Делова́я же́нщина = би́знес-леди
Делова́я хва́тка (*разг.*) = быстрота́ и ло́вкость в рабо́те
Же́нщина (*какая?*) ру́сская, кита́йская...
Же́нственный, -ая, -ое
Забо́тливый, -ая, -ое
Занима́ться (*чем?*) би́знесом, поли́тикой...
Значе́ние = влия́ние, обще́ственная роль (*кого? чего?*) поли́тика, собы́тия
Игра́ть роль = (*перен.*) име́ть значе́ние (*в чём?*) в о́бществе, в ми́ре
Име́ть значе́ние
Карье́ра (*какая?*) профессиона́льная, служе́бная
Каса́ться/косну́ться (*чего?*) вопро́са, пробле́мы
Ли́дер (*чего?*) па́ртии, госуда́рства...
Набо́р (*чего?*) ка́честв, свойств
Обслу́живание (*кого?*) клие́нтов...
Очарова́тельный, -ая, -ое

Пост = до́лжность, *ж.*
Предприи́мчивость, *ж.* = нахо́дчивость и практи́чность
Прекра́сный пол = о же́нщинах
Проводи́ть/провести́ (*что?*) опро́с
Профессионали́зм (*кого?*) рабо́тника
Роль = значе́ние и сте́пень уча́стия в како́м-либо де́ле (*кого?*) же́нщины, руководи́теля...
Руководи́ть (*чем?*) коллекти́вом, фи́рмой
Си́льный пол = о мужчи́нах
Сфе́ра (*чего?*) де́ятельности, обслу́живания...
Управле́ние (*чем?*) предприя́тием, фи́рмой...
Управля́ть (*чем?*) предприя́тием, фи́рмой...
Ую́т
Храни́ть (*что?*) па́мять, ую́т...
Храни́тельница (*чего?*) семьи́, ую́та...

234

ЖЕНЩИНЫ В СОВРЕМЕННОМ МИРЕ

В современном мире женщины всё чаще занимают важное и влиятельное положение в общественной жизни. Это касается самых разных сфер деятельности — политики, управления, бизнеса. В качестве примера женщин, известных в мировой политике, можно назвать президентов Ирландии, Финляндии и Чили, премьер-министра Республики Кореи, федерального канцлера Германии и др.

Учёные-социологи отмечают, что в наше время треть мирового бизнеса находится в женских руках. Четвёртая часть всех работников в мире трудится под руководством женщин — представительниц прекрасного пола. В каждой четвёртой семье на нашей планете жена зарабатывает больше мужа.

В демократических странах традиционно отсутствует дискриминация женщин: они имеют все права наравне с мужчинами, активно участвуя в общественной и политической жизни. Сейчас тенденция повышения роли женщин в обществе коснулась и тех стран, где роль женщины исторически сводилась только к воспитанию детей и домашней работе. Однако по-прежнему в ряду таких ценностей, как работа, семья, друзья, свободное время, политика и религия, семья у женщин ценится выше всего.

В русской семье по традиции жена всегда выполняла функцию хранительницы дома, семейного уюта, заботливой матери и помощницы мужа. Хотя законодательством России для мужа и жены предусмотрены равные права, обязанности и ответственность за здоровье ребёнка, тем не менее женщина чаще отказывается от профессиональной карьеры в пользу семьи, чем мужчина. В этом отражается сложившаяся в России система приоритетных возможностей для мужчин. Как бы ни была талантлива и образованна женщина, семейные заботы почти всегда ложатся на неё, отодвигая карьеру и профессиональный успех на второй план. Таковы русские исторические традиции, хотя с новыми временами они меняются.

Нужно признать огромную роль советской власти в поднятии социального статуса женщины: она получила право голосовать, право на работу и равную с мужчиной оплату труда; право на образование. Официальное признание важной роли женщины в Советском Союзе выразилось также в том, что 8 Марта было объявлено государственным праздником женщин и нерабочим днём. Эта традиция перешла и к современной России.

В настоящее время в России проживает 78 млн женщин, что составляет больше половины всего населения. Половина из них занята в экономике страны. Социологи утверждают, что уровень образования у работающих женщин в России выше, чем у мужчин. Среди мужчин высшее образование имеют 50%, у женщин этот показатель намного выше — 72%. По результатам исследования, проведённого российским комитетом по статистике, на долю женщин, занимающих руководящие посты в России, приходится 18%. Больше всего женщин-руководителей в непроизводственных видах бытового обслуживания, общественного питания, розничной торговли, в сфере финансов, в лёгкой промышленности.

Пока российское общество с трудом допускает женщину на VIP-места в политике, но этот процесс уже начался. Если в Советском Союзе процент женщин-депутатов строго регламентировался, то в современной России женщины активно участвуют в деятельности различных политических партий, являются вице-спикерами и министрами правительства. Когда фонд «Общественное мнение», провёл всероссийский опрос «Возможно или невозможно, что в ближайшие 10—20 лет пост президента России займёт женщина?», 55% россиян ответили на него положительно. Большинство россиян считает, что женщины принесут в политику спокойствие и мир, которые необходимы для успешного развития экономики и улучшения жизни людей.

Говоря об участии современных женщин в бизнесе, следует отметить, что мир деловых людей всегда был мужским миром. Чтобы попасть туда, женщине надо было учиться и работать наравне с мужчинами — представителями сильного пола, и постоянно доказывать свои знания, работоспособность и профессионализм. Современные бизнес-леди сами отвоёвывали позиции в рыночной экономике у мужчин. Многие из успешных деловых женщин в России начинали свою деятельность в бизнесе с розничной торговли, а сейчас руководят крупными фирмами и компаниями. Сегодня число российских деловых женщин — лидеров, бизнес-организаторов и руководителей предприятий малого, среднего и крупного бизнеса, растёт с каждым годом.

Чтобы достичь успеха в бизнесе, в предпринимательстве, кроме глубоких профессиональных знаний женщина должна обладать определённым набором качеств: предприимчивостью, целеустремлённостью, деловой хваткой, способностью взять на себя ответственность, к тому же быть неплохим психологом и при этом непременно оставаться женственной и очаровательной.

Успех женщин в разных сферах общественной жизни свидетельствует о том, что в XXI веке роль женщины в современном мире возрастает.

(По материалам российской прессы и книги А.В. Сергеевой
«Русские: Стереотипы поведения, традиции, ментальность». — М.: 2010)

Вопросы к тексту.

1. Какую тенденцию, касающуюся роли женщин в современном мире, отмечают учёные-социологи?

2. Какую роль традиционно выполняла женщина в русской семье?

3. Как повлияла советская власть на роль женщины в обществе?

4. Когда в России отмечают праздник женщин?

5. Сколько процентов российских мужчин имеет высшее образование и сколько процентов женщин?

6. Где российские женщины занимают больше всего руководящих должностей?

7. С чего начинали успешные деловые женщины свою карьеру в бизнесе?

8. Какими качествами должна обладать женщина, чтобы достичь успеха в бизнесе?

2. Выделите общую часть в словах.

женщина	мужчина	зарабатывать	обслуживать
женский	мужской	работать	обслуживание
жена	муж	работник	служить
жениться	возмужать	заработок	служба
женственный	мужественный	рабочий	обслуживающий

3. Проанализируйте сложные слова из текста. Скажите, от каких слов они образованы.

Законодательство, руководитель, работоспособность, целеустремлённость, всероссийский (опрос).

4. Выделите суффикс в словах *работоспособность, целеустремлённость*. **Скажите, от каких прилагательных образованы эти слова. Определите общее значение слов с этим суффиксом. Образуйте с помощью данного суффикса существительные от следующих слов.**

Аккуратный, агрессивный, женственный, мягкий, жёсткий, гибкий, доброжелательный, смелый, властный, серьёзный, деловитый, воспитанный, современный, уважительный, элегантный.

5. Соедините близкие по значению слова и словосочетания.

равные права	работать
всероссийский опрос	одинаковые права
трудиться	мужчины
прекрасный пол	область деятельности
сильный пол	опрос по всей России
сфера деятельности	женщины
играть роль	предпринимательство
деловая женщина	черты характера
бизнес	иметь значение
качества характера	бизнес-леди

6. Подберите антонимы к словам, используя материал для справок.

значение возрастает - ...

зарабатывать больше - ...

высокий уровень - ...

непроизводственная сфера - ...

розничная торговля - ...

общественное мнение - ...

мужской мир - ...

малый бизнес - ...

положительный ответ - ...

Материал для справок:

производственная сфера, личное мнение, значение снижается, оптовая торговля, зарабатывать меньше, производственная сфера, крупный бизнес, низкий уровень, женский мир, отрицательный ответ.

Обратите внимание!

Похожие слова имеют разное значение.

Воспита́ние «Особенности поведения, сформированные семьёй, школой, средой» (*воспитание ребёнка, сына, дочери, школьника; воспитание в семье, в школе*)

Воспи́танность «Знание правил поведения в обществе» (*воспитанность человека, девушки, юноши, гостя*)

Демократи́ческий «Основанный на демократии – политической системе, при которой власть принадлежит народу» (*демократический строй, выбор, принцип; демократическая система; демократическое государство*)

Демократи́чный «Простой в поведении, в общении с людьми (обычно о человеке, который занимает высокое социальное положение)» (*демократичный человек; демократичное поведение, общение; демократичные манеры*)

Же́нский, -ая, -ое «Относящийся к женщине, связанный с женщинами» (*женская одежда, обувь; женский журнал, праздник, день; женское сердце, общество*)

Же́нственный, -ая, -ое «Обладающий качествами, свойственными женщине, – изящный, нежный» (*женственная девушка, женственное поведение, женственные манеры*)

---

7. Дополните предложение подходящим по смыслу словом в правильной форме.

воспита́ние, воспи́танность

1. В этом человеке сразу была видна не только образованность, но и... .

2. Дети получили хорошее ... в своей семье.

демократи́ческий, демократи́чный

3. Хотя он был руководителем крупной компании, ему было свойственно ... поведение, простота в общении с людьми.

4. ... принципы государства включают свободу слова, свободу проведения митингов и демонстраций.

же́нский, же́нственный

5. На первом этаже универмага находится отдел ... одежды, а на втором — мужской.

6. Девушка была не только красивой, но и удивительно ...

8. Употребите слова в скобках в правильной форме.

Значение, **роль** *кого? чего?* (женщина, родители, учитель, друзья; семья, школа, культура, воспитание, искусство);

сфера, область *чего?* (деятельность, бизнес, политика, культура, управление, образование, производство, торговля, обслуживание);

президент *чего?* (страна, государство, компания, фирма, холдинг, корпорация);

работать, трудиться *где?* (сфера бытового обслуживания, розничная торговля, промышленность, система образования, банковская сфера);

проводить/провести *что?* (опрос, исследование, анализ, проверка, конференция, собрание, заседание);

пост *кого?* (президент, руководитель, министр, генеральный директор, глава министерства);

руководить, управлять *чем?* (предприятие, компания, фирма, холдинг, корпорация, кабинет министров, научный коллектив);

обладать *чем?* (глубокие знания, предприимчивость, работоспособность, смелость, энергичность, деловая хватка, решительность, профессионализм);

карьера *чья? кого?* (сотрудник, работник, коллега, друг, учёный, человек);

результат *чего?* (опрос, исследование, анализ, проверка, деятельность, работа).

9. Укажите на количество или на место предмета в ряду других, написав числа словами.

М о д е л ь:

На долю мужчин, занимающих руководящие посты в России, приходится 82 %. — *На долю мужчин, занимающих руководящие посты в России, приходится восемьдесят два процента*.

1. В XXI веке роль женщин в жизни общества возрастает.

2. Высшее образование в России имеют 50 % мужчин.

3. В России 72 % женщин имеет высшее образование.

4. В Российской Федерации проживает 78 млн женщин.

5. 55 % россиян считает возможным, что через 20 лет пост президента России может занять женщина.

6. 45 % россиян не верят в то, что через 20 лет президентом России может стать женщина.

7. На долю женщин, занимающих руководящие посты в России, приходится 18 %.

8. 8 марта объявлено в России государственным праздником женщин.

10. Потренируйтесь в письме.

1. Перечислите и запишите факты, которые по мнению учёных-социологов, свидетельствуют о возрастании роли женщин в современном обществе.

239

2. Используя информацию из текста, запишите, какие права, уравнивающие её с мужчиной, получила женщина при советской власти.

3. Запишите, какими качествами характера должна обладать женщина для достижения успеха в бизнесе.

4. Сформулируйте и запишите основной вывод, который делается в статье.

5. Составьте и запишите план статьи «Женщины в современном мире».

11. Примите участие в дискуссии. Используйте выражения, которые помогают в ходе обсуждения выразить просьбу к другому участнику дискуссии.

1. Какой процент в общем количестве населения вашей страны составляют женщины? Кого больше в вашей стране женщин или мужчин? Как это влияет на социально-экономическую ситуацию в государстве?

2. Какова традиционная роль женщины в вашем обществе? Какие обязанности должна выполнять женщина в семье? Кто по традиции является лидером в семье или у мужа и жены равные права, возможности и обязанности? Знаете ли вы талантливых женщин, которые пожертвовали своей профессиональной карьерой ради семьи?

3. Каков уровень образования женщин по сравнению с мужчинами в вашей стране? Многие ли молодые девушки стремятся получить высшее образование и есть ли у них для этого реальные возможности?

4. Участвуют ли женщины в политической жизни вашего государства? Какие должности они занимают: член парламента, вице-спикер, член партии, министр? Есть ли в вашей стране известные женщины-политики?

5. Много ли женщин в вашей стране занимается бизнесом? В каких сферах бизнеса женщины достигают наибольшего успеха? Как вы думаете, почему именно в этих сферах? Как лично вы относитесь к женщинам, успешно занимающимся бизнесом? Аргументируйте своё мнение.

6. Существует ли в вашей стране дискриминация женщин? Кого скорее при прочих равных условиях возьмут на престижную работу — мужчину или женщину? Одинаковую ли зарплату получают мужчины и женщины, работая в одной фирме на одинаковых должностях? Есть ли у вас женские общественные организации? Какие задачи они решают и каково их влияние на общество? Отмечают ли в вашей стране праздник женщин?

ГРАММАТИКА

ВЫРАЖЕНИЕ КОЛИЧЕСТВЕННЫХ ОТНОШЕНИЙ

Количественные отношения выражаются в русском языке при помощи:

1) **имён числительных**, обозначающих определённое, точное количество. (*три книги, двадцать студентов, тридцать два человека, тысяча рублей, двадцать четыре часа*).

2) **слов, обозначающих неопределённое количество:**

а) **неопределённых местоимений** (*несколько человек, сколько дней, столько студентов*);

б) **количественных наречий** (*много людей, немного студентов, мало книг, немало дел*);

в) **собирательных существительных** (*ряд участников, множество людей, большинство студентов, меньшинство голосов, часть депутатов*). Они указывают на неопределённое количество предметов или лиц

Выражение определённого количества
с помощью числительных

В русском языке среди числительных выделяются следующие типы.

1. Количественные числительные, обозначающие определённое количество предметов: *один, пять, десять, тысяча* и т. д.

В о п р о с: сколько?

П р и м е р ы: В нашей студенческой группе учится **двенадцать** человек.

На консультацию по истории пришли **двадцать два** человека.

2. Порядковые числительные, указывающие на порядковое место предмета в ряду подобных, одинаковых предметов: *первый (-ая, -ое, -ые), пятый (-ая, -ое, -ые), десятый (-ая, -ое, -ые), тысячный (-ая, -ое, -ые)* и т. д.

В о п р о с: который? (-ая, -ое, -ые)

П р и м е р ы: Лекция по истории литературы будет в **восьмой** аудитории.

Занятие по переводу будет на **третьей** паре.

3. Собирательные числительные, обозначающие группу лиц как единое целое: *двое, трое, четверо, пятеро, шестеро, семеро*, а также *оба и обе*.

В о п р о с: сколько?

П р и м е р ы: В нашем доме живут **трое** школьных друзей — Олег, Виктор и Сергей.

Двое студентов из нашей группы не сдали экзамен.

4. Дробные числительные, обозначающие часть предмета по отношению к целому предмету: 1/2 (одна вторая) = половина (разг.), 1/3 (одна третья) = треть (разг.), 1/4 (одна четвёртая) = четверть (разг.), 3/4 (три четвертых), 0,1 (ноль целых одна десятая).

В о п р о с: сколько?

П р и м е р ы: **Треть** студентов группы не сдала экзамен.

За обедом мы съели **четверть** арбуза.

Для отправки письма по электронной почте мне понадобилось **две с половиной** минуты.

Изменение числительного *один*

1. Числительное **один** изменяется по родам, числам и падежам, как указательное местоимение *этот* (*эта, это, эти*): *один студент*, *одна студентка*, *одно окно*, *одни брюки*.

То же, если на конце составного числительного стоит цифра **1**: 21 руб. — *двадцать один рубль*, 51 коп. — *пятьдесят одна* копейка.

П р и м е р ы :

	один балкон.
В комнате	**одна** дверь.
	одно окно.

У меня в кошельке **шестьсот двадцать один** рубль и **сорок одна** копейка.

Обед в кафе стоил **двести сорок один** рубль.

Изменение числительного *два*

1. Числительное **два** (22, 32, 42...) изменяется по родам в И. п. и В. п.: *два студента*, но *две студентки*; *два словаря*, но *две книги*.

2. Числительные 2, 3, 4 (составные числительные, имеющие в конце **2, 3, 4** — 22, 23, 24... 32, 33, 34...) в И. п. управляют формой Р. п. ед. ч. существительных.

2, 3, 4
22, 23, 24   **+ Р. п. ед. ч.** сущ. (студента, студентки, словаря, книги)
32, 33, 34...

П р и м е р ы : На лекции было **тридцать два студента** и **двадцать четыре студентки**.

На собрание пришли **сорок два работника** и **двадцать две работницы**.

3. С числительным **два** в других падежах существительное употребляется всегда в форме **мн. числа.**

П р и м е р ы : На занятии нет **двух студентов**. (Р. п.)

На лекции не было **двух студенток**. (Р. п.)

Из-за болезни я не был на **двух лекциях**. (П. п.)

Он хорошо подготовился к **двум экзаменам**. (Д. п.)

4. Если количественные числительные 2, 3, 4 (22, 34, 43...) и существительные сочетаются с прилагательными, то:

а) при словах мужского и среднего рода прилагательное, стоящее между числительным и существительным, ставится в Р. п. мн. числа: *два (три, четыре) больших дома, окна; два известных учёных, писателя*;

б) при словах женского рода прилагательное, стоящее между числительным и существительным, ставится в И. п. мн. числа: *две (три, четыре) большие книги, аудитории; две молодые девушки, женщины*.

242

П р и м е р ы: В зал вошли **два молодых человека** и **две молодые девушки**.

Два популярных журнала и **две ежедневные газеты** опубликовали интервью учёного.

Изменение числительных от *пяти* до *десяти* **и всех числительных на** *-дцать* **и** *-десят*

1. Эти числительные изменяются как существительные ж. р. на **Ь** (тетрадь).

При склонении числительных, оканчивающихся на -десят изменяются обе части: **пятьдесят — пятидесяти**.

П р и м е р ы: На покупку книги мне не хватило **пятидесяти** рублей. (Р. п.)

По радио сообщили **о пятидесяти** погибших в авиакатастрофе. (П. п.)

2. Эти числительные в И. п. управляют формой Р. п. мн. числа существительных и прилагательных.

5, 6, 7, 8, 9, 10

11, 12, 13 ...20, 30+ **Р. п. мн. ч**. сущ., прил. (*новых студентов, студенток*)

50, 60, 70, 80

П р и м е р ы: **Пять новых студентов** и **шесть новых студенток** учатся на нашем курсе. (И. п.)

На факультете учатся **семьдесят студентов**. (И. п.)

3. Во всех других падежах эти числительные согласуются с существительными и прилагательными.

П р и м е р ы: **Пяти новым студентам** дали проездные студенческие билеты на транспорт. (Д. п.)

Для **двадцати слабых студентов** преподаватель провёл дополнительную консультацию. (Р. п.)

Изменение числительных *сорок, девяносто, сто*

Эти числительные имеют две падежные формы.

1. И. п. = В. п. (*сорок, девяносто, сто*)

П р и м е р ы : **Сорок студентов** сдали экзамен. (И.п.)

На просмотр нового фильма пришли **девяносто человек**.

2. Р. п., Д. п., Т. п., П. п. (-а: *сорока, девяноста, ста*)

П р и м е р ы: В зале было больше **ста зрителей.** (Р. п.)

На этом факультете меньше **сорока девушек.** (Р. п.)

Директор обратился к **девяноста выпускникам** школы с речью. (Д. п.)

Изменение числительных *тысяча, миллион, миллиард*

Эти числительные имеют формы рода: *тысяча* — **ж. р.,** *миллион, миллиард* — **м. р.**

Формы мн. числа: тысячи, миллионы, миллиарды.

Эти числительные склоняются так же, как существительные.

П р и м е р ы: Из **десяти тысяч** граждан, которые пришли на митинг, большую часть составляли студенты. (Р. п.)

Двухкомнатная квартира стоит **двенадцать миллионов рублей**. (В. п.)

Употребление собирательных числительных

Собирательные числительные **двое, трое, четверо, пятеро, шестеро, семеро** указывают на группу лиц как на единое целое. Собирательные числительные употребляются только в следующих случаях:

а) с существительными, обозначающими лиц мужского пола и детей;

б) с существительными, обозначающими группу лиц, среди которых могут быть и лица женского пола.

П р и м е р ы: Над сложной научной проблемой работают **четверо** молодых учёных.

В нашей семье **трое** детей: Иван, Сергей и Анна.

Пятеро друзей — Миша, Николай, Антон, Ольга и Наташа — поехали на экскурсию.

Обратите внимание!

После собирательных числительных **двое**, **трое**, **четверо**, стоящих в И. п., существительное стоит в Р. п. множественного числа (а не единственного, как после количественных числительных **два**, **три**, **четыре**): **двое** мальчик**ов**, но **два** мальчик**а**.

П р и м е р ы: **Два** моих **брата** (Р. п. ед. ч.) – студенты.

Двое моих **братьев** (Р. п. мн. ч.) – студенты.

К собирательным существительным относятся также слово **оба** (и тот и другой, и то и другое), которое употребляется с существительными мужского и среднего рода, и слово **обе** (и та и другая), которое употребляется с **существительными женского рода.** Сравните:

Муж. род	Ср. род	Жен. род
оба брата	оба окна	обе сестры
оба города	оба дерева	обе улицы

Слова **оба** и **обе** употребляются обычно после того, как в предыдущем предложении были употреблены числительные **два (две)**, **двое** или два отдельных существительных.

П р и м е р ы: В нашей семье **четверо** детей: **двое** мальчиков и **две** девочки. **Оба** мальчика — студенты, **обе** девочки — школьницы.

Москва — столица России, Петербург называют культурной столицей России. **Оба** города являются мегаполисами.

После числительных **оба**, **обе**, стоящих в именительном падеже (И. п.), существительное стоит в родительном падеже единственного числа (Р. п. ед. ч.).

Винительный падеж (В. п.) числительного **оба** и неодушевлённого существительного равен именительному (И. п.), а винительный падеж (В. п.) числительного **оба** и одушевлённого существительного — родительному (Р. п.).

Во всех остальных падежах числительное **оба** согласуется с существительными.

П р и м е р ы: – Кто придёт к нам сегодня, Сергей или Миша?

– Они **оба** к нам сегодня придут.

– Какой вопрос на экзамене тебе показался труднее: первый или второй?

– Мне **оба** вопроса показались трудными.

Выражение неопределённого количества
(с помощью местоимений, наречий и собирательных существительных)

Неопределённые местоимения **сколько, столько, несколько** обозначают неопределённое количество.

П р и м е р ы: В аудитории было **несколько человек**.

Он знает **несколько иностранных языков**.

В магазине **столько интересных книг**!

Местоимения **сколько, столько, несколько** склоняются как прилагательное во множественном числе.

После местоимений **сколько**, **несколько**, **столько** в И. п. и В. п. существительное стоит в форме Р. п. множественного числа.

сколько

несколько + Р. п. мн. ч. существительного

столько

Во всех других падежах местоимения **сколько, столько, несколько** и существительное согласуются.

П р и м е р ы: У **нескольких студентов (студенток)** есть новые учебники. (Р. п.)

Преподаватель объяснил правило **нескольким студентам (студенткам)**. (Д. п.)

Я повторял грамматику вместе с **несколькими студентами (студентками)**. (Т. п.)

Профессор говорил о **нескольких студентах (студентках)**. (П. п.)

Количественные наречия **много, немного, мало, немало**, а также собирательные существительные **ряд, большинство, меньшинство, множество, часть** в сочетании с существительными обозначают неопределённое количество. При этом существительное всегда стоит в форме Р. п. мн. числа.

много

немного

множество

ряд

большинство   +   **Р. п. мн. ч.** существительного

меньшинство

мало

немало

часть

П р и м е р ы: В аудитории было **много студентов**.

В моей библиотеке **немного книг.**

У Андрея **мало друзей**.

После окончания школы прошло **немало лет.**

Множество проблем волнует современную молодёжь.

За этого кандидата было отдано **меньшинство голосов** избирателей.

За принятие нового закона проголосовало **большинство депутатов.**

Часть предложений была принята.

Согласование предиката с субъектом, выражающим количество

СУБЪЕКТ	ПРЕДИКАТ
1. Сколько, много, немного, множество, мало, немало + **Р. п. мн. ч.** существительного	**ед. ч.**

П р и м е р ы: **Сколько экзаменов** вам **осталось** сдать?

В аудитории **собралось много студентов.**

Перед учёными **встаёт множество проблем.**

До отправления поезда **осталось мало времени.**

С последней нашей встречи **прошло немало лет**.

2. Числительные, оканчивающиеся **на один: 21, 31, 41, 51... + сущ.**	**ед. ч.**

П р и м е р ы: В классе **учится двадцать один ученик.**

Шестьдесят одна девушка участвовала в конкурсе.

Пятьдесят одно дерево посажено в парке.

3. Числительные оба, 2, 3, 4 + Р. п. ед. ч. сущ.	**мн. ч.**

П р и м е р ы: **Оба друга мечтают** стать лётчиками.

Два студента опоздали на лекцию.

Четыре газеты сообщили об этой новости.

4. Слова тысяча, миллион, миллиард + Р. п. мн. ч. сущ.	**ед. ч.**

П р и м е р ы: **Получена тысяча писем** от читателей газеты.

Миллион телезрителей посмотрел этот фильм.

Миллиард рублей выделен правительством на этот проект.

5. Числительные + слова **лет, месяцев, дней, часов, минут** (Р. п. мн. ч.)	**ед. ч.**

П р и м е р ы: **Прошло двадцать лет.**

До летних каникул **осталось две недели**.

Пробило десять часов.

6. Несколько, большинство + Р. п. мн. ч. сущ.	**ед.ч. или мн. ч.**

П р и м е р ы: **Несколько студентов приняли** участие в конференции.

Большинство студентов успешно **сдали** экзамены.

В городе **построено несколько** новых **зданий.**

На лекции **присутствовало большинство студентов.**

7. Более, менее, больше, меньше, около   **ед. ч. или мн. ч.**
+ Р. п. ед. ч. числительного + Р. п. мн. ч. сущ.

П р и м е р ы : **Более тысячи человек участвовали** в демонстрации.

           Больше десяти спортсменов получили медали.

           Около восьмидесяти человек поддержали предложение.

           Больше сорока человек погибло в результате катастрофы.

           Более двух часов прошло с начала дискуссии.

8. Числительные 5, 6, 7, 8, 9, 10, 11... + Р. п. мн. ч. сущ.   **ед. ч. или мн. ч.**

П р и м е р ы : На конференции с докладами **выступили шесть учёных.**

           На уроке **присутствовало двадцать учеников.**

           Десять домов было **разрушено** в результате наводнения.

Обратите внимание!

1. В пунктах 6, 7, 8 по правилам грамматики допускаются два варианта предиката – в **ед. ч.** и **мн. ч.**

По нормам стилистики:

а) при активном характере действия субъекта или при одушевлённых существительных обычно употребляется предикат во **множественном** числе.

б) при пассивном характере действия или при неодушевлённых существительных обычно употребляется предикат в **единственном числе**.

 П р и м е р ы : **Несколько студентов сдали** экзамен досрочно.

           На консультации **присутствовало большинство студентов** группы.

           Более двух часов прошло с начала экзамена.

2. Конструкцию с наречием **много «много + Р. п. мн. ч.»** необходимо отличать от конструкции с прилагательным **многие «многие + И. п. мн. ч.»**: *много студентов* и *многие студенты.*

Если субъект выражен сочетанием существительного со словом **много**, предикат ставится в единственном числе.

      много + Р.п. мн.ч. существительного ------------------------- **ед. ч.**

Если субъект выражен сочетанием существительного с прилагательным **многие**, предикат ставится во множественном числе.

      многие + И. п. мн.ч. существительного ----------------------- **мн. ч.**

           П р и м е р ы : **Много рабочих** (Р. п.) **трудится** на строительстве школы.

      Многие рабочие (И. п.) **трудятся** на строительстве школы.

      Много студентов (Р. п.) **слушало** лекции профессора.

      Многие студенты (И. п.) **слушали** лекции профессора.

      Много книг этого писателя **опубликовано** в детском издательстве.

      Многие книги этого писателя **опубликованы** в детском издательстве.

ЗАДАНИЯ

1. Укажите на количество лиц и предметов, записав числа словами и употребив их в правильной форме.

М о д е л ь :

     Лекция продолжается 1 час 30 минут. –

     *Лекция продолжается **один час тридцать минут**.*

1. В нашей группе 21 студент: 20 девушек и только 1 юноша.

2. В аудитории 1 большое окно и 1 дверь.

3. Для экзамена по истории нужно выучить 22 вопроса.

4. Во время дискуссии обсуждались 2 взгляда на эту проблему.

5. Существует 2 точки зрения на решение этого вопроса.

6. Из-за болезни студент пропустил в университете 2 недели.

7. На нашем курсе учится 81 человек, среди них 52 студентки и 29 студентов.

8. Я должен вернуть в библиотеку 22 книги и 2 словаря.

9. На этом факультете учится более 150 человек.

10. До начала летних каникул осталось 2 месяца.

2. Укажите на количество лиц и предметов, употребив числительные и слова в скобках в правильной форме.

М о д е л ь:

Словарь стоит 125 ... (рубль). —
*Словарь стоит **сто двадцать пять рублей.***

1. Билет в автобусе стоит 24 ..., а если покупать его у водителя, то он стоит 28 ... (рубль)

2. Я выучила к экзамену 25 ..., осталось повторить ещё 3 ... (вопрос)

3. На факультет поступили 82 ..., после первой сессии были отчислены 6 ... (человек)

4. Самолёт из Москвы в Пекин летит 6 ..., а из Москвы в Прагу 2 ... (час)

5. Батон хлеба стоит 22 ..., а булочка — 15 ... (рубль)

6. В здании 11 ..., 1 ... занимает библиотека, 2 ... занимает исторический факультет. (этаж)

7. Бакалавры учатся в университете 3 ..., а магистранты 2... (год)

8. В среду по расписанию у нас 2 ... , а в пятницу только 1 ... (лекция).

3. Прочитайте текст. Укажите на количество, записав числа и существительные словами и поставив их в правильной форме.

М о д е л ь:

Семья очень важна для 88% россиян. —
*Семья очень важна для **восьмидесяти восьми процентов россиян.***

Ознакомьтесь со статистическими данными, опубликованными в декабре 2009 г. В настоящее время среди россиян 14% холосты или не замужем и никогда не состояли в браке, 59% имеют официального и 6% гражданского супруга, 2% не состоят в браке, но имеют постоянного партнёра, 9% разведены и 10% вдовствуют. Согласно исследованиям социологов, 88% россиян отмечают, что семья для них очень важна, 11% — что скорее важна. Значимость семьи нарастает с увеличением возраста: семья очень важна для 82% россиян моложе 22 лет, для 88% россиян от 31 года до 50 лет и для 93% россиян старше 60 лет.

(Из статьи Ю.П. Лежниной «Семья в ценностных ориентациях», — журнал «Социлогические исследования», 2009, № 12)

4. Укажите на определённое количество, употребив числительные в скобках в правильной форме.

М о д е л ь :

У меня две подруги – Аня и Катя. ... подруги любят спорт. (оба, обе)

У меня две подруги – Аня и Катя. Обе подруги любят спорт.

1. У Марины ... сыновей и ... дочери. ... сына – школьники, ... дочери – студентки. (2, 2, оба, обе)

2. – Какой артист тебе больше нравится – Андреев или Морозов? – Мне они ... нравятся. (оба, обе)

3. – Какое пирожное ты предпочитаешь: наполеон или эклер? – Я люблю ... (оба, обе)

4. Я живу на улице Льва Толстого, а мой друг живёт на улице Гоголя. ... улицы носят название русских писателей (оба, обе).

5. В моей комнате ... окна, ... окна выходят в парк. (2, оба, обе)

6. В нашей студенческой группе 12 человек: ... студенток и только ... студента. (10, 2)

7. На факультете ... известных учёных получили международную премию. (2)

8. В классе учится ... мальчиков, ... мальчиков – отличники. (7, 3)

9. ... друзей решили отправиться летом в поход на Кавказ. (4)

10. Сколько человек в вашей группе? – ..., из них только ... мальчиков. (15, 3)

5. Употребите предикат в правильной форме.

М о д е л ь :

Четыре телеканала ... эту новость. (сообщило, сообщили) –

Четыре телеканала сообщили эту новость.

1. Много выпускников университета ... в иностранных фирмах. (работает, работают).

2. Эту телепередачу ... миллион телезрителей. (посмотрел, посмотрели)

3. Двадцать две девушки из нашего класса ... в университет. (поступило, поступили)

4. После войны ... семьдесят лет. (прошло, прошли)

5. Сколько студентов ... на экскурсию? (поехало, поехали)

6. Четыре студента ... к профессору после лекции. (подошло, подошли)

7. С нашей последней встречи ... две недели. (прошло, прошли)

8. На почте мной ... тысяча рублей от родителей. (получена, получены)

9. Большинство студентов университета ... спортом. (занимается, занимаются)

10. В соревнованиях ... восемьдесят один спортсмен. (участвововал, участвовали)

6. Укажите на количество, употребив слово *много* **или** *многие.*

М о д е л ь :

На лекции я узнал ... интересных фактов. –

На лекции я узнал много интересных фактов.

1. ... учёные проявляют большой интерес к этой проблеме.

2. На собрании обсуждалось ... вопросов.

3. Принятие нового закона поддержали ... депутаты парламента.

4. ... трудностей и ... открытий ждёт нас впереди.

5. ... люди считают, что главное в жизни — удача.

6. ... людей собралось на площади на митинг.

7. На успех в бизнесе влияют ... факторы.

8. Результаты этого открытия будут оценены лишь через ... лет.

9. ... известных учёных училось в нашем университете.

10. ... российские учёные благодаря своим открытиям знамениты в мире.

7. Укажите на количество, употребив конструкцию со словом *много* **вместо конструкции со словом** *многие.*

М о д е л ь :

Многие студенты занимаются спортом. —
Много студентов *занимается спортом.*

1. Многие исторические факты стали известны только в наше время.

2. Вопросы социальной поддержки затрагивают многие семьи.

3. Многие регионы страны имеют проблемы с экологией.

4. В городе восстановлены многие архитектурные памятники.

5. Многие работники потеряли работу в период экономического кризиса.

6. В Китае многие люди занимаются малым бизнесом.

7. Мировой экономический кризис затронул многие страны.

8. В период кризиса многие банки и компании стали банкротами.

9. В России многие предприятия модернизируют производство.

10. Многие успешные деловые женщины в России начинали работу в бизнесе с розничной торговли.

8. Ответьте на вопросы, используя информацию в скобках.

1. Сколько челове́к у́чится в ва́шей гру́ппе? (21)

2. Ско́лько студе́нтов пришло́ на экза́мен? (6)

3. Ско́лько нау́чных стате́й подгото́влено на ка́федре? (12)

4. Ско́лько люде́й слу́шало выступле́ние поли́тика? (бо́лее 1000)

5. Ско́лько студе́нтов прису́тствовало на ле́кции? (около 60)

6. Ско́лько иностра́нных стажёров пое́хало на экску́рсию? (31)

7. Ско́лько вариа́нтов обе́да предлага́ется в студе́нческой столо́вой? (2)

8. Ско́лько друзе́й прие́хало встреча́ть его́ в аэропо́рт? (более 6)

9. Ско́лько мосто́в бы́ло разру́шено в результа́те наводне́ния? (2)

10. Ско́лько челове́к у́чится на пе́рвом ку́рсе? (о́коло 50)

9. Задайте вопросы о количестве, используя слово *сколько*?

1. Мне испо́лнилось 19 лет.

2. Я 2 года занима́лся на подготовительных курсах, прежде чем поступить в университет.

3. В на́шей гру́ппе у́чится четы́ре иностра́нных студе́нта.

4. Большинство́ иностра́нных студе́нтов прие́хали в Росси́ю впервы́е.

5. Много студе́нтов из разных стран живёт в общежи́тии университе́та.
6. Стажировка в университете продлится 2 месяца.
7. Во время сессии я должен сдать 4 экзамена и 3 зачёта.
8. Обучение бакалавров продолжается 3 года, а обучение магистров – 2.
9. Аспирант писал диссертацию 4 года.
10. Пять баллов получает студент, показавший отличные знания на экзамене.

10. Работаем в парах. Задайте вопросы коллегам о количественном соотношении мужчин и женщин в населении их страны. Спросите о количественном составе семьи, типичном для их страны, о возрасте, в котором люди обычно вступают в брак, о размере средней заработной платы и распределении семейного бюджета.

11. Составьте рассказ о роли женщин в вашей стране, привлекая статистическую информацию. Используйте различные конструкции, выражающие определённое и неопределённое количество.

ВЫРАЖЕНИЯ, ИСПОЛЬЗУЕМЫЕ УЧАСТНИКАМИ ДИСКУССИИ

1. Как выразить своё мнение

Я думаю, что ...

Я считаю, что ...

Мне кажется, что ...

Моя точка зрения такова: ...

С моей точки зрения, ...

Моё мнение заключается в следующем. ...

По моему мнению, ...

У меня есть собственный взгляд на эту проблему. Он заключается в следующем.

2. Как побудить собеседника к высказыванию, выражению своей точки зрения

Не могли бы вы сказать, ...

А что вы думаете о ...

Интересно было бы узнать ваше мнение о ...

Не могли бы вы ответить на несколько вопросов? Мне хотелось бы узнать, ...

Кто хотел бы что-нибудь добавить по этому вопросу?

3. Как выразить полное согласие

Я согласен с вами.

У меня такое же мнение.

Вы правы, я тоже так думаю.

Я поддерживаю вашу точку зрения.

Я разделяю эту точку зрения.

Я хотел бы присоединиться к мнению коллеги о ...

Хочу поддержать мнение коллеги.

Моя позиция по этому вопросу (полностью) совпадает с вашей.

4. Как выразить частичное согласие

В основном я согласен с вами, однако ...

С этим нельзя не согласиться, но...

Согласен, но при условии, что...

Безусловно, но есть один момент.

Моя позиция по этому вопросу совпадает с вашей лишь частично.

5. Как выразить несогласие

Я (абсолютно, категорически) не согласен с этой точкой зрения/с вами.

У меня другое (иное) мнение по этому вопросу.

Я не разделяю эту точку зрения.

У меня есть возражение.

Вы не правы.

Вы ошибаетесь.

Это не так.

6. Как выразить уверенность

Я уверен, что ...

Я убеждён в том, что ...

Я не сомневаюсь в том, что ...

Это не вызывает у меня никаких сомнений.

Это абсолютно справедливо.

7. Как выразить предположение

Я предполагаю, что ....

Позвольте высказать предположение, что ...

Можно предположить, что ...

Нельзя ли предположить, что ...

Давайте предположим, что ...

8. Как выразить сомнение

Ваше утверждение вызывает у меня сомнение.

Позвольте выразить сомнение в правильности Вашего вывода.

Я сомневаюсь в точности результатов исследования.

Ваше утверждение представляется мне недостаточно аргументированным.

Это утверждение, на мой взгляд, не бесспорно.

Я не уверен, что мои аргументы убедили всех.

Трудно сказать, правилен ли этот вывод, ведь рассмотрен лишь один пример.

9. Как выразить совет

Читайте научную литературу по изучаемой проблеме.

Я советую Вам послушать доклад этого ученого.

Вам надо (нужно) прочитать статью профессора Иванова.

Вам необходимо ознакомиться с результатами социологического опроса.

10. Как привести примеры, аргументы, факты

Позвольте привести один пример. ...

Вот несколько примеров, подтверждающих правильность данной точки зрения.

Приведу следующие аргументы в пользу своей позиции.

Хочу напомнить несколько фактов, подтверждающих данный вывод.

11. Как выразить вопрос

Скажите, какие факторы влияют на этот процесс?
Ответьте на вопрос: «Каков главный вывод вашего исследования?»
Известна ли вам другая точка зрения на решение этой проблемы?
Знаете ли вы, что профессор Иванов имеет другую точку зрения?

12. Как выразить последовательность информации, фактов, аргументов

Во-первых, ... Во-вторых, ... В-третьих, ...
Перечислю всё по порядку. Первое. ... .Второе. ... .Третье. ... .И наконец, ...
Прежде всего (сначала) необходимо отметить следующее. ... Затем остановлюсь на другом моменте (обстоятельстве). ... И наконец, последнее. ...
Назову причины (аргументы, факты, доказательства...) по порядку. ...

13. Как уточнить правильность понимания услышанной информации

Извините, я хотел бы уточнить некоторые моменты.
Простите, я хотел бы убедиться, правильно ли я вас понял.
Если я вас правильно понял, вы утверждаете, что ...
Возможно, вы правы, но я хотел бы уточнить некоторые детали.
Уважаемый коллега, вы действительно убеждены в правильности этого вывода?

14. Как процитировать учёного, привести цитату из статьи, книги

Как пишет профессор Иванов, «...»
По словам профессора Иванова, «...»
Приведу цитату из статьи (книги) профессора Иванова. «...»
Вот слова (цитата) из статьи Иванова. «...»
Позвольте процитировать профессора Иванова. «...»

15. Как выразить просьбу

Повторите, пожалуйста, ваш вопрос.
Пожалуйста, назовите номер журнала, в котором опубликована ваша статья.
Будьте добры, повторите ваш последний тезис.
Не могли бы вы кратко сформулировать главный вывод.
Прошу вас, назовите источник статистической информации.

СЛОВАРЬ ПАРОНИМОВ, ВСТРЕЧАЮЩИХСЯ В ТЕКСТАХ

В

Воспита́ние «Особенности поведения, сформированные семьёй, школой, средой» (*воспитание ребёнка, сына, дочери, школьника; воспитание в семье, в школе*)

Воспи́танность «Знание правил поведения в обществе» (*воспитанность человека, девушки, юноши, гостя*)

Г

Глоба́льный, -ая, -ое «Распространяющийся на весь мир, на весь земной шар» (*глобальная конкуренция, проблема; глобальный масштаб, подход; глобальное потепление*)

Глобали́стский, -ая, -ое «Связанный с движением глобалистов — сторонников глобализации» (*глобалистские идеи; глобалистское движение*)

Гуманисти́ческий, -ая, -ое «Характеризующийся человечностью и человеколюбием в общественной деятельности, в отношениях к людям» (*гуманистические идеи, поступки*)

Гуманита́рный, -ая, -ое «Связанный с науками о человеке и культуре» (*гуманитарные науки, знания, факультеты университета; гуманитарное образование*)

Гума́нный, -ая, -ое «Человечный, добрый, внимательный к другим людям» (*гуманный поступок, действие; гуманное общество, решение*)

Д

Дво́йственный, -ая, -ое «Склоняющийся то к одной, то к другой позиции, точке зрения» (*двойственное отношение, положение, влияние, решение; двойственная позиция, точка зрения*)

Двойно́й, -ая, -ое «Вдвое больший, увеличенный в два раза» (*двойной результат, эффект; двойное усилие, напряжение*)

Демокра́тия «Политическая система, при которой власть принадлежит народу» (*развивать, поддерживать, устанавливать демократию*)

Демократи́чность «Простота в поведении, в общении с людьми (обычно о человеке, который занимает высокое социальное положение) (*проявлять, демонстрировать демократичность*)

Дохо́д «Деньги, получаемые государством, фирмой или частным лицом от своей деятельности или от деятельности своей фирмы» (*национальный, трудовой, чистый доход; доход фирмы, компании, предприятия, семьи, гражданина, работника*)

Дохо́дность «Уровень всех полученных доходов; прибыльность фирмы, компании» (*высокая, низкая, средняя доходность; доходность фирмы, акций, ценных бумаг*)

Е

Еди́ный, -ая, -ое «Общий для всех» (*единый план, подход; единые правила, проблемы*)

Еди́нственный, -ая, -ое «Только один; исключительный» (*единственный сын, ребёнок; единственное решение*)

255

Ж

Же́нский, -ая, -ое «Относящийся к женщине, связанный *с женщинами*» (*женская одежда, обувь; женский журнал, праздник, день; женское сердце, общество*)

Же́нственный, -ая, -ое «Обладающий качествами, свойственными женщине, — изящный, нежный» (*женственная девушка, женственное поведение, женственные манеры*)

З

Значе́ние «Смысл, то, что данный предмет значит» (*значение слова, знака, жеста, выступления, поступка*)

Зна́чимость «Обладание значением» (*социальная, практическая значимость*)

И

Информацио́нный, -ая, -ое «Относящийся к информации — сведениям об окружающем мире, воспринимаемым человеком или специальными устройствами: радио, телевидением, Интернетом» (*информационное пространство, поле; информационная программа; информационный канал*)

Информати́вный, -ая, -ое «Содержащий информацию, характеризующий степень насыщенности информацией» (*информативный доклад; информативная беседа, передача, программа*)

Иску́сственный, -ая, -ое «Сделанный наподобие настоящего, природного; неестественный» (*искусственный камень, мрамор; искусственные цветы*)

Иску́сный, -ая, -ое «Умелый, тонко знающий своё дело специалист» (*искусный мастер, стрелок, хирург, ювелир*)

Интеллектуа́льный, -ая, -ое «Умственный, с высоко развитым интеллектом» (*интеллектуальный уровень, человек; интеллектуальная личность; интеллектуальные запросы*)

Интеллиге́нтный, -ая, -ое «Образованный, культурный, духовно развитый; свойственный интеллигенции» (*интеллигентный человек, вид; интеллигентная девушка, семья; интеллигентное поведение*)

К

Класси́ческий, -ая, -ое «Принадлежащий к разряду выдающихся, образцовых, общепризнанных произведений искусства — к классике» (*классическая музыка, литература; классическое произведение*)

Кла́ссовый, -ая, -ое «Относящийся к определённой социальной группе людей в системе общественного производства и с определённой ролью в общественной организации труда» (*классовый подход; классовое общество, противоречие*)

Ко́мплекс 1. «Группа предметов, объединённых общей функциональной идеей» (*комплекс проблем, вопросов, задач, зданий; торговый, медицинский, архитектурный комплекс*). 2. «Все связанные между собой производственных отраслей» (*образовательный, сельскохозяйственный, медицинский, топливно-энергетический, транспортный комплекс*).

Компле́кт «Полный набор предметов, составляющих что-либо целое» (*комплект учебников, оборудования, приборов, журналов, белья*)

Конкуре́нция «Соперничество, борьба за первенство, лидерство» (*конкуренция компаний, фирм, товаропроизводителей, стран*). Вне конкуренции (*фраз.*) «Выше всякого сравнения»

Конкурентоспосо́бность «Способность товаров, продукции, услуг конкурировать на рынке» (*высокая, низкая конкурентоспособность*)

М

Ма́ссовый, -ая, -ое «Производимый в большом количестве, очень многими людьми» (*массовая безработица, демонстрация; массовые увольнения, протесты; массовый митинг*)
Масси́вный, -ая, -ое «Тяжёлый, большой» (*массивная дверь, ручка, фигура; массивный памятник, шкаф*)

Мирово́й, -ая, -ое «Международный, распространяющийся на все народы мира — земного шара, нашей планеты» (*мировая политика, экономика, война; мировой рынок, кризис*)
Ми́рный, -ая, -ое «Основанный на согласии, мире, дружбе, а не на вражде или конфликте» (*мирный народ, характер, труд, процесс; мирная жизнь, обстановка; мирное время*)

Н

Населе́ние «Все жители, люди, проживающие на определённой территории» (*население города, страны, региона, посёлка, государства*)
Населённость «Количество населения на определённой территории» (*большая, малая, средняя населённость*)

Национа́льный, -ая, -ое «Свойственный данной нации, выражающий её характер» (*национальный костюм, обычай, праздник; национальное блюдо; национальная кухня, традиция*)
Националисти́ческий, -ая, -ое «Свойственный национализму — идеологии и политике, основанных на идее превосходства одной нации над другими» (*националистическая идея, теория; националистические взгляды, выступления*)

Низово́й, -ая, -ое «Обслуживающий массы людей» (*низовая организация, культура*)
Ни́зкий, -ая, -ое 1. «Малый по высоте» (*низкий рост, дом; низкая гора; низкое здание*). 2. «Перен. Плохой, плохого качества» (*низкое качество, положение; низкий уровень обслуживания*)

О

Образова́ние 1. «Процесс усвоения знаний, обучение, просвещение» (*система образования, право на образование, развитие образования, народное образование*). 2. «Все знания, полученные в процессе систематического обучения» (*среднее, высшее, техническое, медицинское образование*)
Образо́ванность «Степень владения знаниями, наличие знаний, культурность» (*образованность человека, студента, девушки; показать, продемонстрировать образованность*)

Образова́тельный, -ая, -ое «Служащий для образования, содействующий получению знаний» (*образовательное учреждение, образовательный проект, образовательная система, образовательная экскурсия*)
Образо́ванный, -ая, -ое «Получивший образование, имеющий разносторонние знания» (*образованный человек, студент, образованная женщина*)

Обще́ственный, -ая, -ое «Связанный с обществом» (*общественный долг, транспорт; общественное имущество, движение; общественные проблемы, отношения, связи, науки*)
О́бщий, -ая, -ее «Принадлежащий или свойственный всем людям, коллективный» (*общее правило; общая задача; общие свойства, недостатки, проблемы, ошибки*)

Окружа́ющий, -ая, -ее «Такой, который окружает кого-либо или что-либо» (*окружающий мир; окружающая среда, природа, обстановка; окружающее пространство*)

Окружно́й, -ая, -ое «Расположенный по кругу; идущий вокруг чего-либо» (*окружной путь, окружная дорога, магистраль; окружное шоссе*)

Оте́чественный, -ая, -ое «Находящийся в отечестве — стране, где родился человек и гражданином которой он является» (*отечественная промышленность, продукция; отечественное производство, сельское хозяйство; отечественные товары*)

Оте́ческий, -ая, -ое «Связанный с отцом, отцовский, родительский; заботливый, покровительственный» (*отеческая забота, любовь, поддержка, помощь; отеческий совет; отеческое наставление*)

Очистно́й, -ая, -ое «Служащий для очистки чего-либо» (*очистное устройство; очистной механизм; очистные сооружения*)

Очи́щенный, -ая, -ое «Такой, который очистили, сделали чистым» (*очищенная дорога, улица, вода; очищенный путь, бассейн, двор, пруд*)

П

Пе́репись «Официально производимый государством полный массовый учёт людей или предметов» (*перепись населения, жителей, документов, предприятий, объектов*)

Перепи́ска «Обмен письмами» (*переписка с друзьями, с родителями, с деловыми партнёрами*)

Полити́ческий, -ая, -ое «Относящийся к политике» (*политический вопрос, лидер; политическая проблема, ситуация, дискуссия, ошибка; политическое устройство*)

Полити́чный, -ая, -ое «Вежливый в обращении, предусмотрительный, дипломатичный» (*политичный собеседник, поступок; политичное поведение*)

Потребле́ние «Использование, расходование чего-либо для своих нужд» (*потребление электроэнергии, воды, топлива, продуктов питания*)

Потре́бность «Необходимость, нужность чего-либо для жизни» (*потребность в знаниях, в рабочей силе, в воде и продуктах питания*)

Практи́ческий, -ая, -ое «Связанный с практикой — работой, реально преобразующей окружающий мир, действительность» (*практический опыт; практическая деятельность, работа, польза, помощь; практическое занятие, преподавание*)

Практи́чный, -ая, -ое «Деловитый, умеющий разбираться в жизненных делах» (*практичный человек, подход, метод, расчёт; практичное решение*)

Предлага́ть «Давать кому-либо для выбора, для обсуждения, для выполнения работы» (*предлагать работу, товары, услуги, продукцию предприятия, льготы*)

Предполага́ть «Делать догадку, думать, что будет именно так» (*предполагать действия, поведение, реакцию, поступок, ответ, решение, ход событий*)

Предоставля́ть/предоста́вить (что?) «Давать в пользование кому-либо» (*предоставлять условия для работы, возможности, помещение, здание*)

Представля́ть/предста́вить (кого? что?) 1. «Показывать, предъявлять, сообщать информацию» (*представлять документ, справку, сведения, доказательства*); 2. «Действовать от имени кого-либо, защищая его интересы» (*представлять государство, фирму, компанию, партию, социальную группу*)

Предпринима́тельство «Бизнес; деятельность в экономической, финансовой сфере» (*развивать, поддерживать предпринимательство*)

Предприи́мчивость «Качество характера: активность и находчивость, соединённые с энергией и практичностью» (*проявлять, демонстрировать предприимчивость*)

Р

Рабо́чий (в знач. сущ.) «Человек, профессионально занимающийся физическим трудом на производстве, строительстве, ремонтных работах» (*рабочий на заводе, на фабрике, на стройке; железнодорожный, строительный, сельскохозяйственный рабочий*)

Рабо́тник «Человек, профессионально занимающийся какой-либо работой, деятельностью» (*работник предприятия, банка, фирмы, компании, издательства; научный работник*)

Развито́й, -а́я, -о́е «Достигший высокого уровня развития» (*развитая промышленность, экономика, система транспорта; развитое сельское хозяйство*)

Развива́ющийся, -аяся, -ееся «Находящийся в процессе развития» (*развивающаяся страна, экономика, промышленность*)

Рожде́ние «Появление человека на свет» (*рождение ребёнка, человека, сына, дочери*)

Рожда́емость «Количество рождений за определённый период времени» (*высокая, низкая, средняя рождаемость*)

Росси́йский, -ая, -ое «Связанный с Россией, с государством Россия» (*российский флаг, гимн, гражданин; российское государство, посольство; российская граница*)

Ру́сский, -ая, -ое «Связанный с национальностью, с восточнославянским народом» (*русский язык, народ, человек, писатель; русская культура, природа, кухня; русское гостеприимство, блюдо*)

С

Сле́дствие (чего?) «Вывод, результат, обстоятельство, вытекающее из какого-либо действия» (*следствие поступка, поведения, ошибки*)

Сле́дование (чему?) «Поступок, подобный кому-либо» (*следование традициям, обычаям, правилу, этикету, моде*)

Социа́льный, -ая, -ое «Связанный с жизнью людей в обществе; общественный» (*социальный процесс, закон; социальная проблема, наука; социальное обеспечение*)

Социалисти́ческий, -ая, -ое «Связанный с социализмом — общественным устройством, основанном на социальной справедливости, свободе, равенстве» (*социалистическая система, революция, идея; социалистическое учение, движение; социалистическая партия, теория; социалистические принципы*)

Стари́нный, -ая, -ое «Древний, сохранившийся с древних времён» (*старинная живопись, музыка, картина, мебель, традиция; старинный обычай, дом*)

Ста́рый, -ая, -ое 1. «Не молодой по возрасту, достигший старости» (*старый человек, дедушка; старая знакомая, женщина*). 2. «Давно известный, не новый» (*старый друг; старая истина; старое здание*)

Т

Те́хника «Средства труда, машины, устройства, которые используются для создания материальных ценностей» (*современная, строительная, противопожарная, снегоуборочная техника*)

Техноло́гия «Методы и процессы, которые применяются в производстве» (*передовая, современная, отсталая, устаревшая, новейшая технология*)

Тради́ция 1. «То, что переходит от одного поколения к другому с помощью устной передачи» (*старая, новая, национальная традиция*). 2. «Обычай, сформировавшийся порядок в чём-либо» (*традиция в поведении, в быту, в семье*)

Традицио́нность «Следование традиции. Основанность на традиции» (*традиционность во взглядах, в поведении, в поступках, в стиле отношений*)

Трудово́й, -ая, -ое «Связанный с трудом» (*трудовое соглашение, законодательство; трудовой договор, коллектив; трудовые деньги, сбережения*)

Тру́дный, -ая, -ое «Требующий большого труда, больших усилий, большого умственного или физического напряжения» (*трудный вопрос, текст: трудная проблема, ситуация, жизнь*)

Туристи́ческий, -ая, -ое «Относящийся к туризму — виду спорта или путешествий» (*туристическая фирма, компания, поездка; туристический поход*)

Тури́стский, -ая, -ое «Относящийся к туристу — человеку, занимающемуся туризмом, к участнику похода или путешествия» (*туристская палатка; туристский маршрут; туристское снаряжение*)

Ц

Цена́ «Стоимость товара, услуг в деньгах» (*стоимость товара, продукции, услуг*)

Це́нность 1. «Важность, значимость для человека, общества» (*ценность жизни, дружбы, любви*). 2. Обычно мн. «Важные для человека явления, события, предметы» (*духовные, культурные, семейные, материальные ценности*)

Э

Экономи́ческий, -ая, -ое «Связанный с экономикой, хозяйственный» (*экономическая политика; экономический кризис, факультет; экономическое исследование, развитие страны*)

Экономи́чный, -ая, -ое «Выгодный в хозяйственном отношении, дающий возможность сэкономить» (*экономичный способ, метод, подход; экономичное производство*)

Эконо́мный, -ая, -ое «Тот, кто бережливо использует, расходует всё; соблюдающий экономию» (*экономный человек, хозяин; экономная жена, хозяйка*)

Элита́рный, -ая, -ое «Принадлежащий лучшим представителям общества; высшему, привилегированному слою правящей части общества» (*элитарная культура, группа*)

Эли́тный, -ая, -ое «Относящийся к лучшим, отборным видам предметов, сортам растений или породам животных» (*элитный дом, сорт; элитная порода*)

Энергети́ческий, -ая, -ое «Связанный с энергетикой — сферой экономики по использованию разных видов энергии — атомной, тепловой, ветра, воды» (*энергетические ресурсы, запасы; энергетическая система, проблема; энергетическое сотрудничество; энергетический проект, институт, факультет*)

Энерги́чный, -ая, -ое «Активный, решительный, полный энергии» (*энергичный человек, работник, студент; энергичные меры, действия*)

СЛОВАРЬ АКТИВНОЙ ЛЕКСИКИ

А

Абитуриéнт
Автостóп
Автотрáнспорт
Адаптúроваться
Актуáльный, -ая, -ое
Альтернатúва
Альтернатúвный, -ая, -ое
Антиглобалúзм
Антиглобалúст
Антиглобалúстский, -ая, -ое
Антигумáнный, -ая, -ое
Архитéктор
Аспирáнт
Аспирантýра
Астрономúя
Атмосфéра = обстанóвка
Атомная стáнция
Аттестáт зрéлости

Б

Бакалавриáт
Барьéр
  (*какой?*) психологúческий, культýр-
ный...
Бéдный, -ая (*в знач. сущ.*)
Безрабóтица
  (*какая?*) официáльная, реáльная...
Безрабóтный (*в знач. сущ.*)
Бесплáтно
Бúзнес = предпринимáтельство
  (*какой?*) крýпный, срéдний, мéлкий
Бúржа трудá
Благополýчие
Благоприя́тный -ая, -ое = хорóший,
положúтельный, позитúвный

(продолжение)

Благосостоя́ние
Богáтый, -ая (*в знач. сущ.*)
Большáя восьмёрка (Группа ведущих эко-
номически развитых стран мира)
Быт
Бюджéт

В

В жéнских рукáх = у жéнщины
Взаимодéйствие
  (*чего с чем?*)
Вúза
Вúзовый режúм
Власть, *ж.*
  (*какая?*) госудáрственная, партúйная...
Влия́ние
  (*какое?*) неблагоприя́тное, опáсное...
  (*на когó? на что?*) на человéка, на при-
рóду...
Влия́тельный, -ая, -ое
Возглавля́ть/возглáвить (*что?*) компáнию,
фúрму... = руководúть (*чем?*), быть во главé
Воздéйствие = влия́ние
  (*какое?*) неблагоприя́тное, опáсное...
  (*на что?*) на прирóду, на окружáющую
средý...
Возмóжности
Воспитáние (*когó?*) детéй, ребёнка...
Восприя́тие
Вставáть/встать на учёт
  (*где?*) на бúрже трудá
Вступúтельные экзáмены
ВТО (Всемúрная торгóвая организáция)
Вы́года
Вы́годный, -ая, -ое
Вы́зов

Выпускни́к

   (*чего?*) шко́лы, университе́та...

Высо́кие техноло́гии, *мн.*

Высококвалифици́рованный, -ая, -ое

Вы́сшее уче́бное заведе́ние (вуз)

Г

Гаранти́ровать

Гармони́чный, -ая, -ое

Генети́ческий, -ая, -ое

Гимна́зия

Глобализа́ция

Глоба́льный, -ая, -ое = всеми́рный, -ая, -ое

Горнолы́жный

Го́род-гига́нт

Горожа́нин, горожа́нка, *ж.*

Госуда́рственный комите́т стати́стики

Граждани́н, гражда́нка, *ж.*

Гражда́нское о́бщество

Грани́ца

   (*какая?*) госуда́рственная, простра́н-
ственная, временна́я

Гуманисти́ческий, -ая, -ое

Д

Да́нные, *мн.* = информа́ция

Да́ча

Движе́ние

   (*какое?*) обще́ственное, полити́ческое...

Делова́я же́нщина = би́знес-леди

Делова́я хва́тка (*разг.*) = быстрота́
   и ло́вкость в рабо́те

Демографи́ческая ситуа́ция

Демографи́ческие проце́ссы

Демогра́фия

Демократи́ческий, -ая, -ое

Демокра́тия

Дере́вня

Де́ятель

   (чего?) иску́сства, нау́ки

Де́ятельность, *ж.*

Диало́г = разгово́р

Дина́мика

   (*чего?*) разви́тия, проце́сса...

Дипло́м

Дожива́ть/дожи́ть

   (*где?*) в дере́вне, в ста́ром до́ме...

Докуме́нт

Достиже́ние

   (*какое?*) нау́чное, техни́ческое...

   (*чего?*) нау́ки, те́хники...

Досту́пность, *ж.*

   (*чего?*) образова́ния

Досту́пный, -ая, -ое = недорого́й, дешёвый

Досу́г

Дохо́ды, *мн.*

   (*кого? чего?*) населе́ния, семьи́, гра́ж-
дан, фи́рмы...

Е

Еди́ный госуда́рственный экза́мен (ЕГЭ)

Еженеде́льник

Ехать/прие́хать на за́работки

Ж

Же́нщина (*какая?*) ру́сская, кита́йская...

Же́нственный, -ая, -ое

Жизнедея́тельность, *ж.*

З

Забо́тливый, -ая, -ое

Заго́родный

Загрязне́ние

   (*чего?*) окружа́ющей среды́, во́здуха, ре-
ки́, атмосфе́ры...

Загрязня́ть/загрязни́ть

   (*что?*) во́здух, окружа́ющую среду́, ре-
ку́, атмосфе́ру...

Зако́н

   (*какой?*) об охра́не окружа́ющей среды́...

   (*чего?*) приро́ды, фи́зики, нау́ки...

Законода́тельство

   (*какое?*) госуда́рственное, иммиграци-
о́нное...

Закономе́рность, *ж.*

Законопослу́шность, *ж.*

Занима́ться (*чем?*) би́знесом,
   поли́тикой...

За́нятость, *ж* (*чего?*) населе́ния

За́работная пла́та = зарпла́та (*разг.*)

   (*какая?*) ни́зкая, высо́кая, ма́ленькая,
больша́я...

Зарпла́та (за́работная пла́та)

Затра́ты = расхо́ды

«Зелёные», мн. (в знач. сущ) = участники Green Peace
Значе́ние = влия́ние, обще́ственная роль
(кого? чего?) поли́тика, собы́тия

И

Игра́ть роль = (перен.) име́ть значе́ние
(в чём?) в о́бществе, в ми́ре
Идеоло́гия
Име́ть значе́ние
Ими́дж = о́браз
(какой?) положи́тельный, отрица́тельный, привлека́тельный...
Иммигра́нт
(какой?) лега́льный, нелега́льный, зако́нный, незако́нный...
Иммигра́ция
(какая?) крупномасшта́бная
Импорт
(чего?) проду́кции, това́ров...
Импорти́ровать
(что?) проду́кцию, това́ры...
Иму́щество = со́бственность, ж.
(что?) фина́нсы, сре́дства...
Инвести́ровать = вкла́дывать
(что?) сре́дства, фина́нсы...
(во что?) в прое́кт, в строи́тельство, в созда́ние предприя́тия...
Инвести́ции, мн.
Индивидуа́льный, -ая, -ое
Иннова́ции, мн.
Инновацио́нный, -ая, -ое
Интеграти́вный, -ая, -ое = объедини́тельный, -ая, -ое
Интегра́ция
Интегра́ция = объедине́ние
(чего?) эконо́мик, культу́р...
Интеллектуа́льная эмигра́ция
Интеллектуа́льный, -ая, -ое
Интере́с
Интересова́ться
(чем?) спо́ртом, теа́тром...
Информацио́нное простра́нство
Информацио́нные техноло́гии, мн.
Инфраструкту́ра
(чего?) го́рода, райо́на, посёлка...
Иссле́дование

Исти́нно = по́длинно
Исто́чник
(чего?) разви́тия, загрязне́ния...

К

Ка́мень преткнове́ния (фразеологи́ческий оборот) = неразреши́мая пробле́ма
Кани́кулы
Карье́ра (какая?) профессиона́льная, служе́бная
Каса́ться/косну́ться (чего?) вопро́са, пробле́мыКатакли́змы
Ка́чество
Квалифика́ция
Квалифици́рованный специали́ст
Кво́та = ограниче́ние
(на что?) на въезд в страну́, на рабо́ту...
Кинотеа́тр
Клони́рование
Коллекти́в
Колосса́льный, -ая, -ое = огро́мный, -ая, -ое
Коммерциализа́ция
(чего?) образова́ния, медици́нского обслу́живания...
Комме́рческий, -ая, -ое
Коммуникацио́нное простра́нство
Коммуникацио́нные се́ти, мн.
Компью́терные техноло́гии, мн.
Конкурентоспосо́бность, ж.
Конкуре́нция
Консервати́вность, ж.
Констру́кти́вный, -ая, -ое
Концентра́ция
(чего?) населе́ния, произво́дства...
Копи́ровать = повторя́ть
(кого? что?) ли́дера, путь, ме́тоды, поведе́ние...
Корпора́ция
Крах
(чего?) поли́тики, систе́мы...
Кри́зис
(какой?) экономи́ческий, полити́ческий...
(чего?) культу́ры, эконо́мики...
Криминоге́нный, -ая, -ое
Крите́рий

(какой?) экономи́ческий, образова́тельный...

Культу́ра

(кака́я?) высо́кая, низова́я

Л

Легити́мный, -ая, -ое = зако́нный, -ая, -ое
Ли́дер *(чего?)* па́ртии, госуда́рства...
Лице́й
Лицо́ = о́блик

(чего?) культу́ры, о́бщества...

Льго́ты, *мн.*

(каки́е?) социа́льные, де́нежные, материа́льные...

М

Магистрату́ра
Ма́ссовый, -ая, -ое
Матема́тика
Материа́льный, -ая, -ое = фина́нсовый, де́нежный
Матери́нство
Мегапо́лис = го́род-гига́нт
Медали́ст
Меда́ль, *ж.*

(кака́я?) золота́я, сере́бряная...

Междунаро́дный валю́тный фонд (МВФ)
Ме́ры
Ме́сто жи́тельства
Мигра́нт

(какой?) зако́нный, незако́нный, трудово́й, транзи́тный...

Мигра́ция

(кака́я?) вне́шняя, вну́тренняя, интеллектуа́льная, нелега́льная...

(куда?) в го́род, в другу́ю страну́, в друго́й регио́н...

Миллиарде́р
Ми́нус = отрица́тельный фа́ктор
Многоде́тная семья́
Мора́ль, *ж.* = нра́вственность, *ж.*
Моти́в = сти́мул
Му́сор

Н

Набо́р *(чего?)* ка́честв, сво́йств
Нало́г

(какой?) подохо́дный
Нало́говые поступле́ния
Налогообложе́ние
Налогоплате́льщик
Напряжённость, *ж.*
Наруша́ть/нару́шить

(что?) равнове́сие, зако́н, пра́вила...

Населе́ние
Населённый пункт
Наси́лие
НАТО (Североатланти́ческий вое́нно-полити́ческий блок)
Нау́ка

(кака́я?) гуманита́рная, есте́ственная, универса́льная...

Наукоёмкий, -ая, -ое
Нау́чно-техни́ческий прогре́сс
Национали́ст
Национа́льная угро́за
Невостре́бованность, *ж.*

(кого?) учёных, специали́стов...

Нера́венство

(како́е?) социа́льное, иму́щественное...

Нефтепрово́д
Но́рма

(чего?) поведе́ния...

Нра́вственный, -ая, -ое
Нужда́ться

(в чём?) в рабо́те, в жилье́, в по́мощи, в подде́ржке, в деньга́х...

О

Обеспе́ченный, -ая, -ое = бога́тый, -ая, -ое, фина́нсово состоя́тельный, -ая, -ое
Обогаща́ть/обогати́ть
Обору́дование
Образ жи́зни
Образова́ние

(како́е?) вы́сшее, сре́днее...

Обслу́живание *(кого?)* клие́нтов...
Обще́ние
Обще́ственные отноше́ния = социа́льные отноше́ния
Общество
Общечелове́ческий, -ая, -ое
Объекти́вный, -ая, -ое
Огоро́д

Одноро́дность, *ж.* = однообра́зие
Окружа́ющая среда́
Олимпиа́да
    (*какая?*) междунаро́дная, росси́йская...
    (*по какому предмету?*) по матема́тике, по геогра́фии...
Опережа́ть/опереди́ть
    (*кого? что?*) конкуре́нта, страну́
Опла́та
    (*чего?*) труда́, рабо́ты, това́ра, зака́за...
Оппозицио́нный, -ая, -ое
Осва́ивать/осво́ить
    (*что?*) профе́ссию, специа́льность, ме́тод рабо́ты...
Оте́чественный
Откры́тие
    (*какое?*) нау́чное, географи́ческое, истори́ческое...
Отождествля́ть
    (*что?*) нау́ку и культу́ру...
Отпуск
Отрасль, *ж.*
    (*чего?*) эконо́мики, хозя́йства, промы́шленности...
Отстава́ние
    (*в чём?*) в нау́ке, в эконо́мике, в культу́ре...
    (*какое?*) нау́чное, экономи́ческое, культу́рное...
Отстава́ть/отста́ть
    (*от кого? от чего?*) от конкуре́нта, от страны́...
Отхо́ды, *мн.*
    (*какие?*) промы́шленные, му́сорные, радиоакти́вные...
Охо́та
Оце́нка
    (*какая?*) отли́чная, хоро́шая, удовлетвори́тельная...
Очарова́тельный, -ая, -ое
Очистно́е устро́йство

П

Па́ртия
    (*какая?*) пра́вящая, оппозицио́нная, социалисти́ческая...
Па́русный
Пенсионе́р

Переквалифика́ция
    (*кого?*) сотру́дников, специали́стов, рабо́тников...
Пе́репись, *ж.*
    (*чего?*) населе́ния
Переселе́ние
Плани́рование
Пла́тный, -ая, -ое
Плюс = положи́тельный фа́ктор
Повседне́вность, *ж.*
Пограни́чный контро́ль, *м.*
Подраба́тывать/подрабо́тать
    (*где?*) на стро́йке, в кафе́...
Подчине́ние
    (*кому? чему?*) руководи́телю, ли́деру, зако́ну, пра́вилам...
Показа́тель, *м.*
    (*чего?*) ро́ста, сниже́ния, дина́мики...
Показа́тель иммигра́ции
    (*какой?*) среднегодово́й
Полнопра́вный, -ая, -ое
Поп-культу́ра
Пополне́ние
    (*чего?*) населе́ния, семьи́...
Посвяща́ть/посвяти́ть
Посёлок
Посеще́ние
    (*чего?*) вы́ставки, музе́я...
После́дствия, *мн.* = результа́ты
    (*чего?*) мигра́ции, поли́тики
    (*какие?*) позити́вные, негати́вные, опа́сные...
Посо́бие
    (*какое*) де́нежное, де́тское...
Пост = до́лжность, *ж.*
Потенциа́л
    (*чего?*) страны́, госуда́рства, нау́ки, эконо́мики...
Потреби́тельская корзи́на
Потребле́ние
Права́, *мн.*
    (*кого?*) челове́ка, граждани́на...
Предпочте́ние
Предприи́мчивость, *ж.* = нахо́дчивость и практи́чность
Предпринима́тель, *м. и ж.* = бизнесме́н
Предпринима́тельство = би́знес
Представи́тель

265

Прекра́сный пол = о же́нщинах
Преоблада́ть
Прести́жный, -ая, -ое
Преступле́ние
Приватиза́ция
    (*чего?*) госуда́рственной со́бственности, иму́щества, предприя́тия...
Приватизи́ровать
    (*что?*) заво́д, предприя́тие, госуда́рственную со́бственность...
Привилегиро́ванный, -ая, -ое
Приобрета́ть/приобре́сти черты́
Приорите́т = пе́рвенство, главе́нство
Приорите́тный, -ая, -ое
Приро́да
Приро́дные ресу́рсы, *мн.*
Проводи́ть/провести́ (*что?*) опро́с
Провока́ция
Прогно́з
Прогу́лка
Продолжи́тельность, *ж.*
    (*чего?*) жи́зни, де́ятельности...
Проду́кция
    (*какая?*) промы́шленная, наукоёмкая, оте́чественная, и́мпортная...
Прое́кт
Прожи́точный ми́нимум
Производи́тельность труда́
Промы́шленная зо́на
Промы́шленное предприя́тие
Промы́шленное произво́дство
Пропаганди́ровать
    (*что?*) иде́и, филосо́фию, взгля́ды...
Протекциони́зм = защи́та
Проте́ст
    (*какой?*) ма́ссовый, гражда́нский, акти́вный...
    (*против чего?*) про́тив поли́тики, про́тив монопо́лий, про́тив войны́...
Протестова́ть
    (*против чего?*) про́тив поли́тики, про́тив монопо́лий, про́тив войны́...
Противоде́йствие
    (*чему?*) въе́зду, зако́ну, поли́тике...
Противоре́чие = антогони́зм
Профессионали́зм (*кого?*) рабо́тника
Профессиона́льный, -ая, -ое

Профе́ссия
Профсою́зы, *мн.*
Проце́сс
Проявле́ние
    (*чего?*) глобализа́ции, интегра́ции, проце́сса...
Публи́чный, -ая, -ое = откры́тый для о́бщества
Путеше́ствовать
    (*где?*) по Росси́и, за грани́цей...

Р

Рабо́чая си́ла
Рабо́чие места́, *мн.*
Рабо́чий класс
Равнове́сие = гармо́ния
Радиоакти́вные отхо́ды, *мн.*
Разви́тие
    (*какое?*) нау́чное, экономи́ческое, культу́рное...
Ра́звитый, -ая, -ое
Размеще́ние
Разноро́дность, *ж.*
Разруша́ться/разру́шиться
Распростране́ние = тиражи́рование
Распространённый, -ая, -ое
Расслое́ние
    (*чего?*) о́бщества, населе́ния...
Расцве́т
    (*чего?*) культу́ры, нау́ки...
Расшире́ние
    (*чего?*) произво́дства, торго́вли, сотру́дничества...
Реализа́ция
    (*чего?*) прое́кта, пла́на...
Реализо́вывать/реализова́ть
    (*что?*) план, иде́ю; спосо́бности, возмо́жности...
Регио́н
    (*чего?*) страны́, плане́ты...
Регионализа́ция
Ре́йтинг
    (*чего?*) городо́в, стран, компа́ний...
Ре́ктор
    (*чего?*) университе́та, институ́та...
Реструктури́ровать
    (*что?*) эконо́мику, систе́му...

Ресу́рс
(чего?) разви́тия, эконо́мики...
Ресу́рсы (мн.)
(какие?) приро́дные, фина́нсовые, интеллектуа́льные, челове́ческие...
Рефо́рмы (мн.)
(какие?) полити́ческие, экономи́ческие, социа́льные...
Рожда́емость, ж.
Рожда́ться/роди́ться
Роль = значе́ние и сте́пень уча́стия в како́м-либо де́ле (кого?) же́нщины, руководи́теля...
Руководи́ть (чем?) коллекти́вом, фи́рмой
Рыба́лка
Ры́нок
(како́й?) мирово́й, оте́чественный...
(чего?) това́ров, услу́г, жилья́, автомоби́лей...
Ры́нок труда́

С

Сад
Саморазви́тие
Свобо́дный, -ая, -ое
Сели́ться/посели́ться
(где?) в стране́, в го́роде, в райо́не, на террито́рии...
Се́льская ме́стность, ж.
Сеть, ж.
Си́льный пол = о мужчи́нах
Си́мвол
(чего?) успе́ха, страны́...
Систе́ма
(чего?) образова́ния, подгото́вки, обуче́ния...
Скры́тая безрабо́тица
Слу́жащий, м. (в знач. сущ.)
(како́й?) ба́нковский, госуда́рственный, (чего?) фи́рмы, ба́нка
Сме́ртность, ж.
Смысл = значе́ние
Снима́ться/сня́ться с учёта
(где?) на би́рже труда́, в отделе́нии мили́ции...
Со́бственник
Со́бственность, ж.

(какая?) госуда́рственная, ча́стная, кру́пная, ме́лкая, сре́дняя...
Сокраще́ние
(чего?) населе́ния
Сопротивля́ться
(чему?) проце́ссу, глобализа́ции, интегра́ции...
Состоя́тельный, -ая, -ое = бога́тый, -ая, -ое
Социа́л-демократи́ческий, -ая, -ое
Социа́льная поли́тика
Социа́льный ста́тус
Социо́лог
Спад
(чего?) разви́тия, эконо́мики...
Специали́ст
(како́й?) высококвалифици́рованный, малоквалифици́рованный...
Спорт
Сре́дний класс
Сре́дства ма́ссовой информа́ции (СМИ) = масс-ме́диа
Срок
(чего?) пребыва́ния, нахожде́ния, регистра́ции, рабо́ты...
Стаби́льность, ж.
(какая?) полити́ческая, экономи́ческая...
Стаби́льный, -ая, -ое
Ста́дия
(чего?) разви́тия, проце́сса...
Станда́рт
Станда́рты, мн.
(чего?) потребле́ния, ка́чества проду́кции...
Старшекла́ссник
Стати́стика
(какая?) официа́льная, регистри́руемая
Статисти́ческие да́нные, мн. = информа́ция
Ста́тус = положе́ние
(кого?) челове́ка, сотру́дника...
Стереоти́п
Сти́мул
Стимули́ровать
(что?) разви́тие, интере́с...
Сто́имость, ж.
(чего?) проду́кции, това́ра...
Столи́ца

Страда́ть/пострада́ть
(от чего?) от войны́, от рефо́рм, от гло-
бализа́ции...
Студе́нт
Су́щность, суть, ж.
(чего?) вопро́са, пробле́мы, тво́рчест-
ва...
Сфе́ра
(чего?) торго́вли, услу́г де́ятельности,
обслу́живания...

Т

Тала́нтливый, -ая, -ое
Тво́рчество
Теа́тр
Телепрогра́мма
Тенде́нция
(какая?) положи́тельная, отрица́тель-
ная...
(чего?) разви́тия, движе́ния...
Террори́зм
Те́хника
(какая?) совреме́нная, устаре́вшая...
Техноло́гия
Транснациона́льная корпора́ция
Транснациона́льный, -ая, -ое
Тре́бование
Трудоспосо́бный челове́к
Тупи́к
Тури́зм

У

Убыль, ж. = уменьше́ние, сниже́ние чи́с-
ленности
Увеличе́ние = рост
(чего?) населе́ния, произво́дства...
Увлека́ться
(чем?) туризмом, спортом...
Увлече́ние
Увольня́ться/уво́литься
(откуда?) с рабо́ты, из фи́рмы
Угро́за = опа́сность, ж.
Умира́ть/умере́ть
Университе́т
Унифика́ция = однообра́зие
Управле́ние (чем?) предприя́тием,
фи́рмой...

Управля́ть (чем?) предприя́тием,
фи́рмой...
Уровень, м.
(какой?) профессиона́льный, высо́кий,
ни́зкий, сре́дний...
(чего?) жи́зни, разви́тия, дохо́дов, бла-
госостоя́ния...
Уровень жи́зни
(кого?) населе́ния, наро́да, гра́ждан
Устра́иваться/устро́иться
(куда?) на рабо́ту, в фи́рму
«Уте́чка мозго́в» = «уте́чка умо́в»
Уча́щийся
(чего?) шко́лы, те́хникума...
Учени́к
(чего?) сре́дней шко́лы, 2-го кла́сса...
Учёный, м. и ж.
Учи́тель, м. и ж. (в знач. сущ.)
(чего?) шко́лы
Учрежде́ние
(какое?) госуда́рственное, прави́тельст-
венное...
(чего?) нау́ки, культу́ры...
Ую́т

Ф

Фа́ктор
(чего?) разви́тия...
Факульте́т
(какой?) истори́ческий, экономи́че-
ский...
(чего?) журнали́стики, политоло́гии...
(чего?) университе́та, институ́та, ака-
де́мии...
Филосо́фия
Финанси́рование
(чего?) прое́кта, програ́ммы...
Фина́нсовые сре́дства, мн.
Фина́нсы, мн.
Фо́рма
(чего?) культу́ры, иску́сства...
Фо́рма со́бственности
Формирова́ние
(чего?) ры́нка, созна́ния, идеоло́гии...
Формирова́ть
(что?) обще́ственное мне́ние, взгля́ды...
Фо́рум = съезд = собра́ние

Фу́нкция
   (*кака́я?*) полити́ческая, экономи́ческая, социа́льная...

Х

Хозя́йство
   (*како́е?*) индивидуа́льное, госуда́рственное, ча́стное...
Храни́ть (*что?*) па́мять, ую́т...
Храни́тельница (*чего́?*) семьи́, ую́та...

Ц

Цена́
   (*на что?*) на проду́кцию, на това́р, на нефть...
Це́нности, *мн.*
   (*каки́е?*) жи́зненные, мора́льные...
Цивилиза́ция
   (*кака́я?*) дре́вняя, совреме́нная, восто́чная, за́падная...

Ч

Чи́сленность, *ж.* = коли́чество
   (*чего́?*) населе́ния

Ш

Шкала́ налогообложе́ния
   (*кака́я?*) пло́ская, прогресси́вная

Э

Экзоти́ческий, -ая, -ое
Экологи́ческая обстано́вка = экологи́ческая ситуа́ция
Экологи́чность, *ж.*
   (*чего́?*) маши́н, тра́нспорта, обору́дования...
Эколо́гия
   (*кака́я?*) социа́льная, обще́ственная...
Экспе́рт
Эксперти́за
Э́кспорт
   (*чего́?*) проду́кции, това́ров...
Экспорти́ровать
   (*что?*) проду́кцию, това́ры...
Экстреми́ст
Эли́та
   (*кака́я?*), полити́ческая, интеллектуа́льная...
   (*чего́?*) страны́, госуда́рства...
Элита́рность, *ж.*
Эмигра́нт
Эмигра́ция
Этало́н = идеа́льный образе́ц

Я

Я́дерная фи́зика
Ядро́ = центра́льная часть

СОДЕРЖАНИЕ

271

Учебное издание

Баско Нина Васильевна

ОБСУЖДАЕМ ГЛОБАЛЬНЫЕ ПРОБЛЕМЫ, ПОВТОРЯЕМ РУССКУЮ ГРАММАТИКУ

Редактор *В.В. Шоркина*
Ответственный редактор *А.В. Птухина*
Корректор *В.К. Ячковская*
Компьютерная верстка и оригинал-макет *П.С. Романов*

Подписано в печать 20.04.2015 г. 70х100/16
Объем 17 п. л. Тираж 1000 экз. Зак. 515.

Издательство ООО «Русский язык». Курсы
125047, Москва, 1-я Тверская-Ямская ул., д. 18
Тел./факс: +7(499) 251-08-45, тел.: +7(499) 250-48-68
e-mail: rkursy@gmail.com; ruskursy@gmail.com;
russkiy_yazyk@mail.ru; ruskursy@gmail.ru
www.rus-lang.ru

Отпечатано с готового оригинал-макета издательства в ОАО «Щербинская типография»
117623, Москва, ул. Типографская, д. 10
Тел.: +7(495) 659-23-27
v010203@yandex.ru